BASTEI
LÜBBE
STARS

Katrina Vincenzi

Dream Lover

Erotischer Roman

Ins Deutsche übertragen von
Sandra Green

BASTEI
LÜBBE
STARS

BASTEI LÜBBE STARS
Band 77179

Vollständige Taschenbuchausgabe

Bastei Lübbe Stars in der Verlagsgruppe Lübbe

Titel der englischen Originalausgabe: EXOTIC
© 1995 by Katrina Vincenzi
Published by arrangement with Virgin Publishing Ltd.
Dieses Werk wurde vermittelt durch die
Literarische Agentur Thomas Schlück GmbH, 30827 Garbsen
All rights reserved
© für die deutschsprachige Ausgabe 2001 by
Verlagsgruppe Lübbe GmbH & Co. KG, Bergisch Gladbach
Einbandgestaltung: Bianca Sebastian
Titelbild: mauritius images / M. Dodd
Satz: QuadroMedienService, Bensberg
Druck und Verarbeitung: Ebner & Spiegel GmbH, Ulm
Printed in Germany, März 2007
ISBN 978-3-404-77179-0

Sie finden uns im Internet unter
www.luebbe.de

Der Preis dieses Bandes versteht sich einschließlich
der gesetzlichen Mehrwertsteuer.

ERSTES KAPITEL

Gem, Liebling, wunderbare Neuigkeiten! Alexei Racine führt Regie bei den Vampir-Erzählungen! Ein Blitz aus heiterem Himmel! Megalith hat in letzter Minute erkannt, dass Bob Ryder für einen solchen Film nicht genug Tiefe hat... Die Vorproduktion beginnt im Januar. Wir sind weg – Urlaub auf Barbados. Ich hoffe, du erholst Dich gut in Deinem Versteck in der Bretagne. Felice Navidad und so ... Grüße ... Sy.

Gemma de la Mare saß an ihrem Schreibtisch und mochte den Inhalt der Notiz kaum glauben, obwohl sie jetzt schon das dritte Mal Wort für Wort las.

Kurz und erfolglos versuchte sie sich dadurch abzulenken, dass sie sich über Kleinigkeiten aufregte. Da war zunächst Sys ärgerliche Angewohnheit, sie ›Gem‹ statt Gemma zu nennen. Sie hasste seinen inflationären Gebrauch des Wortes ›wunderbar‹, ebenso seine häufigen Ausrufezeichen. Schließlich die Wünsche zum Fest – verdammt, warum mieden die Menschen mehr und mehr, jemandem eine fröhliche Weihnacht zu wünschen? Und nachdem sie nun schon seit sechs Monaten an dem Projekt arbeiteten, hätte sich Sy auch den korrekten Filmtitel merken können – er lautete ›Erzählungen des Vampirs‹.

Es hatte keinen Sinn. Ungläubigkeit schwoll zu Verärgerung an, Verärgerung zu Wut, Wut zu Weißglut. Gemma kaute so lange auf den Fingernägeln herum, bis der rote Lack, genau auf die Farbe der Schuhe abgestimmt, splitterte.

Alexei Racine würde also Regie führen.

Nervös fummelte Gemma an einem Perlenohrring, während sie immer noch ihre Fingernägel attackierte, bis der rote Lack völlig ruiniert war.

Alexei Racine.

Sie waren sich noch nie begegnet. Er war einer der wenigen Menschen, die sie nur auf Grund ihres Rufs verabscheute. In der kleinen Welt der europäischen Filmindustrie ging ihm ein denkbar schlechter Ruf voraus, genährt von vielen Gerüchten. Dabei widersprachen sich die Gerüchte oft. Für die einen war er Legende, für die anderen ein unersättlicher Frauenheld. Oder war er schwul? Ein sadistischer Tyrann? Er galt als Alkoholiker oder als Kokainkonsument – oder beides. Es hieß, dass er Franzose war. Oder Russe. Und dass er stinkreich war. Oder von der Hand in den Mund lebte – von einem Film zum nächsten.

Was in allen Gerüchten über ihn auftauchte: Es war eine Qual, für ihn zu arbeiten.

Gemma hatte sich auf die Zusammenarbeit mit Bob Ryder gefreut. Er war ein sanfter Typ mit einer unerschütterlichen Ruhe. Und sie hatte sich auf die ›Erzählungen des Vampirs‹ gefreut, einer dunklen, erotischen Geschichte, ein Klassiker des Horrors. Aber nun wusste sie, dass sechs Monate Folter vor ihr lagen.

Wie ein Automat begann sie ihren Schreibtisch zu ordnen und sortierte die bereits sortierten Stapel, richtete sie im rechten Winkel zur überflüssigen Schutzmatte, die Beschädigungen der polierten Oberfläche ihres ultramodernen Schreibtischs verhindern sollte.

Alexei Racine.

Verdammt fröhliche Weihnachten, dachte sie, hörte Nachrichten auf dem Anrufbeantworter ab, führte drei unwichtige Gespräche und unterschrieb einige Dokumente, darunter den Antrag ihrer Produktionsassistentin Jane, die drei Wochen Urlaub haben wollte, sowie den Entwurf für eine verbesserte Kantinenleistung. Gemma erwachte erst aus ihrer zornerfüllten Trance, als sie dabei war, ein völlig unsinniges Zubehör für ein Kamerateam zu unterschreiben.

»Verdammt«, murmelte sie entnervt.

Sie erwog kurz, Sy oder Zippo anzurufen, die beiden Studiobosse, aber dann entschied sie sich dagegen. Als Produzentin war sie in der Theorie eine einflussreiche Person, den Investoren, Schauspielern und Autoren verantwortlich. Theoretisch konnte sie auch den Regisseur bestimmen. Aber die Zuständigkeiten hatten sich verändert, seit Megalith, eine amerikanische Investmentgesellschaft, den Horror als Genre entdeckt hatte und die Muskeln spielen ließ.

Jane wollte gerade die Tür aufdrücken, aber dann zuckte die junge Frau zusammen und riss die Augen weit auf. Einen Moment lang glaubte sie, Gemma beim Fluchen gehört zu haben. Im nächsten Moment wusste sie, dass sie sich geirrt hatte; ihr Boss war, wie immer, ruhig und gefasst, ein Bild der Zuverlässigkeit und des Schicks. Sie trug ein marineblaues Kostüm von Chanel, das ihrer Augenfarbe entsprach.

»Gemma, hallo! Ich habe dich heute nicht erwartet. Alle anderen sind schon weg«, sagte Jane. »Was kann ich für dich tun? Was möchtest du haben? Kaffee, Tee oder mich?«

Gemma lächelte über den alten Scherz. Jane war eine Frohnatur, sie war unabänderlich lesbisch, vielleicht gelegentlich bi, eine sinnliche Gestalt in punkartigem schwarzem Leder. Die silbernen Haare ragten wie Spikes über dem Kopf. Die langen Ohrringe waren krumm wie Schwerter.

»Weder noch, Jane, danke. Ich bin hier, um den Schreibtisch aufzuräumen und ein paar Dinge zu klären.« Sie schaute auf die Manuskriptstapel und auf ihre abgekauten Fingernägel. Schamvoll schob sie die Finger unter Sys Notiz.

»Du hast Sys Bombe schon gelesen?«, fragte Jane und setzte sich mit einer Backe auf Gemmas Schreib-

tisch. »Was sagst du dazu? Alexei Racine! Ich meine …
puh … Hast du von ihm und der französischen
Schauspielerin gehört? Es heißt, sie hätten...«

»Er ist ein guter Regisseur«, unterbrach Gemma
kühl. »Und ich glaube, wir alle werden es als
Herausforderung betrachten, für ihn zu arbeiten.«

»Herausforderung? Ich glaube, ich höre nicht recht
…«

»Du hörst ja auch nichts anderes als Gerüchte, Jane.
Sie sind bedeutungslos, zerstörerisch und total unpro-
fessionell«, sagte Gemma rasch und hätte zu gern
gewusst, was Racine mit der französischen Schauspielerin angestellt hatte. Aber die Blöße der Neugier
wollte sie sich nicht geben.

Jane ließ sich nicht so schnell einschüchtern. »Und
was ist mit Megalith?«, fragte sie. »Wer hat jetzt
eigentlich das Sagen? Glaubst du nicht auch, dass es
ein bisschen ungewöhnlich ist, wenn …«

»Nein«, sagte Gemma und schaute auf die Uhr.

»Schon gut, schon gut«, stöhnte Jane und gab sich
geschlagen. Sie hatte nicht wirklich damit gerechnet,
von Gemma etwas Neues zu erfahren. »Fährst du wieder in die Bretagne? Wann reist du ab?«

»Ich fliege am Mittag«, antwortete Gemma. »Ich
muss bald weg. Alles, was jetzt noch auf dem Schreibtisch liegt, hat bis nach den Feiertagen Zeit.«

»Und keine Reaktion auf das Memo?«

»Nein.«

»Auch gut«, sagte Jane enttäuscht. »Eine schöne
Zeit und *buon natale*.«

Gemma seufzte. »*Felice navidad*, Jane.«

Paris. Alexei Racine schlenderte über den Place Pigalle
und genoss die kalte Dezemberluft, das sanfte graue
Licht des Nachmittags und als Kontrast dazu die grellen Neonreklamen zu beiden Seiten des Boulevards.
Wäre er ein Mann gewesen, der summte, pfiff oder

mit den Münzen in seiner Hosentasche klimperte, um seine Lust am Leben zu zeigen, hätte er vielleicht alle drei Dinge gleichzeitig getan. Nur der Hauch eines Lächelns trat in sein Gesicht, als er die schwüle Atmosphäre des Place Pigalle auskostete und dabei seine Gedanken schweifen ließ.

Tagsüber unterschied sich Pigalle kaum von anderen Plätzen in Paris; Geschäfte, Cafés, Bistros, Imbissbuden, sogar ein überraschend gutes Restaurant an der Ecke.

Mit Einbruch der Dämmerung veränderte sich das Bild. Neonlichter in Pink und Grün flackerten auf, fluoreszierende Lichter schrien ihre Sexangebote heraus. Dunkelhäutige Männer schoben sich aus Hauseingängen, lockten, betörten und beschwatzten Passanten und Touristen. Lebensgroße, angestrahlte Poster von nackten Männern und Frauen in jeder Kombination und Position attackierten die Sinne mit einer schrillen Hartnäckigkeit.

Racine, eine elegante, wenn auch etwas finstere Gestalt in einem schwarzen Wollmantel, der fast bis auf den Boden reichte, und einem breitrandigen schwarzen Hut, der sein Gesicht in den Schatten legte, schien nicht in diese Gegend zu gehören. Er passte nicht hierhin.

Er blieb vor einem Schaufenster stehen, aber er hätte nicht sagen können warum. Seine Aufmerksamkeit war aus einem nicht nachvollziehbaren Grund geweckt worden. Vor sich sah er eine schwarzhaarige Frau mit weit gespreizten Beinen. Ihre Schamhaare waren ein dünner schwarzer Streifen auf unglaublich weißer Haut. Sie hatte große Brüste mit aufgesteilten braunen Nippeln. Eine schlanke Frau mit langen silbernen Haaren kniete vor ihr, das Gesicht zwischen den Schenkeln der schwarzhaarigen Frau verborgen.

Raffiniert fotografiert, dachte Racine. Das Foto drückte Bewegung und Rhythmus aus, als ob die stehende

Frau ihre Hüften vor und zurück wiegte, die Muskeln spannte und nach Erleichterung gierte. Racine glaubte, die Zunge der silberblonden Frau auf den rosigen Labien sehen zu können.

»Nach der Show kannst du sie haben, wenn du willst«, bot der arabische Türsteher ihm aufs Geratewohl an. Er stand im Türeingang und suchte Racines Blick. »Kostet aber extra.«

Es waren ihre Haare, dachte Racine, der den Araber gar nicht wahrgenommen hatte. Die fließende Fülle der silberblonden Haare, die über ihren Rücken streichelten und fast bis zu den Hüften reichten.

Sie erinnerten ihn an Gemmas Haare. Einen Augenblick lang sah er sie nackt vor sich, die Haare offen, wie sie vor einer anderen Frau kniete und deren weiche Falten mit der Zunge teilte. Es war eine so widersinnige Vision der so eiskalten und beherrschten Gemma de la Mare, dass er versucht war zu lächeln, und trotzdem spürte er, wie er hart wurde.

Spontan schob er dem Araber ein paar Franc in die Hand und zog den schwankenden Vorhang zur Seite, der den Eingang verdeckte. Als sich seine Augen an das trübe Licht im Innern gewohnt hatten, fand er sich allein in einem kleinen Raum wieder. Die beiden Frauen lagen ausgestreckt hinter einer Glasscheibe. Er überlegte kurz, ob sie ihn sehen konnten.

Einige Frauen, wusste er, zogen die Anonymität eines Einwegspiegels vor, während andere es genossen, die Männer zu beobachten, die dafür zahlten, sie zu beobachten.

Als er die Frau mit den dunklen Haaren anschaute, wusste er instinktiv, dass sie ihn gesehen hatte. Die Blonde hatte ihm den Rücken zugewandt. Auf eine von Racine nicht zu erkennende Geste hin kniete sie sich vor die dunkelhaarige Frau, die sich mit leicht gespreizten Beinen aufrichtete.

Silberblonde Haare berührten den Boden, als sie

begann, mit den vollen Lippen über die Innenseiten der Schenkel der anderen Frau zu lecken.

Racine hatte etwas anderes erwartet, irgendein gelangweiltes und mechanisches Vorspiel. Aber was er sah, war zielstrebig und begierig, fast schockierend.

Er konzentrierte sich auf die kniende Frau. Im harschen Licht schien ihre Haut weiß wie Schnee zu sein, und ihre Haare glänzten bei jeder Bewegung wieder neu.

Er dachte an Gemma, und seine Erregung wuchs. Seine Erektion pochte.

Dann wandte sie den Kopf, und für einen Moment konnte er ihr Profil sehen. Eine kleine Stupsnase. Nicht die klaren, reinen Konturen von Gemmas Gesicht. Seine Erregung schwächte sich ab. Er drehte sich herum, ein wenig entsetzt über sich und Paris. Heute Abend würde er abreisen, beschloss er.

Er ging rasch aus dem Raum und ignorierte die überraschten Proteste des Arabers.

Ihre luxuriöse Wohnung im exklusiven sechzehnten Pariser Bezirk war ganz in Weiß und Gold gehalten. Gabrielle de Sevigny seufzte vor Lust, als sie den Mund des Geliebten auf ihrer Brust spürte. Leo hatte sich an diesem Nachmittag verspätet und einen unerwarteten Geschäftstermin und dann auch noch den unvermeidlichen Straßenverkehr als Entschuldigung vorgeschoben, aber bei Leo konnte sie sich nie sicher sein. Allmählich begriff sie, wie sehr ihr Frust ihn erregte.

Seit Stunden war sie feucht und erregt für ihn gewesen, gepeinigt von Erinnerungen an vorausgegangene Begegnungen, gierig auf mehr. Dann war Leo endlich da, kühl und weltmännisch, überaus höflich. Er hatte so getan, als spürte er ihre Ungeduld nicht, und als sie ihm widerwillig einen Drink angeboten hatte, hatte er dankend akzeptiert und amüsant über die jüngsten Skandale innerhalb der Regierung geplaudert, dann über gemeinsame Bekannte und über delikate Gerüchte. Sie hätte am liebsten vor Liebesqualen aufgeschrien.

Er war der erregendste Liebhaber, den sie je hatte.

Seit er sie das erste Mal genommen hatte, grob, unbekümmert und kaum verdeckt von der Sträuchern auf ihrer exklusiven Gartenparty, war sie ihm ausgeliefert gewesen. Kein anderer Mann hatte so gewandt und geschickt ihren Körper verstanden, ihre Sehnsüchte. Es gab niemanden, der sie derart ausfüllte und erfüllte.

Manchmal war er grob, fast brutal, wenn er in sie hineinstieß, bevor sie dazu bereit war. Er konnte sich so rücksichtslos benehmen, als wäre er bei einer Hure, wenn er dann ausdauernd zustieß, hart und heftig und nur auf die eigene Befriedigung ausgerichtet.

Aber oh, wie zärtlich er sein konnte! Sanft und einfühlsam wie der Bräutigam, der seine jungfräuliche Braut in die Liebe einführt, unendlich geduldig.

Ihr wurde immer mehr bewusst, wie sehr er sie beherrschte, wenn auch auf eine kaum merkliche Art, denn seine sanfte Zuneigung, die er ihr ab und zu zeigte, war auf eine subtile Weise kaum weniger brutal als seine unbeherrschte Wildheit. Aber als ihr das bewusst wurde, war es schon zu spät.

Viel zu spät. Denn Gabrielle de Sevigny, verwöhnte aristokratische Ehefrau eines prominenten Staatsministers, war Leo hörig.

Er lutschte jetzt an ihren Brüsten und streifte mit den Zähnen über ihre empfindlichen Warzen. Prickelnde Hitze fuhr wie ein Pfeil zu ihrem Schoß. Sie spürte die zunehmende Nässe und das ansteigende Verlangen, das sich immer stärker in ihr ausbreitete. Aber sie wusste, dass es keinen Sinn hatte, ihn zu drängen.

Er ließ sich Zeit und erforschte ihre Brüste mit Zunge, Lippen, Zähnen und Händen. Die Brüste waren geschwollen und unglaublich empfindlich. Ihre Labien füllten sich mit Blut. Sie wollte mehr, wollte von ihm durchbohrt und aufgespießt werden. Er wusste genau, was sie wollte, aber er sagte nichts und fuhr fort, sie zärtlich zu streicheln.

Schließlich bissen die Zähne auf ihre Warze, und Gabrielle stöhnte laut auf.

Sofort hob er den Kopf. »Liebling, habe ich dir weh getan?« Er sah sie mit seinen dunklen Augen besorgt an.

Sie wollte ihn anspucken, ihn anschreien, seinen Kopf auf ihre Brust drücken, sie wollte, dass er sie rasch zum Höhepunkt führte.

»Nein, nein«, sagte sie hastig. »Du hast mir nicht weh getan.«

Seine Augen glänzten, dann beugte er sich wieder über sie und wandte sich der anderen Brust zu.

Zu Anfang war er der perfekte Liebhaber gewesen. Er hatte ihre Nöte und Sehnsüchte verstanden, ehe sie ihr selbst bewusst geworden waren. Seine Grobheit hatte sie angefeuert, bevor sie wusste, dass sie etwas dafür empfand. Aber jetzt zeigte er seine fast unmenschliche Seite, er verweigerte sich ihr oder zeigte Zärtlichkeit, wenn sie es derb haben wollte – und er wusste, dass sie es so haben wollte. Oder er nahm sie hart und ohne Finesse, wenn sie sich danach sehnte, zärtlich verwöhnt zu werden.

Es war paradox, dass ihr Körper rasch lernte, auf seine Stimmungen einzugehen, während der Verstand ihr eine ganz andere Furcht eingab.

Sie befürchtete, er könnte anfangen, sich bei ihr zu langweilen.

Sie lag still und passiv da, aber ihr Körper glühte, während er ihre Nippel leckte. Er fuhr mit der Zunge darüber und strich über die steife Warze, die auf seine

Zähne hoffte. Seine geschickten Finger quälten den anderen Nippel, zwickten und zwirbelten, bis es unter ihrer Haut prickelte.

Langsam, viel zu langsam, fuhr er mit einer Hand über ihren Bauch und über die Kurven ihrer Hüften. Er tauchte kurz in den Nabel, zögernd und unsicher, als hätte er sie noch nie so intim berührt. Es war eher so, als wollte er ein nervöses Pferd beruhigen und nicht seine Geliebte streicheln.

Sie war heiß und nass, eine pochende Leere, die verzweifelt danach lechzte, gefüllt zu werden. Die leiseste Berührung seiner Finger in ihrem Zentrum der Lust würde ihr die Erleichterung bringen. Ihr Körper würde außer Kontrolle geraten. Und weil er das ebenso wusste wie sie, würde er das Vorspiel verlängern, bis es schmerzte, und dann würde er den Schmerz verlängern, bis er sich in Ekstase verwandelte.

Sie biss sich auf die Lippen, weil sie sonst fürchtete, sie würde ihn anbetteln. Seine Finger stoben durch ihre Schamhaare. Instinktiv hob sie ihm das Becken entgegen. Wieder spürte sie seine Zähne um ihre Nippel, sie nahmen die empfindlichen Warzen in die Zange, dann saugte der Mund die steifen Knöpfe ein, während die Finger durch den dichten Busch der Schamhaare strichen.

Gabrielle spürte ihre Bauchmuskeln, die sich krampfhaft zusammenzogen, als seine Finger über den Kitzler glitten. Es war eine etwas zu leichte Berührung, zu flüchtig, um ihr die Erleichterung zu bringen, nach der sie hungerte. Das raue Reiben von Zähnen und Zunge an ihren Nippeln ließ sie hoffen, dass er auch die Klitoris auf diese Weise reizte.

Er rutschte näher an sie heran, und sie spürte die Hitze seiner Erektion, die gegen ihre Schenkel pochte. Ihr ganzer Körper erbebte.

Sie fühlte das Flattern tief im Bauch, als bewegten Hunderte von Schmetterlingen ihre Flügel gleichzeitig. Seit langen Minuten befand sich Gabrielle am Rand eines Orgasmus, seit Leo sie so einfühlsam mit den Fingern verwöhnte. Ihr Blut floss heiß wie Lava. Seine Finger hinterließen auf ihrem Bauch eine feuchte, heiße Spur.

Ihre inneren Muskeln zogen sich zusammen, und das erste kleine Zittern übertrug sich auf seine pochende Erektion.

Schließlich erkannte er, dass er nicht länger warten konnte, und stieß drei Finger tief in sie hinein, und gleichzeitig sog er die fleischige Knospe der Klitoris tief in seinen Mund.

Ihr kam es sofort. Ihr Körper wurde geschüttelt, und prickelnde Wellen ihres Orgasmus über- schwemmten sie wie eine heiße Flut. Sie krümmte sich von ihm weg, wollte sich ganz auf ihren Höhepunkt konzentrieren, aber er rückte nach, saugte weiter, trieb seine Finger in sie hinein und drehte sie nach allen Seiten. Er überstimulierte sie auf dem Zenit des Orgasmus, und der nächste Höhepunkt schloss sich an.

Sie schrie laut auf, als sie wieder geschüttelt wurde. Sie wand sich wie ein Tier in der Falle, gefangen in der glühenden Hitze ihres Körpers.

Er hörte plötzlich auf und lag still da, beobachtete sie und erlebte mit, wie die Wellen der Lust allmählich abebbten. Er wartete, bis sich ihr Atem normalisiert hatte, und sie entspannt neben ihr lag. Er beugte sich über sie, küsste sie sanft und erhob sich vom Bett.

Ihre Lider flatterten. »Leo, dir ist es noch nicht gekommen.« Sie starrte auf seine Erektion und streckte die Arme aus. »Wo auch immer du willst, Liebling ...«

Er band sich ein Handtuch um die Hüften, schaute auf sie hinunter und lachte, als er seinen Penis hüpfen sah. »Es wird spät, Gabrielle«, sagte er und schaute auf seine Rolex. Im nächsten Moment war er im Bad verschwunden.

»Nein, nein«, rief sie. »Pierre wird noch einige Stunden weg sein.« Sie hoffte, dass er das Betteln in ihrer Stimme nicht hörte. »Wir haben noch viel Zeit.«

Aber ihre Worte verloren sich im Geräusch des prasselnden Wassers, und sie wusste, dass er sie nicht gehört hatte. Sie legte sich zurück in die Kissen, befriedigt, aber nicht glücklich.

Ein paar Minuten später kam er zurück und rubbelte sich trocken. Obwohl sie völlig gesättigt war, spürte sie ein ziehendes Verlangen, als sie seinen nackten Körper sah. Er war der schönste Mann, den sie kannte. Breite, muskulöse Schultern, flacher Bauch, lange, sehnige Beine. Ihr Blick richtete sich wieder auf seinen Penis, der immer noch ein wenig geschwollen war.

Er lachte, als er den Pfad ihrer Blicke sah. »Es ist nicht wegen Pierre«, sagte er. »Vor mir liegt eine lange Fahrt, und ich will zu Hause sein, bevor es dunkel wird.«

»Eine lange Fahrt?«, wiederholte sie verwundert. Leo besaß ein schmuckes Stadthaus ganz in der Nähe.

»Ich verbringe Weihnachten immer im Chateau«, erklärte er und zog sich rasch an. »Das ist eine alte Familientradition, genau wie der Maskenball zu Silvester … wo liegen meine Socken?«

»Oh«, murmelte sie. Sie war noch nie im uralten Chateau Marais gewesen, das an der Südküste der Bretagne lag. »Ein Maskenball?«

»Eine Tradition, um das neue Jahr zu begrüßen«, sagte er und knöpfte sein Hemd zu.

Überrascht nahm Gabrielle wahr, dass sie alle Gedanken an die bevorstehenden Feiertage verdrängt hatte. Sie hatte sich nur auf ihr nächstes Treffen mit ihm konzentriert.

»Du kannst kommen, wenn du willst«, fügte er wie beiläufig hinzu. »Aber ich kann mir nicht denken, dass Pierre sich auf unserer Party wohl fühlt.« Er gluckste still vor sich hin, als wäre ihm ein guter Witz eingefallen.

»Natürlich kommen wir, Liebling«, antwortete sie und überlegte rasch, ob sie schon andere Einladungen oder Verpflichtungen angenommen hatten. Und natürlich überlegte sie auch, wie sie Pierre betören konnte, sie zu begleiten. Oder besser noch, sie allein zum Ball gehen zu lassen. »Natürlich kommen wir.«

In einem der beeindruckenden New Yorker Wolkenkratzer, ohne die das Panorama von Manhattan nicht mehr vorstellbar wäre, diktierte Jay Stone, Chef von Megalith, seiner Sekretärin letzte Anweisungen. Seine hastigen Befehle schienen sie nicht in Verlegenheit zu bringen; ihr Bleistift flog über den Stenoblock.

»Nur noch ein paar Dinge, Annie, die mir gerade einfallen … sage den Termin mit Donald ab, aber schick seiner Frau irgend etwas von Fabergé oder Tiffany … entscheide das selbst. Lass dir die Buchung des Chalets in Gstaad bestätigen … Dieses Memo faxt du nach Tokio, und sieh zu, dass du bis morgen Mittag eine Antwort von Yoshi hast … Richte John aus, er soll die Übernahme der Anteile von Horror Inc. Zum Abschluss bringen.«

Auf ihrer Stirn zeigten sich ein paar Falten. Sie fuhr fort, seine Anweisungen präzise zu notieren, aber sie sah verdutzt zu ihm auf. Er fuhr sich mit den Händen durch das dichte schwarze Haar, eine Angewohnheit, die er beim Diktieren nicht lassen konnte. Seine braunen Augen waren vor Konzentration verengt.

Seine leidenschaftliche Intensität, seine penible Beachtung auch der geringsten Details musste sie immer wieder bewundern. Er war in seinem Büro nicht weniger beeindruckend wie im Schlafzimmer, und selten sah sie ihn an, ohne das Ende ihrer kurzen Affäre zu bedauern.

»Und am siebenundzwanzigsten nehme ich die Nachmittags-Concorde nach Paris.«

»Ich dachte, du willst nach Gstaad«, wandte sie ein.

»Leos Silvesterparty«, sagte er, »die will ich mir nicht entgegen lassen. Ist alles andere klar?«

Sie legte den Bleistift hin und sah Jay nachdenklich an. »Alles bis auf dein plötzliches Interesse an Horror, Inc. Die britische Filmindustrie ist tot. Die ganze Action findet hier statt.«

»Ah, da irrst du dich, Annie. Hast du nichts davon gehört, dass es geradezu eine Wiedergeburt des englischen Films gibt?«

»Sie haben keine Chance, und das weißt du auch«, gab Annie zurück. »Außerdem ist die Firma viel zu klein, um für Megalith von irgendwelchem Interesse zu sein. Ich kann mir keinen Reim darauf machen.«

Er lehnte sich in seinem Sessel zurück, verschränkte die Hände hinter dem Kopf und betrachtete seine Sekretärin nachdenklich. »Vielleicht hast du Recht.«

»Und warum willst du sie kaufen?«

»Vielleicht ist es nur so eine Marotte.«

»Du hast keine Marotten«, wandte sie ein.

»Na, gut, dann sagen wir, dass ich einem Freund einen Gefallen tun will.«

Jean Paul Forget stand in seinem Landhaus am Stadtrand von Carnac neben dem Bett, eine Peitsche in der Hand. Er blickte hinunter auf seine Frau Pascaline und lächelte. Sie lag mit gespreizten Schenkeln auf dem Bauch, Hand- und Fußgelenke an die Bettpfosten gebunden, das Gesicht in die Kissen gedrückt, das üppige rote Haar über Schultern und Rücken verteilt.

Ihre Pobacken waren gespannte, milchigweiße Halbkugeln, und Jean Paul konnte sehen, wie die Muskeln an der Innenseiten ihrer Schenkel zuckten, als er die Peitsche sanft über ihre Haut gleiten ließ. Ihr

Körper krümmte sich vor Erwartung, und sie stieß ein tiefes Stöhnen aus.

»Noch einmal, Jean Paul«, murmelte sie kehlig. »Noch einmal.« Sie wand sich auf dem Betttuch hin und her und genoss das warme Reiben gegen ihre Klitoris ebenso wie das klatschende Leder auf den geröteten Backen. Die beiden Empfindungen schmolzen zusammen, und die Hitze verbreitete sich in ihrem ganzen Körper.

Aber Jean Paul ließ sie stets zappeln und verlängerte die exquisite Folter mit listigen kleinen Tricks. Oft legte er eine Pause ein, um einen Schluck Wein zu trinken und ließ sie ohne jede weitere Stimulierung schmoren, außer vielleicht dem einen oder anderen Tropfen des Muscadet, der ihren Rücken hinunter lief, bis er die Kerbe zwischen den Backen erreichte und dort versickerte. Er trieb sie fast in den Wahnsinn, wenn er sie warten ließ, bis er sich schließlich über sie beugte und den Tropfen aufleckte, ehe er wieder die Peitsche sirren ließ.

»Nebenan ist Licht«, sagte er und ging hinüber zum Fenster.

»Noch einmal, Jean Paul, noch einmal«, stöhnte sie.

»Bald, Liebling, bald«, versprach er und zog den Vorhang zur Seite. »Unsere neue Nachbarin, die Engländerin. Ich habe ihren Namen vergessen … Möchtest du auch ein Glas Wein, mein Liebling?«

Pascaline atmete schwer. Sie hatte gelernt, mit der Frustration zu leben, sie einzubauen in die Augenblicke des Schmerzes, der sich bald in eine einzigartige Lust verwandeln würde.

»Ja, bitte. Amethyst oder Jade, irgendwas Englisches. Ich kann nicht begreifen, warum Leo an sie verkauft hat. Du?«

»Leo wird seine Gründe haben«, antwortete Jean Paul schulterzuckend, aber bei sich dachte er auch, dass der Verkauf ein wenig seltsam war. Nur einige ausgesuchte Freunde waren bisher in den Genuss gekommen, eines der alten, vernachlässigten Bauernhäuser zu erwerben, die am Rand des Besitzes von Chateau Marais lagen. Einige Kilometer Wald und Weideland erstreckten sich zwischen den von Grund auf renovierten Bauernhäusern und dem Chateau, und dazwischen erhoben sich zahlreiche Dolmen. Diese Steingrabmale aus der Vorzeit waren charakteristisch für die Landschaft.

»Das ist ja eigenartig«, murmelte Jean Paul, schenkte Wein ein und schaute wieder aus dem Fenster. »Sie ist aus dem Haus gegangen. Ich kann ihre Taschenlampe sehen. Es sieht so aus, als wollte sie in den Wald. Was sucht sie da?«

»Ich erinnere mich wieder«, sagte Pascaline und hob den Kopf, damit sie Wein aus dem Glas trinken konnte, das er an ihre Lippen hielt. »Ich habe mich im Sommer mit ihr unterhalten, kurz bevor wir abgereist sind. Sie war ganz versessen auf die Grabhügel, wie furchteinflößend und geheimnisvoll sie wären, und wie merkwürdig, dass sie auf Privatbesitz stünden. Sie war ganz aufgeregt, als sie von den eingeritzten Bildern in der Gruft erzählte, besonders der Jäger hat sie begeistert. Vielleicht hat sie deshalb das Haus kaufen wollen ... aber das erklärt immer noch nicht, warum Leo es ihr verkauft hat.«

»Ah, die Gruft.« Jean Paul nickte. Der große Grabhügel auf dem Besitz der Marais war weniger bekannt als andere prähistorische Grabstätten in der Region, St. Michel oder le Moustoir, dafür hatten die Marais immer schon gesorgt. Aber einzigartig war die eingeritzte oder eingemeißelte Gestalt auf einer Wand. Es war eine schlichte Zeichnung, kaum ausgefeilter als das Strichmännchen eines Kindes. Von der Körpermitte ging ein aufsteigender Strich aus, der entweder einen Speer darstellen sollte oder einen grotesk verlängerten Penis.

Vielleicht war diese Zeichnung die älteste Kunst, die erhalten geblieben war – aber es gab auch die Meinung, dass sich jemand vor einhundert Jahren einen Scherz erlaubt und die unbeholfene Zeichnung an die Wand gekritzelt hatte. Die Einheimischen nannten die Gestalt ›Der Jäger‹, und Erzählungen schrieben ihr übersinnliche Kräfte zu.

Nicht ganz ohne Grund, dachte Jean Paul und erinnerte sich an seinen letzten Besuch in der Gruft. »Weißt du noch, Pascaline, als wir in der Nacht ...«

»Ich weiß es noch sehr genau«, antwortete sie, und ihre Augen blickten heiß. »Ich werde schon nass, wenn ich daran denke. Noch einmal, Jean Paul.«

Auch er hing den Erinnerungen nach. Er setzte sein Glas ab und betastete den Griff der Peitsche.

Gemma bewegte sich langsam und vorsichtig durch das hohe Gras des Gartens auf der Rückseite ihres Hauses. Von dort gelangte man in den Wald.

Ihre nervöse Anspannung lockerte sich allmählich, und sie ließ sich einfangen von der unvergleichlichen ländlichen Stille in der Nacht. Der Himmel erstreckte sich über ihr in einem tiefen, samtenen Blauschwarz, und die Sterne, so schien ihr, leuchteten viel kräftiger und näher. Gemma empfand plötzlich eine wohltuende Erleichterung und wusste spätestens in diesem Augenblick, dass es die richtige Entscheidung gewesen war, das alte Bauernhaus zu kaufen.

Das Haus und die Gegend befreite sie auf eine Weise, die sie nicht deuten konnte. Hier war sie unbekannt, anonym; sie kannte kaum die Sprache. Es war leicht, die Bürde ihres Berufslebens abzuschütteln, ebenso leicht, wie sie aus dem Chanel schlüpfte und in Jeans stieg. Dazu trug sie noch einen gelben Pullover aus Kaschmir.

Auf der langen Fahrt hatte sie sich begeistert und

ängstlich zugleich gefühlt. Sie war viel zu schnell gefahren, aber sie wollte den kraftvollen Motor des gemieteten schwarzen BMW auskosten. Der Wagen schien die Kilometer zu mühelos zu schlucken, und Gemma war absichtlich zu schnell gefahren, hatte sich durch den dichten Verkehr geschlängelt, die langsameren Fahrzeuge vor ihr angeblinkt, ehe sie halsbrecherisch an ihnen vorbei gerauscht war.

Sie fuhr immer besser, wenn sie schnell unterwegs war, dann musste sie ihre ganze Aufmerksamkeit auf die Straße lenken und die Reaktionen der anderen Fahrer voraussahnen. Der wechselnde Verkehrsstrom wurde zu einem Spiel für sie; es war eine Art Straßenschach für Gemma.

Nach einer haarscharfen Fast-Begegnung mit einem entgegenkommenden Citroën hatte sie wieder zur Vernunft gefunden, aber sobald sie sich dem allgemeinen Verkehr anschloss, blieb ihr Zeit zum Grübeln. Über die Arbeit, über Alexei Racine. Über den zunehmenden Druck, den Megalith ausüben würde, und über ihre Zukunft bei Horror Inc.

Aber nun endlich, da sie das Auto entladen, das Haus inspiziert und zur Feier des Tages eine halbe Flasche eines guten Muscadet geleert hatte, konnte sie herumwandern und die Gegend erforschen, endlich ihrem Drang nachgehen, warum dieser Ort eine seltene Anziehung auf sie ausübte.

Aus einiger Entfernung sah er den Schein ihrer Taschenlampe, der Lichtkeile über die Wiese und später in den Wald schnitt. *Der Schein flackerte wie die Fackel einer Mänade*, dachte er und lächelte.

Vor ihr lag die Gruft. Gemma tastete sie mit dem Schein der Taschenlampe ab und schritt langsam den langen Tunnel hinab. Sie atmete den kühlen, geheimnisvollen Geruch von Erde und altem Gemäuer ein und wartete darauf, dass sich ihre Augen an die Dunkelheit gewöhnten. Gemma spürte, wie der Rest ihrer Anspannung schwand und durch ein Gefühl von Ehrfurcht und Zauber ersetzt wurde.

Auf dem harten Erdboden verursachten ihre Schritte keinen Laut. Es herrschte absolute Stille, eine dicke, allumfassende Stille. Das trübe Licht, das vom Eingang hereinfiel, wurde mit jedem Schritt schwächer, den sie tiefer in die Kammer hineinging.

Sie blieb einen Moment stehen und griff mit einer Hand nach der rauen Steinmauer. Sie fühlte sich kühl und trocken an.

Gemma hob die Hand mit der Taschenlampe und richtete sie auf die Umrisse der primitiven Zeichnung. Wieder wurde Gemma von einer seltsamen Faszination erfasst, die sie schon vom ersten Besuch hier unten kannte, als sie die Gestalt deutlich vor sich sah. Sie schien eine unwiderstehliche Kraft auszuüben, bebend und lebendig.

Sie ging tiefer in die Gruft hinein, lehnte sich gegen eine Wand und atmete schwer. Sie schloss die Augen und glaubte, die Atmosphäre atmen zu können. Sie schaltete die Taschenlampe aus und ließ ihre Gedanken durch die Zeit wandern, zurück zu den Tagen des Prinzen, in dessen Gruft sie stand.

Später hätte sie nicht sagen können, ob sie dort unten an der Wand geschlafen hatte oder nicht. Sie fühlte sich vereinnahmt von der geheimnisumwitterten Luft in der Grabkammer.

Ein Streichholz flammte auf.

Erschrocken starrte sie in die Richtung und nahm kurz und verwundert einen Mann wahr, groß und mit tief liegenden Augen, dann war die Flamme auch schon erloschen. Der scharfe Geruch des Schwefels vermischte sich mit dem Aroma des Tabaks.

»Ich dachte, ich wäre allein«, sagte Gemma, seltsam verwirrt. Sie blinzelte einige Male.

»Nein«, gab er zurück. Seine Stimme, tief und gleichzeitig metallisch, klang verzerrt, wahrscheinlich von den Echos, die von den Wänden zurückgeworfen wurden. Gemma fühlte sich von der Stimme angezogen und zugleich auch ein wenig abgestoßen.

Sie wartete darauf, dass er noch etwas sagte, aber er schwieg. Das Schweigen zog sich in die Länge, und Gemma spürte seine Anwesenheit intensiver, als wenn er geredet hätte. Ein schwaches Zittern der Erregung durchlief sie. Allein mit einem Fremden unter dem massiven Gewicht von Erde und Gestein, gemeinsam im Angesicht des Jägers. Während ihr Kopf versuchte, die Reaktionen ihres Körpers zu analysieren, sprach er wieder.

»Willst du ...?«

»Will ich was?«

»Allein sein.«

In der Dunkelheit konnte sie seinen Körper spüren wie ein Magnet. Ihr Herz schlug laut und unregelmäßig, und trotz der Kühle in der Kammer spürte sie einen schwachen Schweißfilm auf der Unterlippe. Als sie redete, hörte sich ihre Stimme fremd an.

»Nein«, sagte sie schließlich.

»Gut.«

Das Schweigen und die Distanz zwischen ihnen schienen plötzlich lebendig zu werden, als wäre ein Dritter anwesend. Gemma fühlte sich matt und erregt zugleich. Eine seltsame Lethargie erfasste ihre Gliedmaßen und legte sich schwer wie Blei über ihr Gehirn. Vage begriff sie, dass sie wieder etwas sagen sollte, irgendeine banale Bemerkung, die Fremde eben austauschen, wenn sie sich zufällig treffen, aber irgendwie empfand sie keine Notwendigkeit für Worte.

Die Erregung zwischen ihnen war unverkennbar.

Es war unglaublich, aber ihr Körper spannte sich schon voller Erwartung, als er sich näherte. Ihre Nervenenden prickelten. Irgendwie wusste sie, dass er sie nehmen würde, hier und jetzt, auf dem Erdboden und in der Dunkelheit der Nacht. Der bloße Gedanke daran war ungeheuer erregend.

Seine Hände fanden sie untrüglich in dieser Finsternis, sie fuhren die Konturen ihres Körpers nach, dann neigte er ihren Kopf ein wenig, zog ihn zu sich heran.

Es war ein heißer Kuss, tief und züngelnd, wild und erotisch. Ihr Körper hüpfte. Seine Zunge wischte über ihre Zähne, neckte und schmeckte, dann stieß sie druckvoll gegen einen empfindlichen Punkt im Gaumen, und Gemma begann zu zittern, und Tränen schossen ihr in die Augen.

Sie ertrank in ihm. Ihre Knochen wurden weich, und ihre Haut heizte sich auf, als er Herrschaft über ihren Mund ausübte; es war ein entschlossener, sinnlicher Angriff, der alle Gedanken aus ihrem Kopf fegte.

Sein Mund war hart und fordernd, aber seine Hände glitten mit unendlicher Sanftheit über ihren Körper. Er tastete ihre Kurven ab, fuhr mit einer Hand über ihre Brüste und mit der anderen über den Bogen ihrer Hüften.

Sie hielt sich an ihm fest, als ihre Knie weich wurden und sie wie ein zerbrechliches Wesen im Sturm zu schwanken begann. Sie war benommen und beinahe ohnmächtig vor Verlangen. Sie wollte die schiere Kraft seiner Zunge zwischen ihren Beinen spüren, das sanfte Streicheln seiner Hände auf ihrer nackten Haut. Sie benötigte das Gefühl der lebendigen Wärme seines Körpers.

Der Kuss schien endlos, er wurde leidenschaftlicher und erregender, je länger er dauerte. Sie konnte sich nicht erinnern, schon einmal so heftig geküsst worden zu sein. Dieser Fremde brachte ihrem Mund neues Leben, er wurde so empfindsam wie ihre Klitoris, so erogen wie ihre Nippel.

Als er endlich den Kopf hob, war sie völlig außer Atem.

Mühelos zog er sie aus. Da war kein Platz für Verlegenheit, er kannte kein ungeschicktes Fummeln. Ihr war, als fielen ihre Kleider unter seinen Händen wie Blätter im kräftigen Herbstwind.

Und es war kein Ort für Worte.

Vielleicht wollte er das Schweigen ebenso wie sie. Erotische Anonymität.

Es hatte etwas Urwüchsiges, wie sie in der Dunkelheit nackt vor einem Fremden stand, mitten in einer vorzeitlichen Gruft, wo die einzige wahre Realität aus seinen Berührungen mit Lippen und Händen bestand.

Er koste sie sanft mit seinen großen, kräftigen Händen, er strich mit den Fingern über ihren Hals, über die Schultern und die Arme, wobei er wie aus Versehen ihre Brüste leicht berührte. Er streichelte über die empfindliche Haut der Armbeugen und ließ sich viel, viel Zeit.

Gemma hielt die Luft an und konzentrierte ihre Sinne auf den Pfad seiner Hände.

Sie spürte, wie sich ihre Nippel versteiften und härter wurden, und ihr war auch die feuchte Hitze zwischen ihren Schenkeln bewusst. Dann bemerkte sie, dass er sich gekniet hatte, denn sie spürte seinen warmen Atem auf den dichten krausen Haaren, die ihr Geschlecht umgaben.

Bei der Liebe war sie nie aggressiv, aber sie spürte den plötzlichen Impuls, mit den Fingern in seine Haare zu greifen, um sein Gesicht ans Zentrum ihrer Lust zu führen. Sie wollte von ihm geleckt werden, bis es ihr kam, wollte Zunge und Lippen spüren.

Als ob er ihren Impuls geahnt hätte, griff er plötzlich mit beiden Händen an ihre Fußfesseln. Sein

Greifen war schmerzhaft, und sie spürte, wie es ihr kalt den Rücken hinunter lief. Natürlich war er viel stärker als sie, er konnte sie zu Dingen zwingen, die sie nicht tun wollte, er konnte ihr Schmerzen zufügen, und sie hatte keine Chance, es zu verhindern.

Im nächsten Moment fühlte sie seinen Mund auf ihrem Bauch. Er hauchte kurze feuchte Küsse auf ihre Haut; sie waren so sanft, dass die Lippen sie kaum berührten. Wenn sie eine Gefangene seiner Hände war, dann war sie eine Sklavin seines Mundes. Seine Zunge tänzelte geschickt durch die krausen Schamhaare und teilten die geschwollenen rosigen Lippen ihres bebenden Geschlechts.

Bei jedem anderen Mann und bei jeder anderen Gelegenheit wäre sie ob ihrer tropfenden Nässe verlegen gewesen; aber hier in der Dunkelheit mit einem Fremden empfand sie eine erstaunliche sexuelle Freiheit, die sie in diesem Ausmaß bisher nicht gekannt hatte.

Der feste Griff um ihre Füße stand im krassen Gegensatz zu der sanften Melodie, die seine Zunge in ihrer Vulva spielte. Die Kurve ihrer Erregung zeigte steil nach oben. Wellen der Lust wärmten ihren Körper.

Mit den Zähnen lockte er ihre Klitoris aus der fleischigen Schutzhülle. Der harte Knopf schwoll an und erhob sich, und sie spürte, wie sich die Muskeln in ihrem Innern zusammenzogen. Dann leckte er über den empfindlichen Knopf, fuhr mit der Zunge rhythmisch hin und her, bis sie laut zu stöhnen begann, als sich die ersten Zuckungen ihres bevorstehenden Orgasmus ankündigten.

Das Gewebe zwischen ihren Schenkeln war geschwollen und fast unerträglich empfindlich. Sie wollte, dass die brennende Hitze die Flammen ihres Orgasmus entzündete. Sie wollte für immer auf dieser Kippe bleiben, seine Zunge auf dem Kitzler spüren.

Ihr Körper spannte sich an. Gemma wusste, dass das nächste Streicheln die glühende Hitze auslösen würde, und genau in diesem Augenblick veränderte er seine Taktik und stieß in ihre Öffnung hinein.

Die Hitze hielt sich, aber sie hätte vor Enttäuschung doch aufgeschrien, wenn sie nicht eine neue Welle der Lust gespürt hätte, als er seine Zunge spitzte und rhythmisch in sie fuhr. Er küsste sie so hart und rhythmisch und stoßend wie in ihrem Mund, und dabei fand er einen Punkt, der so köstlich, so empfindlich war, dass sie in einer prickelnden Hitze gebadet wurde.

Jetzt schrie sie auf, als er mit der Zunge immer wieder zustieß und immer wieder diesen Punkt traf, von dessen Existenz sie bisher nichts geahnt hatte. Sie begann unkontrolliert zu zittern, und der Mann hob seine Hände von ihren Füßen und drückte Gemma fester gegen sich, während er mit der anderen Hand zwischen ihre Gesäßbacken fuhr.

Sie fühlte seine Finger in die glitschigen Falten ihrer Labien gleiten, ehe er nach hinten strich und die sensible Stelle ihrer zweiten Öffnung rieb. Der Muskel entspannte sich, und der Finger drang ein.

Seine Zunge stieß immer noch rhythmisch zu, und diesen Rhythmus nahm auch der Finger in der geheimen Öffnung auf. Es war, als würde sie von einem Erdbeben geschüttelt, als wäre sie an eine Stromquelle angeschlossen. Der Höhepunkt nahm sie wie ein Sturm und fuhr mit der Gewalt eines Blitzes durch ihre Adern.

Sie konnte sich nicht mehr auf den Beinen halten, so sehr zitterte sie. Er hatte seine Arme um sie geschlungen und fing sie auf, als sie zu Boden glitt. Er drückte sie gegen die Wärme seines Körpers.

»Du«, stieß sie heraus, erstaunt, dass es möglich war, so heiß zu werden. Sie streckte eine Hand aus, um im Dunkel sein Gesicht zu berühren. Sie fühlte sich unendlich erschöpft und matt, aber gleichzeitig glühte sie noch von der Begeisterung, die der Orgasmus in ihr ausgelöst hatte.

Er fing ihre Hand ab und brachte ihre Finger zu seinem Mund. Er nahm jeden Finger einzeln in den Mund, küsste sie und saugte sie tief ein. Es war unglaublich, aber sie spürte, wie ihr Körper schon wieder reagierte.

Er saugte gierig an jedem Finger, ließ die Zunge über die Nägel gleiten, speichelte sie ein und nagte leicht mit den Zähnen daran. Ihre Brüste schwollen wieder an, ein lüsternes Ziehen ließ ihre Nippel aufrichten, als wollten auch sie auf diese Weise verwöhnt werden. Gemma stöhnte hilflos, als er sich schließlich auch ihre Brüste vornahm.

Er saugte eine Brust in seinen Mund, fuhr mit der Zunge über die Warze und zog mit den Fingern an der Warze der anderen Brust. Er zupfte daran, zog sie in die Länge und drückte sie zwischen Daumen und Zeigefinger. Sie schmerzten vor Lust. Ihr ganzer Körper befand sich in einem fiebernden Zustand, und immer noch saugte der Unbekannte, als wollte er ihr auf diese Weise den nächsten Orgasmus bescheren. Er zog die ganze Lust ihres Körpers in diesen einen Nippel, bis sie fast aufschrie … bis ein elektrischer Blitz vom Nippel in ihren Schoß fuhr. Geblendet schloss sie die Augen.

Als sie sich ihm zuwenden und seinen Körper erforschen wollte, bewegte er sich geschickt, hob ihre Arme über den Kopf und drang mit unbändiger Kraft in sie ein.

Gemma hielt vor Überraschung die Luft an. Obwohl sie so nass war wie nie zuvor, wurde ihr zartes Gewebe von seinem kräftigen Schaft gestreckt. Als er sich langsam zu bewegen begann, konnte sie ihn überall spüren – im ganzen Körper.

Er stieß tief hinein und zog sich langsam zurück,

führte seinen Penis durch die weichen rosigen Falten ihres Geschlechts, wieder tief hinein, und beim nächsten Rückzug ließ er den Schaft über ihren Bauch gleiten und hinauf zwischen ihre Brüste. Dann nahm er den Pfad zurück, drang wieder ein, härter und schneller diesmal.

Er wiederholte diese Reise einige Male, bis ihre inneren Muskeln sich um seinen Schaft spannten und entspannten und sie vor Lust zu wimmern begann.

Als sie ihren nächsten Höhepunkt erlebte, war er so intensiv, dass sie gleich danach in einen tiefen Schlaf fiel.

Viel später wurde sie wach. Sie war allein.

ZWEITES KAPITEL

Sie wachte erst spät am anderen Morgen auf, Lider und Glieder schwer. Die Versuchung, sich noch einmal unter die Bettdecke zu kuscheln und sich von dem benommenen, verträumten Gefühl des Wohlbehagens treiben zu lassen, war überwältigend.

Sie fühlte sich wie eine dicke weiße Wolke oder wie eine Seeanemone, die zärtlich von leckenden Wellen gestreichelt wird. Sie streckte sich unter der Decke. Es hatte keinen Sinn. Das warme gelbe Sonnenlicht traf auf ihre geschlossenen Lider und küsste sie wach.

Als sie die Augen öffnete, begriff sie zunächst nicht, wo sie war. Die niedrigen Balken des Dachstuhls, sichtbar zwischen den Paneelen der alten Holzdecke, das grobe Muster der weiß gekalkten Wände und die kleinen Fenster mit den frisch gestrichenen Läden kamen ihr fremd vor. Dann, als Bewusstsein und Erinnerung wieder einsetzten, lächelte sie. Dies war nicht ihre ultramoderne Wohnung, sondern ein rustikales Bauernhaus, dies war nicht London, sondern die Bretagne.

Sie streckte sich schläfrig und gähnte. Sie wunderte sich über ihre steifen Glieder und über den ungewohnten Schmerz zwischen den Schenkeln.

Dann erinnerte sie sich.

Sie war gestern Abend zu einem Spaziergang aufgebrochen ... war in die Gruft gegangen ... hatte die eingeritzte Zeichnung des Jägers wiedergefunden ... und dann – ihr Kopf wollte die Erinnerung nicht wahrhaben.

Sie konnte sich nicht erinnern, die Gruft verlassen zu haben. Sie wusste auch nicht, wie sie zurück zu ihrem Haus gelangt war. Wenn dies wirklich alles geschehen war, musste sie irgendwann aufgewacht sein und die Taschenlampe gefunden haben. Dann würde sie sich angezogen haben und zurück durch Wald und Wiesen gegangen sein...

Sie schüttelte unwillig den Kopf. Dieses Geschehen verbarg sich wie hinter einer dichten Nebelwand. Sie hatte keine Erinnerung daran. Es war, als wäre sie als Schlafwandlerin unterwegs gewesen.

Ihre Gedanken wanden und schlängelten sich, aber so sehr sie sich auch verstrickten – sie kehrten immer wieder zu ihrem Geliebten zurück, der sie bis an den Rand der Ekstase und darüber hinaus gebracht hatte. Seine Gestalt verschmolz mit der primitiven Zeichnung des Jägers und dessen gewaltig zustoßendem Speer.

Vielleicht war es ja nur ein Traum gewesen.

Natürlich. Ein Traum.

Jane, ihre Produktionsassistentin im fernen London, berichtete häufig von nächtlichen Traumorgasmen, entweder um Gemmas sexuelle Vorlieben herauszufinden, oder um sie zu locken, aber diesen Versuchungen hatte Gemma leicht widerstehen können.

Trotzdem, wenn Jane in ausgeschmückten Einzelheiten beschrieb, wie es ihr während eines erotischen Traums gekommen war, hatte Gemma stets so etwas wie Neid empfunden.

Ja, es war ein Traum gewesen. Ein Traum mit einem Traumgeliebten.

Ihr Dream Lover.

Wenn sie sich darauf einließ, gab es auch eine überzeugende Erklärung für ihre Reaktion. Sie war müde gewesen, überarbeitet und verärgert über die Aussicht, sich mit Alexei Racine herumschlagen zu müssen. Es war eine lange Fahrt in die Bretagne gewesen, und beim Ausladen und Einräumen hatte sie ein wenig getrunken.

Sie musste völlig erschöpft gewesen sein, als sie nach oben gegangen war, um sich ins Bett zu legen, und ihr Unterbewusstsein hatte ihr wie gewünscht die vollkommene weibliche Phantasie eingegeben: Wilder, wunderbarer, wahnsinniger Sex mit einem Fremden. Keine Worte, keine Verpflichtungen, keine vorgetäuschten Orgasmen. Einfach nur großartiger Sex.

»Der ultimative, unkomplizierte Fick«, kicherte sie laut, wurde rot und musste an Erica Jong denken, die diesen Begriff erfunden hatte. Jane wäre entsetzt, wenn sie ihre Chefin bei diesem Gedanken ertappt hätte, aber Jane würde es nie erfahren.

Gemma warf die Decke zurück, schwang sich aus dem Bett und ging nebenan ins Bad. Es gab zu wenig Platz, deshalb hatte der Installateur Becken, Toilette, Bidet und Wanne im selben Raum ohne Trennwand unterbringen müssen, was sonst nicht die französische Art ist. Das Wasser floss rostig aus der Leitung, aber bald wurde es klar und heiß. Gemma ließ sich seufzend in die Wanne sinken.

Sie schäumte sich mit nach Zitrone duftender Glyzerinseife ein und betrachtete ihre Brüste.

Und dort sah sie den Abdruck von Zähnen. Es war ein deutlich sichtbarer Halbkreis, der sich auf ihrer blassen Haut abzeichnete.

Die Erinnerung an seinen Mund auf dem prickelnden Nippel war so lebhaft, dass ein Pfeil der Lust durch ihren Körper schoss. Es hätte nicht viel gefehlt, und Gemma wäre ohnmächtig geworden.

In seinen luxuriös eingerichteten Privatgemächern im Ostflügel des Chateaus saß Leo Marais beim Frühstück. Der Tisch, eine aufdringlich moderne Skulptur aus gequältem Glas, war mit feinem irischem Linnen gedeckt und mit schwerem Silber ausgelegt. Fünffarbige Imari-Schüsseln standen neben Sèvres und Wedgewood.

Wie der Rest des Chateau Marais war auch dieses Zimmer eine Mischung von Stilen und Geschmacksrichtungen, bleibender Nachweis für die Schwächen und Vorlieben eines jeden Vorfahren seit dem sechzehnten Jahrhundert. Drucke von Dürer schienen missbilligend auf die üppige Lebenslust eines Tizian zu blicken oder auf den romantisierenden Fragonard.

Beim Mobiliar waren japanische Holzeinlegearbeiten gezwungen, mit den strengen geometrischen Formen des Mies van der Rohe und mit dem verspielten Biedermeier auszukommen. Große Sträuße frischer Blumen ergossen sich aus klassischen Vasen und aus bunten Kristallgläsern der Art Noveau. Kostbare Kugeln aus Buchsbaum, verziert mit Elfenbein, rivalisierten mit Fabergé, und Andy Warhol schrillte gegen Renoir an.

Es war unglaublich, aber jeder noch so große Gegensatz schien genau in dieses Ambiente zu passen. Von den wenigen privilegierten Menschen, die in die Privatgemächer geladen wurden, ging niemand nach Hause, der nicht verwundert feststellen musste, wie gut ein Hockney neben einem Stubbs aussah.

Leo trank starken aromatischen Kaffee aus einer delikaten Tasse von Sèvres und sah seinen Freund amüsiert an.

»Mir gefällt es«, sagte Alexei Racine schließlich, ohne sich zum Gastgeber umzudrehen. Racine stand vor einer etwa dreißig Zentimeter hohen weißen Marmorskulptur auf einem schlichten Sockel aus Onyx. Die Skulptur stellte ein eng umschlungenes Liebespaar dar.

Der Bildhauer hatte es geschafft, ein höchst erotisches Element in die Bewegung des Mannes zu legen; gespannte Muskeln in Rücken und Beinen, zustoßende Hüften, den Kopf in den Nacken geworfen, die Halsadern dick geschwollen. Der Künstler hatte den Moment des Orgasmus eingefangen.

Die Frau blieb so gut wie verborgen, ihr Körper wurde von dem Mann fast verdeckt. Nur eine vollkommene Brust war sichtbar, der Nippel eine steife, harte Spitze. Auch die Frau hatte den Kopf in den Nacken geworfen. Ihr langes Haar verschwand im glänzenden Sockel.

»Das freut mich«, antwortete Leo und strich reichlich Butter über ein Croissant. »Wie immer fühle ich mich durch dein Urteil bestätigt.«

»Natürlich ein Rodin«, sagte Racine und ging andächtig um die Skulptur herum, als wollte er sicherstellen, dass ihm nichts entging.

»Natürlich«, stimmte Leo zu und langte nach der Erdbeermarmelade aus der Herstellung des Chateaus.

»Nicht katalogisiert, nehme ich an«, bemerkte Racine und streckte die Hand nach dem spitzen Nippel aus. Der Marmor war nicht blütenweiß. Alexei Racine glaubte, ein leichtes Pochen in der rosigen Ader an der sanften Unterseite der Brust spüren zu können.

»Hm.« Ein fast lautloses Eingeständnis des Hausherrn, dass die Skulptur nie das Innere eines seriösen Auktionshauses gesehen hatte und wohl von dubioser Herkunft war.

»Ich würde zu gern wissen, wie du an dieses Stück herangekommen bist … und wie viel du dafür bezahlt hast«, sagte Racine. Seine Hand strich liebevoll über die langen Haare der Frau.

»Wirklich, mein Freund.« Leo Marais hob tadelnd eine Augenbraue.

Es war ein altes Spiel zwischen alten Freunden. Beide waren Sammler und Kenner, und beide hatten das Geld, um ihrem exquisiten Geschmack und ihren Marotten zu frönen. Zum Glück hatten sie unterschiedliche Interessen. Alexei beschränkte seine Sammlung auf Maler, hauptsächlich Picasso, während Leo sich der Bildhauerei verschrieben hatte. Ihre

Sammelleidenschaft war die Basis einer soliden Freundschaft, die nicht dadurch gefährdet war, dass sie beide dasselbe Objekt begehrten.

Aber Leo fiel auf, dass sich sein Gast an diesem Morgen seltsam verhielt.

»Ja, es gefällt mir sehr«, wiederholte er und fuhr mit den Fingern immer noch über die marmornen Haare.

»Es ist eine Weiterführung von ›Der Kuss‹, ein Stück, das ich schon früher habe erwerben können«, erklärte Leo.

Alexei Racine machte eine wegwerfende Handbewegung. »Dieses Werk wird vielfach überschätzt«, sagte er und löste sich widerwillig von der Skulptur. »Zu spröde und zu reserviert. Hier aber hat der Künstler etwas Tiefes und Sinnliches eingefangen.«

»Noch Kaffee?«, fragte Leo.

»Ja, warum nicht?« Racine wandte endlich dem Kunstwerk den Rücken zu. Die frühe Morgensonne unterstrich die Schatten unter seinen dunklen Augen. In dem schwarzen Seidenmantel, der bis auf den Boden reichte und über der Brust auseinander klaffte, so dass sein breiter, muskulöser und mit langen seidigen Haaren bedeckter Brustkorb enthüllt war, sah er ein wenig prahlerisch und dekadent aus.

Im Gegensatz zu ihm war Leo schon angezogen, er trug maßgeschneiderte Jeans und ein Polohemd.

»Ich bin froh, dass du früh gekommen bist«, sagte Leo und brach das Schweigen, das plötzlich entstanden war. »Deine Gesellschaft ist mir stets willkommen.«

»Paris hat mich gelangweilt«, sagte Racine und nippte am Kaffee. Er ignorierte die noch warmen Croissants und die Leckereien in den Silberschüsseln. »Manchmal sehne ich mich nach den schlichten Vergnügungen.«

»Ah, ja«, sagte Leo und seufzte lange. »Ich weiß genau, was du meinst.«

»Vielleicht sollten wir sie später auf einen Drink zu uns einladen«, sagte Jean Paul beiläufig, schüttelte Wasser in den *pastis* und verfolgte die milchige Färbung.

»Die Engländerin?«, fragte Pascaline und wandte sich vom Waschbecken ab. Sie trug nur eine kurze Schürze und Schuhe mit hohen, spitzen Absätzen. Sie wusste, dass sie Jean Paul damit erregte. »Ich dachte, der Sinn für den Rückzug in die ländliche, rustikale Abgeschiedenheit läge darin, allein zu sein. Nicht so viel Wasser in meinen *pastis*, Jean Paul! Du ertränkst ihn ja!«

Gehorsam goss er einen Schuss *pastis* in ihr Glas nach und lächelte innerlich über ihre Betonung des Worts ›rustikal‹. Das Bauernhaus war von schlichter Planung; es bestand aus einem großen Zimmer im Erdgeschoss, Wohn- und Esszimmer in einem, und einem ausgebauten Speicher, der als Schlafzimmer diente. Zusätzlich gab es unten noch die Küche, die mit jedem nur erdenklichen arbeitssparenden Gerät ausgestattet war. Die Heizung entsprach dem höchsten französischen Standard, und für den Hi-Fi-Klang der Stereoanlage sorgte eine Technik, die eine ganze Wand des Wohnzimmers in Anspruch nahm.

Das Mobiliar war klassisches Bauhaus mit einer umsichtigen Mischung von Le Corbusier, klare geometrische Formen aus Stahlröhren und schwarzem Leder. Nur der große Sessel mit der dicken Polsterung war ein Zugeständnis an die Bequemlichkeit, und darüber hing ein früher Mondrian an der Wand.

»Nun ja«, sagte Jean Paul achselzuckend, »ich dachte, es wäre der richtige Umgang mit neuen Nachbarn. Vielleicht in ein paar Tagen. Nach Weihnachten.«

»Wie du willst«, gab Pascaline gleichgültig zurück, »aber was ist, wenn sie uns zu Tode langweilt? Sie wirkt so ... so englisch«, fügte sie mit Pariser Verachtung hinzu.

»Nun ja.« Jean Paul dachte an die langen silber-blonden Haare, an die meerblauen Augen, den schlan-ken, biegsamen Körper. Was für ein Kontrast zu Pascalines üppigen Formen und den vollen roten Haaren.

»Dann lädt sie uns im Gegenzug zu sich ein, und wir müssen hingehen«, fuhr Pascaline fort. »Es wird eine dieser grauenvollen Bekanntschaften, denen man nicht mehr aus dem Weg gehen kann, wenn man sie erst einmal begonnen hat.«

»Wenn es so sein sollte, werden wir uns elegant zurückziehen«, sagte Jean Paul. »Stell jetzt dein Glas ab und komm her.«

Die folgenden Tage befand sich Gemma im Wirrwarr ihrer köstlichen Gefühle. Es fiel ihr schwer, das para-doxe Geschehen zu akzeptieren. Sie war eine erfolg-reiche, beherrschte Karrierefrau und hatte sich ohne Zögern einem Fremden ausgeliefert und hingegeben. Wie ein hitziges Tier.

Sex oder auch der Mangel an Sex hatten ihr nie viel bedeutet. Aber der Fremde hatte ihr eine Sinnlichkeit eröffnet, von deren Existenz sie nicht einmal geträumt hätte.

Natürlich war er ein Mann aus Fleisch und Blut gewesen, aber es verstörte sie, ihn als solchen zu sehen, und sie konnte ihren Träumen so leicht nach-hängen, weil sie nie sein Gesicht gesehen hatte.

Die Bilder der Nacht vermischten sich immer wie-der mit der Zeichnung des Jägers an der Wand. In einem kuriosen Zustand des halb Glaubens, halb Nichtglaubens redete sie sich ein, dass sie die schockierenden erotischen Erlebnisse mit einer Wiedergeburt des Jägers geteilt hatte, mit einem Traumgeliebten, mit einer Phantasiegestalt, die zu der Schattenwelt der Gruft gehörte.

Aber ihren Körper konnte sie damit nicht täuschen.

Sie hatte vorgehabt, die Ferien abgeschieden und in Ruhe zu verbringen, Trollope zu lesen und Kammermusik zu hören. Aber meist lag das Buch zugeklappt da, während sie in einem erträumten Nebel versank und sich an ihren Körper in Ekstase erinnerte, an die wilden, durchschüttelnden Höhepunkte, an die exquisite Lust mit dem Fremden.

Sie hatte Jean Paul und Pascaline einige Male gegrüßt und überlegte, ob sie die beiden zu einem Drink ins Haus einladen sollte, aber es schien, dass die beiden – ebenso wie sie – lieber für sich blieben. Der Supermarkt in Carnac hatte Obst und Käse, Brot, Wein und einige Pasteten geliefert, also brauchte sie das Haus in den nächsten Tagen nicht zu verlassen, und eigenartiger Weise drängte es sie auch nicht, die Umgebung besser kennen zu lernen.

Etwas anderes drängte sie. Lust, frisch geweckt, prickelte zunächst so behutsam unter ihrer Haut, dass sie es kaum bemerkte. Erst allmählich wurde ihr bewusst, wie sehr sie es genoss, wenn sich die Nippel an der weichen Wolle oder der raueren Baumwolle rieben, oder wenn sich der harte Jeansstoff gegen die Labien drückte und das Pochen zwischen ihren Schenkeln einsetzte.

Dann, eines Nachmittags, ertappte sie sich dabei, wie sie fast unbewusst ihre Brüste berührte und sich an seinen Mund und seine Zähne erinnerte, wie sie ihre Nippel kosten und malträtierten, und welche Hitze sein Saugen und Lecken in ihr ausgelöst hatte.

Zuerst war sie ungeschickt ob ihrer Unerfahrenheit, aber dann verhärteten sich die Nippel rasch unter ihren zaghaften Fingern, die seine imitierten. Ihr Körper lehrte sie unmissverständlich, jene Sensationen herbeizuführen, auf die sie nun nicht mehr verzichten wollte. Ein glühendes Kribbeln breitete sich vom Schoß auf der ganzen Haut aus.

Sie umfasste die Brüste mit beiden Händen und rief sich wieder die ungezügelte Lust in Erinnerung, in die er sie getrieben hatte, indem er sich eine kleine Ewigkeit auf ihre Nippel konzentriert hatte. Er hatte sie zuerst durch die weiche Wolle des Pullovers gestreichelt.

Aber die Erregung, die sie schon bald im Bauch spürte, brachte sie dazu, die Hände unter den Stoff zu schieben. Sie streichelte die seidige Haut ihrer Brüste, drückte die Nippel härter und spürte die Resonanz zwischen den Schenkeln. Sie wurde feucht.

Sie spürte, wie die Labien zu schwellen begannen, sie pochten und verlangten nach Berührung, nach Stimulierung, und Gemma erinnerte sich an die sengende Hitze seines Mundes, an das köstliche Fieber, das sie verzehrt hatte.

Es war fast so, als hätte ihre Hand einen eigenen Willen, denn bevor es Gemma bewusst wurde, hatte sie den Reißverschluss ihrer Jeans geöffnet. Die Finger glitten unter die seidene Unterwäsche, schoben sich durch den sanften Flaum und teilten langsam die prallen Lippen ihres Geschlechts.

Unendlich zärtlich fuhr sie mit einem Finger über das Zentrum ihrer Lust. Sie erkundete sich behutsam, tastete sich ab und ließ eine Fingerkuppe wieder sanft über die gespannte Knospe der Klitoris gleiten. Sie wurde geschüttelt von einer Flut von Reizen, die von diesem wundersamen Punkt ausgingen. Die Hitze in ihrem Bauch weitete sich aus, und Gemma spürte, wie sich Schweißperlen auf ihrer Stirn bildeten.

Sie fühlte sich außer Atem, heiß und glitschig, und nun zitterte sie am ganzen Körper. Ihr Finger bewegte sich immer schneller über die Klitoris, ihr Atem kam hechelnd, ihr Leib wurde in Hitze gebadet. Ihr Blut schien zu schäumen, es prickelte wie Champagner. Sie stöhnte laut, als sie von einem Orgasmus geschüttelt wurde.

»Unsere neue Nachbarin ist vielleicht gar nicht so langweilig, wie du befürchtest«, sagte Jean Paul. Er war hinüber gegangen, um sie auf einen Drink einzuladen, und hatte zufällig durch ihr Fenster geschaut.

»Wein? Pastis? Wir haben auch Whisky, wenn Sie möchten«, bot Pascaline freundlich an und wies auf die Batterie Flaschen hin, die auf einem kleinen Tisch stand.

»Wein, bitte«, antwortete Gemma, setzte sich in einen schweren Sessel aus schwarzem Leder und sah sich im Zimmer um. Es hatte sie gefreut, dass Jean Paul und Pascaline sie eingeladen hatten; ihr traumähnlicher Zustand der Benommenheit hatte sie gefangen, er führte zur Rastlosigkeit und zum sich einschleichenden Drang, noch einmal die Gruft aufzusuchen. Aber irgend etwas in ihr schreckte davor zurück. In dieser geistigen Verfassung bot die nachbarliche Geselligkeit eine willkommene Ablenkung.

Sie plauderten eine Weile, und Gemma verdiente sich ein dankbares Lächeln von Jean Paul, als sie ihre Bewunderung für die Stühle von Rietveld vortäuschte; auf einem davon hatte er Platz genommen.

»Leider haben sie sich auf dem Markt nicht durchsetzen können«, sagte er und stand auf, um ihre Gläser zu füllen. »Deshalb sind nicht viele hergestellt worden. Ich bin froh, dass ich diese Exemplare noch ergattern konnte.«

»Ich nehme an, sie haben sich nicht durchsetzen können, weil sie zu unbequem sind«, sagte Gemma und hob ihr Glas, damit Jean Paul einschenken konnte. Sie verpasste den Blick, den Jean Paul und seine Frau tauschten.

»Sehr unbequem«, stimmte Pascaline lächelnd zu. »Und Sie, Gemma, was mögen Sie?«

»Ich fürchte, mein Geschmack ist nicht sehr ausgeprägt«, meinte Gemma. »Mir gefallen die verschiedensten Stilrichtungen. Meine Wohnung in London habe ich ultramodern eingerichtet, aber das Bauernhaus hier habe ich bisher sträflich vernachlässigt.«

Wieder tauschten Jean Paul und Pascaline einen Blick. Jean Paul war es, der das Schweigen brach, ehe es zu einer Verlegenheit wuchs. Er redete von den ländlichen Sitten und Gebräuchen und vom Vorteil der stillen Abgeschiedenheit, besonders in dieser geschichtsträchtigen Region.

»Darüber weiß Gemma doch Bescheid«, warf Pascaline ein, als Jean Paul von Hünengräbern und Grabkammern zu erzählen anfing. »Schließlich war es Leos Jäger, der sie zu uns geführt hat, nicht wahr?«

»Was?«, rief Gemma aus. Eine tiefe Röte ließ ihr Gesicht glühen.

»Die eingeritzte Zeichnung des Jägers in der Gruft. Ich erinnere mich, dass Sie im Sommer davon erzählt haben«, erklärte Pascaline, die von Gemmas Reaktion ein wenig verwundert war. Einen Moment lang schien die kühle Engländerin eine feurige Lust auszuströmen, aber dann hatte sie sich wieder gefangen und das Feuer gelöscht.

Jean Paul hatte Recht, dachte Pascaline. *Unsere neue Nachbarin ist entweder sehr scheu oder besonders argwöhnisch, aber langweilig ist sie nicht.*

»Leos Jäger?«, fragte Gemma.

Jean Paul nickte. »Leo Marais ist der Besitzer des Landes, auf dem wir alle wohnen. Die Gruft, so sagt man, gehörte seinen Vorfahren. Eigentlich ist das unmöglich, denn die Familie ließ sich erst im sechzehnten Jahrhundert hier nieder, und die Gruft stammt aus der Vorzeit. Aber die hiesige Sage will es so haben, und Leo auch. Sie gehen doch morgen zum Maskenball? Da werden Sie ihn vielleicht kennen lernen.«

»Maskenball?«, fragte Gemma verdutzt. Irgend etwas drückte gegen ihren Rücken. Ohne darüber nachzudenken, fuhr sie mit einer Hand hinter sich und unter das Kissen. Ihr Gesicht zeigte sprachlose Überraschung, als sie eine kurze schwarze Lederpeitsche hervorzog.

»Oh, ich ...«, begann sie, beendete den Satz aber nicht.

»Ich habe mich schon gefragt, wo sie abgeblieben ist«, sagte Pascaline ohne jede Verlegenheit. Sie schien erfreut zu sein, dass das gute Stück wieder da war.

Gemmas Gesicht war wie von roter Farbe übergossen.

»Sie gehört zum Kostüm«, erklärte Jean Paul. »Sehen Sie ...« Er stand auf und nahm ein langes Stück schwarzes Leder vom Rücken des Stuhls, auf dem er gesessen hatte. Es war ein einteiliger Hosenanzug, ein *cat suit*, lang und weich, mit einem Reißverschluss vom Hals bis zum Schritt, von dort lief er an beiden Beinen entlang. Im Nacken war eine kleine Kapuze angenäht.

»Ein Kostüm?«, wiederholte Gemma. Instinktiv streckte sie den Arm aus und befühlte das weiche Leder. »Ich verstehe. Für den Maskenball. Darin sieht man aus wie Michelle Pfeiffer, nicht wahr?«

Pascaline sah sie begriffsstutzig an.

»Catwoman«, erklärte Gemma.

»Comment?«

»So hieß der Film mit ihr«, fügte Gemma hinzu.

»Ja, natürlich, Sie haben Recht.« Jean Paul lächelte, mehr als angetan von Gemmas Interesse für den Lederanzug. »Sie wussten nichts vom Maskenball – warum borgen Sie sich nicht dieses Kostüm? Pascaline und ich haben noch andere Kostüme.«

»Ich bin nicht eingeladen«, sagte Gemma und fuhr mit den Fingern immer noch sanft über den Ärmel des schwarzen Lederanzugs.

»Das hat nichts zu bedeuten«, sagte Pascaline. »Man erwartet uns alle. In früheren Zeiten wären wir Pächter oder Knechte gewesen, da wir auf dem Grund des Chateaus wohnen. Es ist eine alte Tradition, das Chateau am letzten Tag des Jahres für alle zu öffnen. Kommen Sie mit?«

Gemma hatte die Ablehnung schon auf der Zunge, aber die Versuchung war da. Das Kostüm hatte etwas Dunkles, Geheimnisvolles, das sie ansprach. Etwas Erregendes, fügte sie in Gedanken hinzu.

»Wir holen Sie morgen Abend um acht Uhr ab«, sagte Jean Paul und schaute lächelnd zu seiner Frau. »Ich bin sicher, es wird eine interessante Erfahrung für Sie.«

Das Kostüm faszinierte sie. Das geschmeidige Leder fühlte sich warm und sinnlich an, der breite Reißverschluss dagegen kühl und leblos. Ein seltsamer Kontrast, eine geheimnisvolle Verlockung, die sie zugleich anzog und ein wenig abstieß, eine Gefühlsmischung, die ihr vertraut und doch schwer fassbar war.

Am Nachmittag vor der Party lag sie stundenlang in der Badewanne. Sie streckte sich wohlig in ihrem Lieblingsduftschaum und ließ ihre Gedanken treiben. Sie wusch die Haare und rieb sie trocken, bürstete sie ausgiebig, bis sie locker über die Schultern fielen. Sie massierte eine nach Mandeln duftende Creme in ihre Haut ein und betrachtete sich neugierig im Spiegel.

Ihre Haut leuchtete in einem anziehenden Pink. Die Nippel waren feste, aufgerichtete Spitzen, erregt von den wie unbeabsichtigten Berührungen ihrer eigenen Hände. Sie glitt mit den Fingern über den flachen Bauch und hinein in den silberblonden Busch ihrer Schamhaare.

In diesem Moment entschied sie, dass sie unter dem weichen schwarzen Leder nichts tragen würde.

Das Kostüm passte ihr wie angegossen, wie eine zweite Haut umschmiegte es die Brüste und jede Kurve ihres Körpers. Sie dachte kurz an Pascaline, deren üppige Kurven von dem Leder eingeschnürt worden wären. Wenn ihr das Kostüm einmal gepasst haben sollte, dann musste sie in der letzten Zeit an Gewicht zugelegt haben.

Die metallenen Zähne des Reißverschlusses drückten sich wie ein kühler Kuss gegen ihr Geschlecht, sie teilten die Labien und rieben sanft gegen ihren Kitzler. Im Spiegel sah sie eine Fremde, ein verführerisches Wesen in schwarzem Leder, ausgestattet mit ihren silberblonden langen Haaren und ihren blauen Augen.

Die Kapuze konnte sie über das ganze Gesicht ziehen, dann waren nur ihre Augen und Lippen zu sehen. Gemma übertrieb ihr Make-up absichtlich, zog die Brauen mit einem dicken Stift nach und benutzte reichlich Mascara. Die Lippen malte sie mit einem kräftigen Rot an.

Als Gemma nun die Kapuze überzog, war sie tatsächlich die Fremde, die sie im Spiegel gesehen hatte.

Es war ein eigenartiges Erlebnis, dachte sie auf der Fahrt zum Chateau. Als ob sie mit der Verkleidung auch die geschmeidige Sinnlichkeit des Lederkostüms angenommen hätte. Sie war sich des nackten Körpers unter dem weichen Leder sehr bewusst und fühlte sich erregt und dekadent zugleich. Sie hörte kaum hin, wenn Jean Paul und Pascaline sprachen.

Ihre Aufmerksamkeit war erst wieder voll da, als sich das angestrahlte Chateau aus der Dunkelheit erhob. Es war ein elegantes Gebäude im Renaissance-Stil, gepflegt und beeindruckend.

Nur ein windschiefer Turm auf der einen Seite des Chateaus schien dem Verfall anheimgegeben zu sein.

»Was ist das?«, fragte Gemma überrascht, als die

Scheinwerfer des Autos den Turm aus der Dunkelheit rissen. Im Gegensatz zum Rest des Chateaus wurde der Turm nicht angestrahlt.

»Teil des alten Verlieses«, antwortete Jean Paul. »Leo hat die Marotte, den Turm in seinem alten Zustand zu belassen, einschließlich der Einrichtung.«

Dann hielt Jean Paul an. Er stieg aus und warf einem wartenden Diener den Wagenschlüssel zu. »Ja, in manchen Dingen ist Leo wirklich seltsam.«

Als Gemma die massive Steintreppe hinauf zum breiten Portal schritt, hatte sie den verfallenden Turm schon vergessen. Das neue Bewusstsein ihres Körpers, der von Leder und Stahl gekost wurde, beeinflusste sogar ihren Gang; sie schritt lockerer, fast ein wenig provokativ, und die Hüften schwangen rhythmisch mit.

Pascaline unterhielt sich mit Jean Paul, aber Gemma bekam davon nichts mit. Sobald sich die schweren Türen geöffnet hatten, vergaß sie die beiden und sich selbst in dem atemberaubenden Spektakel, das sich ihren Augen bot.

Sie befanden sich in einer Eingangshalle mit ungeheuren Ausmaßen. Die Halle musste so hoch sein wie das Gebäude selbst, dachte Gemma. Erhellt wurde sie von einem gewaltigen Kronleuchter, der Licht wie glitzernde Diamanten abgab, das Feuer aus den bunten Seiden und Samten zog und das Funkeln der Smaragde und Rubine brach. Es war wie ein riesiges leuchtendes Kaleidoskop, das immer wieder neue Schatten, Formen und Bilder schuf.

Eine mit Juwelen behangene Marie Antoinette in einem verwirrenden Gebilde aus meeresblauer Seide klopfte einem Luzifer mit ihrem Fächer auf die vorwitzigen Finger; eine olivfarbene houri in fließender Gaze mit einem prächtigen smaragdenen Nabelschmuck lehnte sich an Kardinal Richelieus Schulter; ein übergewichtiger Dionyseus mit einem Lorbeerkranz, der von den Schläfen rutschte, rieb sich schamlos gegen eine Nonne.

Auf einer Galerie spielte ein Streichquartett, doch die Harmonien Albinonis gingen in dem aufgeregten Schnattern von hunderten von Stimmen fast unter. Gemma hörte eine Kakaphonie aus zahlreichen Sprachen. Französisch natürlich, Italienisch, Englisch, Spanisch und einige, die sie nicht genau identifizieren konnte, Russisch vielleicht und dann noch einige seltene Dialekte.

Es war ein bizarres, erotisches Bild. Harlequine, Clowns, Teufel, Piraten, Huren und Engel wandelten unter den glitzernden Strahlen des gewaltigen Kronleuchters.

Eine Wolke von üppig aufgetragenem Joy umhüllte sie, als sie von einer Kleopatra in die Arme genommen und geherzt wurde, die sie offenbar mit einer anderen Frau verwechselt hatte. Gemma wurde von einer Richtung in die andere geschoben, und schon bald hatte sie Pascaline und Jean Paul aus den Augen verloren.

Ein Kellner in schwarzer Hose und gestreiftem Jackett bot ihr vom silbernen Tablett eine Champagnerflöte an. Gemma nahm dankend an und wurde von dem süßen, prickelnden Saft zurück in die Wirklichkeit geholt – auf hunderten von Partys hatte sie Champagner hassen gelernt.

Dies hier war etwas anderes. Sie spürte das leicht brausende Schäumen wie ein Streicheln im Mund, und als sie schluckte, war es, als schlügen ihre Sinne Purzelbäume. *Taittinger oder Cristal,* dachte sie, jedenfalls eine sanfte Explosion im Gaumen, ein zu Kopf steigendes Sprudeln, das sie in Hochstimmung versetzte und doch nüchtern ließ – eher noch ihre Sinne schärfte.

Beschwingt nahm sie vom Tablett eines vorbei schreitenden Kellners noch ein Glas und beschloss, auf die Suche zu gehen – kein Problem für sie – sie war anonym in ihrem Kostüm. Während sie sich durch die Menge wand, hielt sie nach Jean Paul und Pascaline Ausschau, aber insgeheim freute sie sich, ganz auf sich gestellt zu sein.

Die Kellner, in ihrer strengen schwarz-weißen Förmlichkeit kaum voneinander zu unterscheiden, zirkulierten unentwegt und boten neben Champagner auch verführerische kleine Delikatessen an; Berge von Kaviar, die wie kleine graue Perlen auf einem Bett auf gestoßenem Eis glitzerten, umgeben von zerhacktem Eiweiß und Eigelb und Frühlingszwiebeln, die wie exotische Blüten arrangiert worden waren; Austern in Muschelhälften auf grünen Meeresalgen, verziert mit dünnen Zitronenscheiben; hauchdünn geschnittener Lachs, gesprenkelt mit würzigen Kapern und schwarzen Oliven; Garnelen mit einer köstlichen Sauce zum Tunken; in Speckscheiben eingerollte Zwiebeln und noch andere Köstlichkeiten.

Die Vielfalt der Düfte vermischte sich mit den teuren exotischen Parfums auf heißen, erregten Körpern.

Gemma schlürfte Champagner und ließ sich durch die Menge treiben. Schamlos hörte sie in Gespräche hinein – in ihrem Kostüm fühlte sie sich sicher.

»Nein, wirklich, niemand geht mehr nach Monte Carlo, es ist so … so …«

»Es ist natürlich entsetzlich, dass wir den Matisse verloren haben, aber wenigstens hatten wir ihn für den doppelten Marktwert versichert. Heutzutage ist an der Riviera aber auch gar nichts mehr sicher.«

»Nun, ein Blick auf den Nikkei, und ich wusste, dass wir einen Coup gelandet hatten …«

»Das ist ganz lieb von dir, aber es sind natürlich Simili. Der kleine Bankangestellte kriegt aus lauter Angst den Mund nicht mehr zu, wenn ich die Diamanten aus dem Schließfach holen will, und dann die kleinkarierten Versicherungsbestimmungen …«

Die Gespräche sind fast so surreal wie die Umgebung, in der sie stattfinden, dachte Gemma, während sie einen Saal, ganz in Schwarz und Weiß gehalten, betrat. Der Boden aus schwarzem, geädertem Marmor, die Wände leuchtend weiß. In zurückgelegenen Nischen standen kostbare Bronzestatuen von Benin, und die kräftigen Akkorde von Albinoni hatten keine Chance gegen die rauchigen Jazzklänge, die aus verborgenen Lautsprechern quollen.

In der Saalmitte posierten ein Mann und eine Frau auf einem beeindruckenden Block aus weißem Marmor und stellten den Liebesakt dar. Ihre Körper wurden von versteckten Punktstrahlern angeleuchtet.

Der Mann schien unter den heißen Strahlen zu glühen. Er stützte sich auf einen Ellenbogen. Sein Mund verharrte über einem steifen Nippel der Frau. Seine Erektion, ein beträchtlicher dunkler Schaft, drückte gegen den prallen Oberschenkel seiner Partnerin.

Die Frau lag in einer Pose völliger Hingabe da, die Beine gespreizt, die Arme ausgestreckt. Ihre langen schwarzen Haare fielen über den Rand des weißen Marmorblocks.

Es dauerte einige Augenblicke, bis Gemma erkannt hatte, dass es sich nicht um eine Skulptur handelte – das Paar war echt.

Es war schockierend und zugleich seltsam erregend, und Gemma spürte den leichten Puls, der zwischen ihren Beinen zu pochen begann, als der Mann sich bewegte und den Schenkel der Frau berührte, um ihre Beine noch weiter zu spreizen. Das Geschlecht der Frau war deutlich sichtbar, die rosigen Blätter ihrer Labien glänzten feucht. Die Knospe ihrer Lust war hervorgehoben wie der Stempel einer exotischen Blume.

»Darstellende Kunst, performance art, Liebling, das ist doch längst passé«, hörte Gemma eine Stimme hinter ihr sagen, und dann folgte die trockene Antwort des Lieblings: »Längst nicht passé, schau genau hin.«

Der Mann berührte seine Partnerin an ihrer intimsten Stelle, als wollte er den Grad ihrer Erregung feststellen. Ein Finger verschwand in ihrer Grotte. Gemma spürte, wie sich ihre inneren Muskeln zusammenzogen. Eine Lustspirale drehte sich in ihrem Schoß. Der Mann führte einen zweiten Finger ein, dann einen dritten, ehe er mit einem rhythmischen Reiben begann. Als er die Finger herauszog, führte er sie zuerst an ihre Lippen, dann an seine eigenen.

Gemma hielt den Atem an. Es war eine bizarre erotische Szene, wie sie dort allein in einem Pulk fremder Menschen stand, umgeben von geilen Gleichgesinnten, eingefangen von einem anonymen Sinnenkitzel. Auch die anderen Leute schienen kaum zu atmen, es war erstaunlich still. Die Atmosphäre war gespannt und zum Schneiden dick.

Gemma konnte den Blick nicht von den Rückenmuskeln des Mannes wenden, als er sich auf die Arme stützte und die Frau bestieg. Gebannt starrte sie auf die Erektion, als er die Stellung zwischen ihren Schenkeln einnahm.

Sie spürte ein heißes Zittern der Erregung, als der Mann sich zu bewegen begann. Sie ahnte, dass sie selbst zu schmal gebaut war, um ihn aufzunehmen, und dann, als er in den Körper der Partnerin stieß, hörte sie ein lautes Stöhnen, das von der Frau oder von einem Saxophon aus den Lautsprecherboxen kommen konnte.

Im Saal wurde es dunkel, und Gemma hörte, wie alle um sie herum geräuschvoll die Luft ausstießen. Nicht nur sie war von dem Geschehen in Schwarz und Weiß eingefangen gewesen.

Licht flutete über einem breiten, gewölbten Ausgang am Ende des Saals, und die Menge bewegte sich im stillschweigenden Einvernehmen darauf zu. Als

Gemma nur noch wenige Schritte vom Lichtkegel entfernt war, konnte sie das Stöhnen von Frau oder Saxophon kaum noch vernehmen, es wurde abgelöst von den sirrenden dissonanten Tönen einer Sitar.

Der Raum, den sie betrat, war schwach beleuchtet. Blasses Licht fiel durch hunderte von kunstvoll geschnitzten Elfenbeinkugeln, die in kleinen Ketten an der Decke hingen. Scharlachrote Seide mit durchgezogenen Goldfäden bedeckten die Wände, und unter den Schuhen spürte sie die Tiefe eines chinesischen Teppichs, ganz in Gelb gehalten. Obwohl sie sich bemühte, die großen und üppig vergoldeten Satsuma-Vasen und andere delikate Kunstwerke aus der Ming-Zeit in sich aufzunehmen, wurden ihre Blicke zur Mitte des Zimmers gezogen.

Auf einem leicht erhöhten Podest bewegten sich zwei Frauen zum Klang einer Sitar. Die Frauen sahen orientalisch aus; goldgelbe Haut, pechschwarze Haare, die nackten, unbehaarten und fast kindhaften Körper voller Anmut.

Die heiße, zitternde Erregung, die Gemma beim Betrachten des Liebesakts im hinter ihr liegenden Saal gepackt hatte, stieg wieder an und brach in ein rosiges Glühen aus. Sie war fasziniert von der sinnlichen Aura, die von den sich sanft bewegenden Frauen ausging.

Sie berührten einander nur leicht und wiegten sich zu den lyrischen Klängen der Sitar. Gemma spürte, wie ihr Mund trocken wurde, während sie gebannt zuschaute, wie sich die Tänzerinnen ineinander verschlangen und wieder trennten. Gemma trank ihr Glas aus, und gleich darauf stand ein Kellner mit einer frisch gefüllten Champagnerflöte neben ihr.

Es lag etwas seltsam Beunruhigendes in der Darbietung der tanzenden Frauen, mehr sinnlich als sexuell, mehr betörend als nur erregend. Die berauschenden Klänge der Sitar verliehen der Szene etwas Unwirkliches, Übersinnliches.

Dann, als die zwei Frauen sich gegenüber standen und Bauch an Bauch pressten, schwanden Licht und Musik. Zuletzt hatte Gemma noch sehen können, wie sich die Finger der Frauen zwischen ihren Schenkeln bewegten, als führten sie dort einen eigenen Tanz auf.

Gemma spürte, wie sich ihre Brustwarzen wieder versteiften und wie es im Schoß zu prickeln begann. Es prickelte noch, als sie mit einem trägen Trommelwirbel ins nächste Zimmer gelockt wurde. Dort roch es nach Weihrauch.

Eine Frau drängte sich aus der Menge heraus und stampfte im Rhythmus der Trommel mit den Füßen auf. Sie trug eine pinkfarbene Hose aus Gaze, und ein runder Rubin zierte den Nabel. Die langen schwarzen Haare schwangen frei, und die Brüste waren nackt.

Sie tanzte ganz allein in der Mitte des Zimmers. Ihre Hüften ruckten vor und zurück, als simulierte sie den Geschlechtsakt. Dann beschrieben die Hüften kreisende, mahlende Bewegungen, die immer schneller wurden. Die Frau schien sich in Trance zu tanzen, ihre Arme begannen zu zittern, ein glänzender Schweißfilm bedeckte ihren Körper, und auch Gemma konnte die gleiche hypnotisch erotische Hitze spüren.

Die Schultern der Tänzerin bewegten sich, die Brüste hüpften, die Bauchmuskeln spannten an und entkrampften, als reagierten sie auf einen zusto-ßenden Schaft. Der Rhythmus der Trommelschläge wurde schneller.

Die Tänzerin wand sich, und Gemma bemerkte, dass ihre eigenen Hüften instinktiv mitschwangen, als stünde sie im Bann der unbekannten Frau.

Er beobachtete sie, sah die sinnlichen Bewegungen, das schwingende Becken im Takt der Musik und stellte sich vor, dass ihre silberblonden Haare, jetzt verborgen unter der Kapuze, ebenso ungestüm herumflogen wie die schwarze Mähne der ägyptischen Frau.

»Es gefällt mir«, murmelte er leise zu seinem Freund. »Es gefällt mir sehr.«

»Das freut mich.«

Es schien, als würde die Frau durch den Schwung des eigenen Körpers zum Orgasmus getrieben. Als die Musik in einem lauten finalen Trommelwirbel endete, stieß die Tänzerin einen zitternden, wimmernden Laut aus und sackte langsam und kraftlos zu Boden.

Die Anspannung der Menge war förmlich greifbar. Gemma ging weiter, der nächsten Darbietung entgegen. Sie hatte erkannt, dass die Gäste durch subtile Tricks von einem Raum in den anderen gelockt wurden. Ein sinnliches Labyrinth. Ihre eigene Erregung war so stark geworden, dass sie es kaum noch aushalten konnte.

Ihre Sinne schwirrten, und sie verlor den Blick für ihre Umgebung. Plötzlich fand sie sich in einem Raum mit Glaspaneelen an den Wänden wieder, und mitten im Zimmer stand ein dampfendes Becken. Vage nahm Gemma die exotischen Sträucher wahr, aus denen schrilles Pfeifen und Schreien bunt gefiederter Papageien erscholl, und davor wanden sich die glitschigen nackten Körper einer Gruppe, die zu lauten, rhythmischen Urlaubsklängen ausgelassen tanzte.

Heiß, verschwitzt und verwirrt suchte Gemma ihr Heil in der Flucht. Die Fülle der Eindrücke ließ sie benommen schwanken. Die aufgeblasene süße Dekadenz des Spektakels überwältigte sie. Als sie eine Tür sah, die nach draußen führte, schlüpfte sie rasch hindurch.

Sie empfand die frische Nachtluft als willkommene Abkühlung und atmete tief durch. Sie wollte die herbe Luft in ihren Lungen spüren, als könnte sie damit die

Hitze ihrer Erregung löschen. Sie stolperte vorwärts, der Turmruine entgegen. Sie drehte sich noch einmal um, und dabei fiel ihr auf, dass alles, was sie bisher gesehen hatte, sich nur in einem Flügel des Chateaus abgespielt hatte.

Sie fühlte sich überstimuliert und zugleich erschöpft und mochte sich gar nicht vorstellen, welche bizarren Szenen sich im Verlauf der Riesenparty noch darbieten würden. Am liebsten würde sie sich jetzt bis zum Orgasmus streicheln, dann Jean Paul und Pascaline finden und mit ihnen das Chateau verlassen; dieser eleganten, perversen erotisierten Welt den Rücken zukehren und zurück in die Grabkammer gehen, zum eingeritzten Bild des Jägers mit dem übertrieben langen Phallus/Speer – zurück auch auf den harten Erdboden, auf dem ihre Phantasie Wirklichkeit geworden war.

Sie befand sich in einem Gedankenstrudel, der die bisher so beruhigende Illusion ihrer Verkleidung mit sich riss.

Dies war der Augenblick, in dem sie kräftige Hände auf ihren Schultern spürte. Als sie die leicht metallisch klingende Stimme hörte, wäre sie vor Angst und Erleichterung und Ungläubigkeit fast ohnmächtig geworden.

»Ich weiß, was du brauchst«, sagte die Stimme.

Ein plötzlicher Donnerschlag ließ die Worte beinahe untergehen. Trotzdem war Gemma sicher, die Stimme zu erkennen, die kurzen Konsonanten, die langgezogenen Vokale. Ein Blitz riss die beiden aus der Dunkelheit und erhellte auch den Turm, vor dem sie standen, und Gemma fragte sich, ob sich selbst die Naturgewalten in dieses dramatische Geschehen verstricken wollten.

Dann setzte ihr Denken aus. Seine Hände griffen zum Reißverschluss an ihrem Schritt und legten ihr erhitztes Geschlecht bloß. Sie wand sich keuchend in seinem Griff, sie wollte sich umdrehen, um sein Gesicht sehen zu können, aber seine Hand drückte sich tief in ihre Schulter und zwang sie auf die Knie.

Sie spürte seine Penisspitze auf ihren Pobacken, dann in der Kerbe, als folgte der Schaft seinem Instinkt zu ihren geheimen Stellen. Er verharrte kurz vor der verkrampften Öffnung des Anus, und Gemma schüttelte sich, als sie von einem Hauch dunkler Lust erfasst wurde. Dann glitt der Schaft weiter und schob sich zwischen die Falten der geschwollenen Labien. Ihr feuchtes Fleisch umschloss ihn sehnsüchtig.

Er ließ zunächst nur die pralle Eichel eindringen, stieß ein paar Mal zu, zog sie dann wieder heraus und rieb sie gegen den pochenden Kitzler.

Gemma spürte das Beben tief in ihrem Innern, die Muskeln spannten sich in Erwartung seines Eindringens. Aber er ließ sich Zeit, rieb den Schaft wieder zwischen die nassen Lippen, dann zurück zu ihrer dunklen Öffnung und in die Kerbe zwischen ihren Backen.

Er wiederholte die Reise mehrere Male, manchmal schnell, dann wieder quälend langsam. Er stieß immer nur einmal gegen die Klitoris, und auch dabei variierte er das Tempo, wodurch er sie im erregten Zustand der Erwartung hielt.

Er hinterließ eine feuchte Spur brennender Lust, und Gemma spürte einen verzehrenden Hunger nach seinem Speer. Jeder Nerv ihres Körpers war angespannt, ausgerichtet auf den ersten Stoß in ihr Fleisch.

Der Donner, den sie hörte, mochte aus den Höhen der Sphären kommen, er konnte aber auch vom Rauschen des Blutes in ihren Ohren stammen, und als der Orgasmus sie schließlich packte, da war ihr, als hätte der Blitz am dunklen Himmel gezuckt und wäre bei ihr eingeschlagen, so elektrisiert fühlte sie sich, als er seine volle Länge in sie hineintrieb.

Ihr Körper wand sich, schüttelte sich und bäumte

sich auf. Sie spürte ein heißes Prickeln von den Fingerspitzen bis in die Zehen. Vor lauter Glückseligkeit
hätte sie weinen können, aber das war unmöglich,
weil sie ihre Lust herausschrie.

Sie war so benommen, dass sie kaum spürte, wie er
sich zurückzog. Kurz darauf, als sie wieder bei
Kräften war, hob sie den Kopf und drehte sich nach
dem Fremden um.

Er war verschwunden.

DRITTES KAPITEL

Es war fast Mitternacht. Im Chateau hatten sich die Gäste im riesigen Ballsaal versammelt, der das Herzstück des Gebäudes war, eingerichtet im prunkvollen Regency-Stil mit Blattgold, weißem Marmor und hohen Spiegelwänden. Es gab keine Musik, nur ein erwartungsvolles Schweigen, als die Gäste das spektakuläre Tableau in der Saalmitte betrachteten.

Es war eine kubistische Skulptur, unausgewogen und doch fesselnd, wenigstens drei Meter hoch. Sie zeigte ein Paar, das sich umarmte. Die Figuren waren aus solidem Marmor, geometrische Formen, die sich nur durch schwere, dreieckige Brüste der Frau und durch die massive Erektion des Mannes voneinander unterschieden. Der Schaft war aus rotgeädertem Marmor gehauen und verschwand zwischen den gespreizten weißen Schenkeln der Frau.

Die Szene zeigte das Wesentliche der Penetration, derb und ursprünglich, der erste Moment, in dem der Mann in die Frau eindringt. Und obwohl – oder vielleicht weil – die Figuren nur schwach erkennbare menschliche Konturen hatten, kubistische Symbole eben, zeigte die Skulptur das Wesentliche des fundamentalen Geschlechtsakts in überzeugender Weise, rein, derb, ungekünstelt.

Um die Skulptur herum standen zwölf Paare, nackte Männer und Frauen in derselben Pose, ihre Körper fast miteinander verbunden. Die Männer wiesen alle Erektionen auf, alle auf die Vulva gerichtet, dicht vor der Penetration. Die Organe aus Fleisch und Blut waren so rot und so wuchtig wie der Marmorschaft des männlichen Teils der Statue. Die Frauen standen erwartungsvoll da, die Schenkel einladend gespreizt. Alle Figuren verharrten reglos, und wenn nicht der

Schweiß auf der Stirn gewesen wäre, hätte man auch sie für Skulpturen halten können.

Die Gäste verhielten sich fast so reglos wie die Performer, ein verlegenes Schweigen breitete sich aus, vielleicht war es auch ein gespanntes Schweigen – gespannt darauf, was in den nächsten Sekunden geschehen würde. Unerschütterlich gelassene Kellner bewegten sich geschickt durch die Menge und boten stumm ihren Champagner an.

Sie alle hatten an der sinnlichen Odyssee teilgenommen, die Leo sich für seine Gäste ausgedacht hatte, sie waren von Zimmer zu Zimmer gegangen, gereizt von den Düften, erregt von Farben, Musik und erotischen Szenen. Die Darbietung in diesem Zimmer sollte der Höhepunkt sein, nahm Gemma an. Alle waren bewegt, einige ein wenig schockiert von der unverblümten Sexualität der Skulptur und ihren menschlichen Gegenstücken.

»Was für eine originelle Idee«, murmelte Alexei Racine zu Leo, der neben ihm stand und zufrieden lächelte. »Brancusi?«, fragte der Regisseur und deutete auf die Skulptur.

»Es ist seine Schule«, gab Leo leise zurück. »Ah, jetzt fängt es an.«

Ein dumpfer Gongschlag erscholl. Mitternacht. Als wäre das ein Befehl gewesen, stießen die Männer mit ihren steifen Stäben zu. Sie verschwanden zwischen den Schenkeln der Frauen, als wären sie Echos der groben Symmetrie der Skulptur.

Durch die Menge ging ein Raunen. Einige der weiblichen Gäste stießen spitze Schreie aus, als wären auch sie durchbohrt worden.

Die Männer zogen sich in vollkommener Synchronität zurück. Die Glieder, steinhart und pulsierend, glänzten feucht, und als der zweite Gongschlag erklang, stießen sie wieder zu, gemessen und ohne Hast.

Zwischen den Gongschlägen füllten die glitschigen Küsse von Haut auf Haut den Saal. Jetzt waren die Performer keine disziplinierten Darsteller mehr, sie waren Männer und Frauen, die um ihre Erleichterung rangen und den uralten Paarungstanz vorführten. Als sie mit dem zwölften Gongschlag zum Orgasmus kamen, schien der ganze Saal unter einer euphorischen Anschwellung zu beben.

Eine kleine Explosion von hunderten von Champagnerkorken begrüßte das neue Jahr. Während die Gäste sich umarmten, herzten und sich ein gutes neues Jahr wünschten, schlüpften die zwölf nackten Paare aus dem Saal.

»Keine Luftballons? Keine Girlanden? Keine Partyhüte?«, fragte Jay Stone, der sich neben Leo Marais und Alexei Racine gestellt hatte. Er hatte was Lustiges sagen wollen, aber er selbst hörte, dass seine Stimme gepresst klang, und außerdem atmete er zu schnell.

»Ich habe ganz vergessen, welchen ausgesuchten Geschmack ihr Amerikaner habt«, sagte Leo lächelnd.

Auf der anderen Seite des Saals beobachtete Gabrielle de Sevigny ihren Geliebten, unbehaglich vor unbefriedigter Lust. Leo sah großartig aus in seinem Frack. Er stand bei zwei großen Männern, die sie nicht kannte. Der eine hatte sich als Satan verkleidet, der andere war in ein langes Samtcape gehüllt.

Ihr Körper war heiß und erregt, fast unerträglich aufgeheizt von den erotischen Bildern, die Leo entworfen und umgesetzt hatte. Ihre Gedanken überschlugen sich.

Sie hatte eine Seite von Leo gesehen, die ihr bisher nicht bewusst gewesen war und die sie nie bei ihm vermutet hätte – er war ein eiskalter, kalkulierender, sinnlicher Connoisseur, dessen dunkle Tiefen von den spektakulären Tableaus wahrscheinlich kaum ausgelotet wurden.

Wenn sie ihn richtig einschätzte, dann waren die verschiedenen Vorführungen des heutigen Abends für ihn nur eine Bagatelle, eine hübsche Ablenkung, um seine Gäste zu unterhalten. Mehr nicht.

Auch wenn der Gedanke ihr Angst einflößte – ihre Begierde war größer als ihre Angst.

Sie schaute an ihrem Kleid hinunter und war plötzlich mit ihrem Kostüm nicht mehr zufrieden. Sie hatte etwas Spektakuläres, etwas Provozierendes anziehen wollen. Sie hatte kurz mit dem Gedanken gespielt, als Madame Pompadour aufzutreten, der Geliebten von Louis XV. Oder als Katharina die Große, berüchtigte russische Zarin mit dem hurenhaften Verhalten. Sie hatte sich gegen beide Möglichkeiten entschieden – zu sehr Klischee. Außerdem wären die Kostüme zu voluminös gewesen, zu einengend.

Schließlich, nach langen Überlegungen, hatte sie sich für ein Charlestonkostüm aus den Zwanzigern entschieden und gehofft, Leo mit der unwiderstehlichen leichtlebigen Dekadenz dieser Periode zu locken.

Sie trug ein glänzendes, knielanges Kleid aus Silberlamé mit leuchtenden Knöpfen und Perlen, in denen sich das Licht fing. Es war auf einer Seite unanständig hoch geschlitzt, und bei jeder Bewegung war der Straps zu sehen. Ihre Strümpfe waren aus schwarzer Seide, und die Absätze ihrer zierlichen Schuhe waren hoch und dünn. Diamanten tropften von den Ohrläppchen, leuchteten an ihren Handgelenken und auf dem Stirnband, das dicht über den Brauen endete.

Sie wusste, dass sie sexy aussah, sexy und begehrenswert, aber sie wusste auch, dass das allein nicht genügte. *Vielleicht war es nie genug für Leo gewesen*, dachte sie missmutig.

Trotzdem ging sie hinüber zu ihm, ein Ausdruck gepflegter Langeweile auf dem Gesicht, obwohl ihr Herz vor Aufregung laut pochte.

»Gabrielle, meine Liebe«, sagte Leo zur Begrüßung und küsste sie flüchtig auf beide Wangen. Es war kaum mehr als die traditionelle Begrüßung unter Bekannten, und doch verursachte die bloße Berührung seiner Lippen ein heißes Kribbeln unter ihrer Haut.

»Ich möchte dich meinen Freunden vorstellen«, sagte Leo. »Alexei Racine, Jay Stone.« Das übliche Gemurmel von Phrasen, dann fragte Leo: »Wie hat dir denn mein kleines *divertissement* gefallen?« Seine Augen glühten wie Kohlen.

»Es war«, sagte sie und hob lässig die Schultern, »recht amüsant. Ja, sehr amüsant sogar. Ich wusste gar nicht, dass du so viel für … für Skulpturen übrig hast.«

»Eine meiner größten Leidenschaften«, antwortete er. »Möchtest du mehr sehen?«

Die Glut sprühte noch in seinen Augen, wie sie mit Erleichterung feststellte. »Ja, ja, gern«, sagte sie und konnte gerade noch ein Stöhnen unterdrücken, als sie seine Hand auf der nackten Haut ihres Arms spürte.

»Jay? Alexei? Ihr entschuldigt mich? Hierher, meine Liebe.«

Er führte sie aus dem Ballsaal und an einer ganzen Reihe von Räumen vorbei, die im Stil Louis XV in Blau, Weiß und Gold eingerichtet waren, dann durch einen langen, mit Spiegeln ausgestatteten Flur, von dessen Decke Kristallkronleuchter hingen, und wieder durch mehrere miteinander verbundene Zimmer, die so üppig und prunkvoll gestaltet waren, dass Gabrielle die Luft anhielt.

Leo ging durch eine Tür, die versteckt hinter einem Gobelin in die Wand eingelassen war, und dann fand sich Gabrielle auf einer schmalen Steintreppe wieder. Leo ging schweigend voraus, bis sie einen lang gestreckten Raum mit niedriger Decke und einem leicht abschüssigen Fußboden erreichten. Es war kühl, und Gabrielle schüttelte sich unwillkürlich.

»Wo sind wir hier?«, fragte sie. Ihre dünne Stimme wurde von den Wänden als Echo zurückgeworfen.

»In einem Teil des alten Verlieses«, antwortete Leo und ging auf eine schwere Holztür zu, die mit Metallbändern verstärkt worden war. »Ich wollte ursprünglich einen Weinkeller daraus machen, aber das Personal ist abergläubisch.« Er wies mit einer Hand nach links.

Gabrielle kniff die Augen zusammen und entdeckte in den Zwischenräumen der gemauerten Pfeiler eine Reihe von rostenden Metallgittern.

»Das sind die Verliese«, erklärte Leo wie nebenbei. »Und dies«, fügte er hinzu, während er die schwere Holztür aufzog, »war die Folterkammer.«

Mit einer Hand in ihrem Rücken schob er Gabrielle in die Kammer hinein. Es war dunkel, und Gabrielle konnte nichts sehen. Dann hörte sie, wie ein Streichholz angerissen wurde, und eine Fackel an der Wand flammte auf.

Es war ein Bild wie aus einer surrealistischen Hölle. Verzerrte, verbogene schwarze Metallformen standen an einer Wand entlang, einige entfernt menschlich, andere einfach nur furchteinflößend.

»Das sind natürlich Skulpturen der Moderne«, erklärte Leo. »Sie gehören zu den wenigen, die ich in Kommission genommen habe.«

Gabrielle starrte auf ein menschliches Gesicht. Die Augen waren geschlossen, der Kopf lag weit im Nacken, der Mund war verzerrt und aufgerissen, Ausdruck von Agonie oder Ekstase.

»Findest du nicht auch, dass sie die Stimmung gut einfängt?«, flüsterte Leo.

Gabrielle schüttelte sich. An den Wänden hingen Messer und Dolche, Fesseln, Peitschen und Ketten sowie eine Menge bizarrer Instrumente, deren Zweck und Namen sie nicht kannte. Gabrielles Blicke wurden von einem nackten weiblichen Körper angezogen, dessen Brustwarzen von winzigen Pfeilen durchbohrt waren.

»Ein hübsches kleines Stück«, sagte Leo, als er Gabrielles Blicke sah. »Der Künstler wurde von Tinguely und Saint-Phalle beeinflusst.«

Die Fackel flackerte, und es sah für einen Moment so aus, als bewegten sich die Figuren. Was Gabrielle zunächst als Speer wahrgenommen hatte, der in den verbogenen Leib eines grotesken Wesens stieß, erwies sich jetzt als enormes männliches Glied, das in eine weibliche Spalte eindrang.

»Nun, was sagst du dazu? Gefällt sie dir?«

»Ich glaube«, sagte Gabrielle leise, »sie macht mir Angst.« Sie hatte vorgehabt, Leo anzulügen, aber im Angesicht der brutalen künstlerischen Arbeit war ihr das unmöglich.

»Ausgezeichnet«, murmelte Leo. »Ausgezeichnet.«

Er legte die Hände auf ihre Schultern und drehte sie um, damit sie ihn anschauen musste. Sie entspannte sich ein wenig, erleichtert darüber, der sich windenden metallischen Masse den Rücken zuwenden zu können, und freute sich auf den Kuss seiner wärmenden Lippen.

Aber er küsste sie nicht. Er zupfte an ihrem Stirnband und zog es über ihre Augen. Instinktiv versteifte sie sich und wollte das Band abstreifen, aber Leo schien das geahnt zu haben und fing ihre Gelenke mit einer Hand ab.

»Wie du dir schon hast denken können, fasziniert mich besonders der physische Aspekt der Skulptur.

Die Übertragung von Fleisch und Blut zu Stein oder Bronze. Der Gegensatz ... er wird stets belebt durch ...«

Sein Vortrag ging über sie hinweg. Ihres Augenlichts beraubt, die Bewegungen eingeschränkt unter dem eisernen Griff seiner Hand, konzentrierten sich ihre Sinne. Gabrielle nahm den rußigen Rauch der Fackel stärker wahr, auch den Duft seines Rasierwassers. Sie spürte, wie sie eine Gänsehaut bekam, als er den Reißverschluss auf dem Rücken ihres Kleids fand. Im nächsten Moment rauschte der Stoff unnatürlich laut an ihrem Körper hinab und landete auf dem Boden.

Mit einer Hand um ihre Hüfte hob er sie aus dem Kleid heraus und trug sie ein paar Schritte, bis sie das kühle Metall im Rücken spürte. Fast gleichzeitig spürte sie auch seine Erektion. Sie konnte es kaum erwarten, sie zwischen den Schenkeln zu haben.

Aber er schien andere Pläne zu haben. Er hob sie noch einmal an. Sie hörte ein metallisches Klicken, als sich etwas um das eine Handgelenk schloss und dann um das andere. Jetzt ließ er sie los. Gabrielle tastete mit den Fußspitzen nach dem Boden, erreichte ihn aber nicht. Hartes Metall drückte gegen die Innenseiten ihrer Schenkel.

Er trat einen Schritt zurück, um das Bild, das sie bot, besser bewundern zu können. Ihre Arme waren über dem Kopf erhoben, gefangen in schwarzen Metallschellen. Ihre Haut leuchtete weiß, abgesehen vom schwarzen Dreieck ihrer Schamhaare, dem dunklen Penis-Speer zwischen den Beinen und den schwarzen Strümpfen und Strapsen.

Es ist ein lüsternes Bild, dachte er. Die Pose war obszön. Vielleicht lag es allein an dem glitzernden Band über ihren Augen. Wenn nur ihre Haarfarbe eine andere wäre ... Gabrielles rabenschwarzes Haar bildete keinen Kontrast zum dunklen Metall. Eine

Blondine würde besser wirken, lange Strähnen silber-
blonder Haare...

»Leo, was soll das?«, fragte Gabrielle, ein feines
Zittern in der Stimme.

»Dies? Nun, Gabrielle, ich sagte dir ja, dies ist die
Folterkammer gewesen. Warte, ich zeige es dir.«

Sie spürte seine Finger zwischen den Lippen ihres
Geschlechts. Sie war eng und trocken; ihre Erregung
hatte sich angesichts der brutalen Skulptur abgekühlt.
Seine Berührung fühlte sich wie eine Invasion an und
war schmerzhaft.

Die Finger glitten über ihre Klitoris, einige Male, bis
sie das Brennen spürte, die Hitze und die Feuchtig-
keit. Die Labien schwollen an, wurden voll und glitschig.

Seine Finger wurden kecker, stießen in sie hinein
und lösten ein heftiges Pulsieren zwischen ihren
Schenkeln aus. Die Hitze nahm zu, umfing das ganze
Geschlecht und breitete sich in ihrem Bauch aus.

Alle Gefühle konzentrierten sich auf das hungrige
Fleisch zwischen den Schenkeln und auf das geschickte
Reiben seines Fingers. Sie vergaß das verzerrte
Gesicht der Skulptur und das kühle Metall; sie vergaß
sogar zu atmen, als die Hitze ihren ganzen Körper
erfasste.

Sie spürte das erste Zittern tief in ihrem Bauch. Es
breitete sich aus, bis sich alle Muskeln ihres Körpers in
Erwartung des Orgasmus spannten.

Er veränderte seinen Rhythmus, als er ihre Reaktion gewahrte. Seine Finger bewegten sich sanft und
erforschten die glitschige Schwellung ihres Kitzlers,
statt härter und weiter in sie einzudringen, um ihr den
Orgasmus zu verschaffen, nach dem sie lechzte. In ihr
pochte und rumorte es, während er sanft rieb und
zwickte.

Sie begann sich im Fluss seines neuen Rhythmus zu
bewegen und entspannte sich in der Hitze ihres

Körpers, gab sich ganz der Harmonie seiner Reize hin. Aber wieder veränderte er sein Reiben und fuhr nun quälend langsam mit der Daumenkuppe über die Knospe der Klitoris.

Geschickt brachte er sie einige Male an den Rand der Erlösung, aber dann versagte er ihr den Orgasmus immer wieder, bis die Wollust sich zu einem tiefen körperlichen Schmerz wandelte und die süße Schwere der Leidenschaft zu einer bebenden Not wurde.

Es war schrecklich. Erst brachte er ihren Körper zu einer kochenden Glut, dann kühlte er sie ab, um sie Sekunden später wieder in diesen roten Nebel zu versenken, der ihre Sinne betörte. Es gelang ihm immer wieder.

Wenn sie dicht vor dem Höhepunkt stand, verharrten die Finger in ihr. Er beugte sich dann vor und leckte über ihre Brüste, und wenn sie glaubte, nun würde es ihr kommen, weil er ihre Nippel saugte und an ihnen nagte, ließ er von den Brüsten ab und erinnerte sich an die Finger in ihrer Spalte.

Sie glaubte, bald wahnsinnig zu werden. Nie zuvor war sie so oft und so gekonnt an den Rand des Orgasmus geführt worden. Er schien eine dämonische Freude dabei zu finden, sie dorthin zu bringen, wo nichts anderes zählte als das Erleben eines gigantischen Höhepunkts.

Ihr ganzer Körper stand unter Strom, Nippel und Labien waren geschwollen und gereizt. Er setzte Hände, Lippen und Zunge ein, um sie in den Wahnsinn zu treiben. Und wieder versagte er ihr den Orgasmus.

Seine Penisspitze suchte sie, umkreiste die nasse, zuckende Pforte ihrer pochenden Tiefe. Er drang in sie ein, stieß tief, mahlte in ihr und zog sich langsam zurück. Sie spürte die Leere wie einen schmerzlichen Verlust und stöhnte jammernd auf.

Hilflos wand sie sich und fühlte das kalte metallene

Gerüst im Rücken. Sie brannte innerlich, die glitschigen Labien zuckten, ihre Nippel waren hart und steif und schmerzten, sie schrien nach Befriedigung.

Im nächsten Moment spürte sie wieder seinen Schaft, der hart in sie eindrang.

Sie schrie auf, ein Urschrei der Lust und Frustration, der Leos Lachen überlagerte.

»Ausgezeichnet, Gabrielle, ausgezeichnet. Du bist dabei, das Kunstwerk zu verstehen.«

Draußen zuckte ein weiterer Blitz und beleuchtete den bedrohlich wirkenden Turm des alten Verlieses. Gemma schloss für einen Moment geblendet die Augen. Es war so unwirklich, dieses unheimliche Spiel des grellen Lichts und der tiefen schwarzen Schatten. Es enthüllte eine Landschaft, die zugleich wunderschön und doch so angsteinflößend aussah, eine Szene, die eher in einen Film gehörte oder in einen Roman, eher in die unwirkliche Welt des dämonischen Liebhabers in den ›Erzählungen des Vampirs‹.

Sie verdrängte diesen Gedanken. Mit langsamen, ungeschickten Bewegungen hob sie die Hände und streifte die Kapuze ihres Kostüms ab. Sie fuhr sich mit den Fingern durch die Haare und schüttelte die silberblonde Mähne locker.

Ohne darüber nachzudenken, was sie tat, brachte sie ihre Kleider wieder in Ordnung, sie zog den Reißverschluss hoch und ignorierte die klebrige Wärme zwischen den Schenkeln. Umständlich richtete sie sich auf.

Sie zwang sich, an nichts zu denken, als sie aus den Schatten des alten Turms trat und auf die grellen Lichter das Chateaus zu ging. Aber mit jedem Schritt meldete sich ihr Körper und erinnerte sie an ihr Wundsein, an den durchdringenden, bittersüßen Schmerz der Erfüllung.

Er beobachtete sie, als sie den Ballsaal betrat. Die Fülle der silberblonden Haare, die ihn so betört hatte, fiel locker und in fließenden Wellen über ihre Schultern. Aber ihre Augen interessierten ihn noch mehr. Sie blickten überlegt und wachsam und schienen undurchdringlich. Sie bewegte sich wie eine Schlafwandlerin, ganz nach innen gerichtet.

Er spürte die Hitze in seine Lenden steigen und verspürte den absurden Impuls, sie auf der Stelle zu nehmen, und gleich darauf noch einmal. Er wollte den schützenden Schleier von ihren Augen reißen und das schwarze Leder von ihrem Körper, er wollte das Lapisblau ihrer Augen in Tränen getränkt sehen, wenn er in sie hineinstieß, wollte ihren Körper zwingen, ihn als Herrn, als Impresario, anzuerkennen.

Er lächelte dünn und trank einen Schluck Champagner.

Der richtige Zeitpunkt ist alles, erinnerte er sich.

Aber er behielt sie weiter im Auge, als sie sich wie im Traum einen Weg durch die Menge bahnte, wie abwesend ein Glas von einem der vorbei schreitenden Kellner nahm, einen Pulk plaudernder Gäste links liegen ließ und durch einen breiten Türbogen verschwand.

Er fragte sich, was sie wohl suchte. Und was sie tun würde, wenn er dafür sorgte, dass sie es fand.

Der Maskenball im Chateau Marais degenerierte nie zu etwas, was man eine Orgie nennen könnte. Die gesamte Szenerie und das Ambiente, so verführerisch sie auch sein mochte, war zu elegant für platte Wollust; für die Gäste, erfahren im schwelgerischen Umgang mit der Lust, gebot es sich von selbst, dass die Party nicht abglitt.

Aber es gab schattige Nischen und versteckte Alkoven, wo sich Paare, wenn es sie gelüstete, zurückziehen konnten. Leos betörende Darbietungen hatten den Appetit manch eines Gastes geweckt.

Im langen, nur schwach beleuchteten Korridor, gesäumt von archaischen griechischen Skulpturen – lebensgroße Männer mit starren Augen und krausen Schamhaaren –, erschauerte Pascaline, als sie die Hände des Fremden auf ihren Brüsten fühlte. Hinter ihr hauchte ihr Ehemann Jean Paul einen leichten Kuss der Zustimmung auf ihre Schulter, während er ihre Pobacken mit beiden Händen knetete.

Sie stand nackt zwischen ihnen, stolz und schamlos nackt wie die Skulpturen rechts und links von ihr. Die beiden Männer waren noch vollständig bekleidet. Irgendwie erhöhte das noch Pascalines Erregung, dadurch wirkte die Szene verruchter, dekadenter.

Die Sache mit dem Fremden war Jean Pauls Idee gewesen. Er hatte ihr das Angebot in verschlüsselter Form vorgetragen, und Pascaline und den Mann, der sich als Satan verkleidet hatte, überrascht, als sie im Ballsaal gestanden und Champagner geschlürft hatten.

Jetzt stand er vor ihr, und seine Hände in den weichen Handschuhen hielten ihre Brüste und streichelten sie unablässig, während Jean Paul ihren Po streichelte und massierte.

Pascaline spürte, wie sich ihre Brustwarzen mit Blut füllten, wie sie sich zu schmerzenden Spitzen aufrichteten und wie ein Schauer über ihren Rücken lief. In ihrem Schoß sammelte sich eine schwere Süße.

Er war klug und erfahren, dieser Fremde; er fiel in den Rhythmus ein, den Jean Paul vorgab; langes Streicheln ihrer Brüste, ohne die Aureolen zu berühren, während Jean Paul ihr Becken massierte und zwischendurch immer wieder in die Kerbe ihrer Pobacken drang. Wie zufällig streifte er die zuckende Öffnung ihres Anus.

Pascaline spürte ihre Nässe. Die Labien waren

angeschwollen und öffneten sich wie Blütenblätter einer exotischen Blume. Aufgeregt zog sie den Fremden an ihre Brüste. Sie gierte nach seinem Mund, wollte die Lippen um ihre Nippel spüren und freute sich schon auf die oralen Freuden, die ihr Geschlecht empfinden würde.

Jean Paul befingerte ihren Anus jetzt intensiver und stieß leicht hinein, als er sie dazu bereit wusste.

Feucht durch die Säfte ihrer Erregung spürte sie keinen Schmerz, nur das kräftige Reiben, das ungestüme Eindringen. Pascaline schloss die Augen und gab sich ihren Gefühlen hin, während der Fremde an ihren Brustwarzen saugte und von einer Brust zur anderen wechselte.

Pascaline öffnete die Augen.

Die englische Frau, Gemma, stand vor ihr, die dunkelblauen Augen weit aufgerissen, aber sonst eher teilnahmslos. Pascaline, fast an der Grenze, die Beherrschung zu verlieren, schaffte es noch, ihr zuzulächeln. Ein wildes, freundliches Lächeln, das Gemma einlud, dabei zu sein, ihren Platz in dem fleischlichen Triangel zu finden.

Einen Moment lang schien es Pascaline, als zögerte die Engländerin, als bewegte sie sich sogar leicht auf sie zu, aber dann schüttelte sie kaum merklich den Kopf und ging weiter.

In diesem Moment setzte bei Pasacline der Orgasmus ein, und wieder schloss sie die Augen.

Gemma schritt die wunderschön geschwungene Steintreppe des Chateaus hinab, ihre Gedanken angefüllt mit undeutlichen, rasch wechselnden Bildern.

Die primitive Skulptur im Ballsaal, die schon durch ihre Ausmaße beeindruckte. Der gewaltige Schaft aus rotem Marmor, der zwischen die Schenkel der marmornen Frau zielte. Die ungezügelte Hitze in Pascalines Augen; der Kopf des Fremden an ihrer Brust. Die ungehemmte Nacktheit der Figuren, die rechts und links neben ihnen standen.

Sie zögerte nur kurz, ehe sie von der gewundenen Zufahrt abbog und die Abkürzung über die Wiesen nahm, hinter denen der Wald liegen musste, der an ihr Haus grenzte. Sie würde an der Gruft vorbei kommen, glaubte Gemma, und von dort waren es nur wenige Minuten bis zu ihrem Haus.

Sie würde nicht wieder in die Gruft gehen, nahm sie sich vor. Sie würde in eine andere Richtung schauen, wenn sie den Hügel sah, in dessen Innerem sie diese unglaubliche Begegnung mit ihrem Fantasiegeliebten erlebt hatte – mit jenem Dream Lover, der, so unmöglich es auch schien, heute Abend im Schatten des alten Turms auf sie gewartet hatte.

Sie würde auf geradem Weg zurück nach Hause gehen, und wenn sie erst in ihrem Haus war, würde sie die Tür fest abschließen, sich einen doppelten Cognac einschenken, das schwarze Lederkostüm abschälen, das sich jetzt wie eine einengende zweite Haut um ihren Körper schmiegte, und dann würde sie sich in die Wanne legen. Oder sie würde sich vielleicht nur in den Bademantel kuscheln und ins Bett gehen. Oder Musik hören und einen Tee zum Cognac trinken.

Plötzlich schien es wichtig zu sein, ob sie nun Tee oder Cognac trank oder Tee zum Cognac, ob sie ein Bad wollte oder lieber auf dem alten Plüschsofa sitzen, sich von Musik berieseln lassen. Mahler oder Beethoven vielleicht.

Jedenfalls nicht Albinoni. Nicht die vertrauten Akkorde, die sie beim Betreten des Chateaus begrüßt hatten.

Und auch keinen Jazz. Das tiefe rauchige Schnurren würde sie an das dunkle Paar erinnern, das sie mit heißen Blicken in intimster Umarmung beobachtet hatte. Nein, ganz bestimmt nicht Jazz.

Und auch nichts Exotisches wie Ravel, denn er würde sie an das Sirren der Sitar erinnern und an die parfümgeschwängerte Luft rund um die beiden Frauen, die sich so erotisch und verführerisch bewegt hatten, geschmeidig wie Bauchtänzerinnen.

Vielleicht würde sie überhaupt keine Musik hören, dachte sie dann, als sie durch das hohe, kühle Gras der Wiese schritt, und irgendwie erleichterte sie diese Entscheidung. Und es würde auch keinen Cognac geben. Sie würde Wasser für eine heiße Tasse Tee aufsetzen, sobald sie das Haus erreicht hatte, sie würde ihn heiß und süß trinken und eine Scheibe Toast dazu nehmen. In Streifen schneiden und in den Tee tunken. Eine wärmende Erinnerung an ihre Kindheit.

Dann, und erst dann, in der friedlichen Abgeschiedenheit ihres Bauernhauses, würde sie sich gestatten, an den Abend zu denken. Und sich erinnern.

Die Dämmerung brach durch den nächtlichen Himmel, als die Kellner im Chateau Marais die verbliebenen Gäste kaum merkbar zu einem kleineren Saal neben dem Ballsaal führten. Die Musiker spielten leise, aber die Gäste, müde, trunken und erschöpft vom Geschehen der Nacht, tanzten nicht mehr und waren bereit, sich zur gemütlichen Intimität verleiten zu lassen.

Im Gegensatz zum glitzernden Gold und der kristallenen Üppigkeit des Ballsaals strahlte der kleinere Saal eine rosige Atmosphäre aus. Man fühlte sich wie in einer großen heimeligen Laube. Knospende Rosen lockten auf den seidenen Jalousien vor den Fenstern, auf den Leinentischdecken und auf den Sofabezügen.

Unmengen von Rosen, alle in Knospen, in jeder Schattierung von Lachs bis Muschelpink, von Cremeweiß zu Gelb und Safran, erblühten in Kristallvasen auf allen Tischen.

Vor dem Fenster lag ein junger Mann auf einer Chaiselongue. Er war nackt, schlank, blond, muskulös und offenbar eingeschlafen, denn er schien sich um die eintretenden Gäste nicht zu scheren, und die ignorierten ihn, hielten ihn offenbar für einen der ihren, der seine Erschöpfung nicht unterdrücken konnte.

Dankbar ließen sich die Partygäste in die Polster sinken. Gespräche waren rar, und wo sie vorkamen, fanden sie gedämpft statt. Kaffeeduft stieg den Gästen in die Nasen, und dann nahmen sie auch das Aroma frisch gepresster Apfelsinen, warmen Brotes und bratenden Specks wahr. Ihnen lief das Wasser im Mund zusammen.

Satt und matt, benommen von der Flut der nächtlichen Eindrücke, hingen sie dösend in Sesseln und auf Sofas herum; ab und zu wurden Blicke getauscht, milde gespannt auf das Programm der morgendlichen Wiederbelebung.

Fast unbemerkt schritt die junge Frau durch den Saal. Sie war nackt. Ihre langen blonden Haare bedeckten fast den ganzen Rücken. Sie war schlank und hatte eine blasse Haut, lange Beine und hoch angesetzte Brüste mit großen pinkfarbenen Nippeln. Anmutig schritt sie zum Fenster und zog die schweren Seidenvorhänge mit dem Rosendesign zurück. Das erste Grau des Tages drang herein.

Durch das Licht wurden die Gäste auf die junge Frau aufmerksam. Sie setzten sich gerade hin und sahen schweigend zu, wie sich die Frau über die schlafende Gestalt auf der Chaiselongue beugte. Er rührte sich kaum, als sie mit langen, schlanken Fingern über seinen schlafenden Penis glitt. Sie gab nicht auf, ehe er zur vollen Erektion erblüht war.

Langsam glitt sie über ihn und begann sich sanft zu bewegen, nachdem sie den Schaft geschickt in sich versenkt hatte. Sie legte die Hände auf ihre Brüste und neckte die großen rosigen Nippel, bis sie sich gestreckt und steil aufgerichtet hatten. Sie bewegte sich jetzt ein wenig schneller, und ihre blasse Haut wurde von der Erregung mit einer anmutigen Röte überzogen.

Vielleicht lag es daran, dass der Mann noch schlief, aber es lag eine seltsame Unschuld über diesem Bild, eine unverdorbene Frische, die mehr wärmte als erregte.

»Die Dämmerung kommt mit rosigen Fingern daher«, murmelte Alexei und schaute auf die langen Nippel der jungen Frau. »Ist es das, was du dir bei dieser Szene vorgestellt hast, Leo?« Er gab sich selbst die Antwort: »Ein wenig zu theatralisch, findest du nicht auch?«

»Die Dämmerung schiebt die Nacht der Sterne zurück, in der die heimlich Liebenden in süßer Verstrickung liegen«, zitierte Leo. Dann fügte er hinzu: »Ich dachte, gerade das Theatralische würde dir gefallen, Alexei.«

»Zu vorausschaubar«, antwortete Alexei, ohne den Blick von den beiden verbundenen Menschen zu nehmen. »Er wacht auf, und sie erlebt ihren Höhepunkt, und ich schätze, dass genau in diesem Augenblick die Sonne über den Horizont bricht; die aufsässige Sonne, die Liebende auseinander reißt ... dieses Klischee findet sich von Ovid bis Donne. Ich hasse Allegorien. Ich ziehe die unerwartete Wendung in meinen Stücken vor.«

»Niemand, der je einen Film von dir gesehen hat, wird das bezweifeln, mein Freund.«

Und als die Sonne aufging, den Saal in goldenes Licht tauchte und die Liebenden mit ihrem Glanz umfing, öffnete der Mann die Augen, stieß plötzlich mit den Hüften zu und unterbrach den sanften wiegenden Rhythmus der Frau, die über ihm grätschte. Sie kam mit einem gedämpften Schrei überraschter Lust.

Eingehüllt in ihren alten Bademantel beobachtete Gemma denselben Sonnenaufgang, die Hände um die Tasse Tee gelegt, der längst kalt geworden war. Vor ihr auf dem Tisch sah sie die gebutterten Toastscheiben, die sie nicht angerührt hatte, die ungeöffnete Cognacflasche, über die sie noch nachdachte, und ihr in Rindsleder gebundenen Terminkalender. Die Ränder der aufgeschlagenen Seiten waren mit sinnlosen Kringeln voll gekritzelt.

Gleich nach dem Eintreffen im Haus hatte sie geduscht, lange und ausgiebig, eine dampfende, prasselnde Dusche, die sie erfrischt und beruhigt und die Erinnerungen an das tückische, verführerische schwarze Lederkostüm ausgelöscht hatte. Irgendein Impuls hatte sie veranlasst, das Kostüm mit nach unten zu bringen, und jetzt betrachtete sie es nachdenklich.

Sie hatte sich gezwungen, sich den seltsamen, exzentrischen Geschehnissen der letzten Tage zu stellen. Es hatte keinen Sinn, sich länger hinter vorgeschobenen Träumen zu verstecken, mit denen sie das Erlebnis in der Gruft zu erklären versucht hatte. Sie konnte sich nicht länger selbst täuschen und so tun, als hätte es sich um eine Fantasiegestalt gehandelt, um ihren Traumgeliebten.

Nun, natürlich könnte sie, dachte sie und nippte am Tee. Sie zog eine Grimasse, denn die kalte Gerbsäure schmeckte scheußlich.

Sie schob die Tasse von sich und fuhr fort, Kringel in ihren Kalender zu malen.

Sie konnte das Erlebnis in der Gruft einfach ignorieren. Vergessen, dass es je geschehen war. Sie konnte so tun, als hätte sie sich nie einem Fremden hingegeben, der einen Hunger in ihr gestillt hatte, von dem sie bisher nicht einmal geahnt hatte, dass es ihn gab.

Ja, und sie konnte auch so tun, als wäre er nicht zurückgekehrt, um sie im Schatten des alten Turms erneut zu nehmen. Aber sie erschauerte noch jetzt, wenn sie daran dachte, wie der Blitz durch ihren Körper geschossen war, zeitgleich mit dem Blitz, der den dunklen Himmel erhellt hatte.

Gemma schüttelte den Kopf. Ihr Verhalten in den letzten Tagen passte nicht zu ihr, gehörte nicht zu ihrem Charakter. Es war, als würde sie sich neu kennen lernen. In einem Drehbuch würde das wenig überzeugend sein; im wahren Leben war es zermürbend.

Unmöglich.

Wie konnte sie ihre entschiedene Professionalität als erfolgreiche Filmproduzentin, die sich in einer von Männern dominierten Welt durchgesetzt hatte, in Einklang bringen mit der lüsternen, schamlosen Hingabe einem völlig Fremden gegenüber?

Sie kritzelte wieder und malte jetzt auch Kringel in die Blattmitte. Ihr wurden die zwei Seiten ihrer Natur deutlich, einmal die anerkannte, respektierte Managerin, stets makellos gekleidet, immer sachlich und beherrscht, und zum anderen die entspannte, lockere Frau, die gern träumte, in verschlissenen Jeans herumlungerte und für ihr Leben gern barfuß durch die Gegend lief.

Das Bauernhaus in der Bretagne war ein Geschenk an diese zweite Frau gewesen, ein Ort, an dem sie die Zwänge und Frustrationen, die unangenehmen Seiten ihres beruflichen Lebens ablegen konnte.

Sie schaute wieder zum schwarzen Lederkostüm und schüttelte sich. Die Frau, die es gestern Abend getragen hatte, hörte noch den ekstatischen Aufschrei, als sie an den gesichtslosen Fremden dachte, der sie wie selbstverständlich im Schatten des alten Turms genommen hatte.

Sie schüttelte den Kopf. Als sie auf das Blatt ihres Kalenders schaute, sah sie, dass sie unbewusst ein Strichmännchen mit einem gewaltigen Penis gemalt hatte, der aus seinen Lenden aufragte. Es war ein Abbild der Zeichnung aus der Gruft. Was war es, das sie daran so faszinierte? Auch der Krieger war gesichtslos wie ihr anonymer Liebhaber.

Nein, er war kein Dream Lover. Sie rief sich ihre anderen Liebhaber in Erinnerung. Viele waren es nicht; höchstens zehn, und einige von ihnen hatte sie vergessen. Eine respektable Zahl für eine Frau von dreißig Jahren.

Niemand hatte sie bisher so sehr durchgeschüttelt, sie sexuell so aufgewühlt. In der Vergangenheit hatte sie sich eher für eine unterkühlte Frau gehalten. Nicht frigide, aber doch nicht leicht zu befriedigen.

Sie schüttelte sich wieder und schlang den Bademantel enger um ihren Leib.

Eine lange Zeit saß sie am Tisch, gefangen in ihren Gedanken, und als sie das Klopfen an der Tür hörte, zuckte sie überrascht zusammen. Ihr Herz pochte wie verrückt. Dann wurde ihr bewusst, wie albern sie sich benahm. Sie stand auf und öffnete die Tür.

Pascaline stand draußen, sie trug Jeans und einen weiten weißen Pullover mit groben Maschen. Ihre Wangen waren rosig vom frischen Wind, und die roten Haare flatterten ihr um den Kopf. Sie hielt eine Flasche Champagner in der Hand und hielt sie vor Gemma hoch.

»Ich wollte nach Ihnen sehen«, sagte Pascaline, betrat das Haus und sah sich mit unverhohlener Neugier um. »Wir haben Sie gestern Abend im Chateau gesucht, aber wir haben Sie nicht gefunden.«

Gemma sah plötzlich das Bild vor sich, wie sie Pascaline das letzte Mal gesehen hatte. Ihr nackter Körper zwischen zwei bekleideten Männern. Der lüsterne Ausdruck ihrer glänzenden Augen …

»Ich bin früher gegangen«, murmelte Gemma verlegen und folgte Pascaline ins Wohnzimmer.

»Aber es hat Ihnen doch Spaß gemacht?« Pascaline

stellte den Champagner auf den Tisch und ließ sich auf dem bequemen Sofa nieder.

»Nein. Ich meine ja, natürlich«, antwortete Gemma und ärgerte sich, dass sie rot wurde.

»Sie lügen, glaube ich«, bemerkte Pascaline und legte den Kopf schief. »Warum öffnen Sie nicht den Champagner? Es tut gut, nach einer solchen Nacht einen Schluck zu trinken. Und warum sagen Sie nicht, was Sie wirklich meinen? Die Engländer sagen nie, was sie fühlen.«

»Nein, das kann schon sein«, stimmte Gemma mit einem schüchternen Lächeln zu. Sie zupfte an der Goldfolie des Flaschenhalses. »Wir halten das für gute Manieren.«

»Manieren«, wiederholte Pascaline verächtlich. »Es ist eher eine Vortäuschung falscher Tatsachen. Ich kann das gut verstehen, deshalb genießen wir das Leben auf dem Lande so sehr.«

»Wie meinen Sie das?«, fragte Gemma verwirrt und musste über Pascalines ironisches Gesicht lächeln.

»In Paris, wo wir bekannt sind, fühlen wir uns verpflichtet, uns zu beherrschen. Nicht nur wegen meiner Arbeit, sondern auch wegen Jean Pauls.« Sie streckte die Hand nach dem Champagnerglas aus, das Gemma ihr anbot. »Wie alle Franzosen will er es in der Politik zu was bringen, und als gute Ehefrau muss ich den besten Eindruck machen.«

»Natürlich«, sagte Gemma, und wieder sah sie das Bild der rothaarigen Frau vor sich, die sich gleichzeitig von zwei Männern bedienen ließ.

»Ja, so ist es«, sagte Pascaline mit Nachdruck, als hätte sie Gemmas Gedanken gelesen. »In Paris bin ich die anständige Ehefrau, über jeden Zweifel erhaben. Hier aber ist alles erlaubt … hier bin ich so, wie ich bin – oder auch so, wie ich nicht bin, was noch interessanter ist.«

»Ich glaube, ich verstehe, was Sie meinen«, antwortete Gemma zögernd und erinnerte sich an ihre widersprüchlichen Gedanken an diesem Morgen.

»Trinken Sie auch einen Champagner und setzen Sie sich neben mich«, sagte die Nachbarin und klopfte auf das Sofa.

Gemma gehorchte und stellte das Glas auf dem kleinen Tisch vor dem Sofa ab. Als sie sich vorbeugte, klaffte ihr Mantel auseinander, und die Hügel ihrer Brüste waren zu sehen. Hastig zog sie den Mantel wieder zusammen.

Pascalines Lachen klang frisch und ansteckend. »Sie halten mich wohl auch für eine Tochter Sapphos?«

»Nein, nein«, erwiderte Gemma rasch. Sie war wieder rot geworden und erinnerte sich an Pascalines ungezügeltes, einladendes Lächeln, das sie in der Nacht gesehen hatte. Sie setzte sich neben sie aufs Sofa, und um ihre Verlegenheit zu überdecken, griff sie nach ihrem Glas.

»Sie sind süß«, sagte Pascaline lächelnd und strich behutsam über Gemmas Haare. »Wäre es denn so schrecklich, wenn ich es wäre?«

Gemma sah die Nachbarin an, sah das herausfordernde flirtende Lächeln in ihren Augen und musste selbst lächeln. »Nein, es wäre nicht schrecklich.«

»Das freut mich sehr«, sagte Pascaline. Sie beugte sich über Gemma und küsste sie auf den Rand der Lippen. Es war eine kurze, leichte Berührung, weder Einladung noch Versprechen, und doch sinnlich.

Seltsam, aber die sanfte Berührung entspannte Gemma, ihre verwirrenden Gedanken des Morgens schwanden, als hätte Pascaline sie weggeküsst.

»Ja, Sie sind wie ich«, behauptete Pascaline, trank ihr Glas aus und schenkte sich nach. »In jeder von uns stecken mindestens zwei Frauen. Sie haben mich in der Nacht gesehen, nicht wahr? Mitten im Korridor?«

»Ja, ich habe Sie gesehen«, antwortete Gemma und

war überrascht, dass sie keine Verlegenheit fühlte. Es war, als hätte sie schon immer ein vertrautes Verhältnis zu der Frau auf dem Sofa gehabt.

»Für mich war es das erste Mal«, sagte Pascaline fast scheu und ein wenig stolz. Ihre Augen glänzten. »Ich war nie zuvor mit zwei Männern zusammen.«

»Und wie war es?«, platzte es aus Gemma heraus, bevor sie sich bremsen konnte.

Pascaline überlegte, bevor sie antwortete. Dann sagte sie: »Es war gut. Anders, ein wenig seltsam, aber gut. Ich werde daran zurückdenken, wenn ich in Paris bei meinem Chef bin. Er ist ein Schwein.«

Gemmas konfuser Gesichtsausdruck wirkte so komisch, dass Pascaline lachen musste. »Nein, nein, was glauben Sie denn? Dass ich mit ihm schlafe? Mit meinem Boss? Er hat dicke Finger und Körpergeruch, und ich verabscheue ihn.« Sie schüttelte sich. »Außerdem würde ich Jean Paul nie betrügen«, fügte sie ernst hinzu.

Noch während Gemma die gewundene Moral dieser letzten Aussage zu begreifen versuchte, fuhr Pascaline fort: »Aber er will mich haben. Er behandelt mich wie seine Dienerin. Französische Männer können Schweine sein. Wenn ich jetzt zurück in Paris bin, werde ich ihn ansehen und denken: Ich habe Dinge getan, von denen du nur träumen kannst. Und das wird mir gut tun. Verstehen Sie?«

»Nein. Oder ich bin mir nicht sicher«, sagte Gemma und nahm einen Schluck Champagner.

»Es verleiht mir Macht«, erklärte Pascaline. »Macht im Kopf, meine ich. Es ist, als trüge ich im Geiste mein schwarzes Lederkostüm«, fügte sie hinzu und wies auf den Hosenanzug, den Gemma in der Nacht getragen hatte. »Sie haben es auch gefühlt, nicht wahr?«

»Ich habe gefühlt …« Gemma zögerte. Was hatte sie gefühlt? Auf eine seltsame Weise freier, beinahe befreit. Sogar ein wenig hemmungslos.

»Ah, ja, Sie haben es auch gefühlt«, sagte Pascaline in Gemmas Schweigen hinein. »Was ist mit Ihrem Boss? Ist er auch ein Schwein wie meiner?«

»Kann schon sein«, antwortete Gemma ausweichend. Sie war erleichtert, dass sie nicht mehr über das schwarze Lederkostüm nachdenken musste. Ihre Gedanken wandten sich der turmhohen düsteren Gestalt von Alexei Racine zu. Nicht, dass er ihr Boss wäre, aber ...

»Nun, dann müssen Sie an die Party denken und an das, was Sie gesehen und vielleicht auch getan haben«, riet Pascaline ihr, ein listiges Glitzern in den Augen.

»Erzählen Sie mir mehr von der Party«, bat Gemma, die merkte, wie sie dem frischen Charme der Nachbarin erlag. Sie nahm noch einen Schluck Champagner. Pascaline hatte Recht, er war erfrischend, und Gemma spürte, wie ihre Lebensgeister zurückkehrten.

Sie musste über Pascalines Beschreibung einiger Partygäste lachen, und sie wurde ganz still, als die Pariserin das erotische Geschehen zum Sonnenaufgang schilderte und das verschwenderische Frühstücksbankett beschrieb.

Pascaline war eine lebhafte und amüsante Erzählerin, sie hatte einen verwegenen Sinn für Humor und einen Hang zu versteckten Andeutungen. Gemma hörte ihr gern zu, und Pascaline erzählte ohne Unterlass, bis die Champagnerflasche leer war.

»Aber was ich ganz am Schluss gesehen habe, war wirklich merkwürdig«, sagte Pascaline, als sie sich stirnrunzelnd erhob, um zu gehen.

»Da bin ich aber gespannt«, sagte Gemma lachend. »Ich fand nämlich eine ganze Menge von Dingen äußerst merkwürdig.«

»Ja«, sagte Pascaline mit ernstem Gesicht. »Sehr merkwürdig. Als wir uns verabschiedeten, küssten wir uns alle, Sie wissen schon, wie wir Franzosen das gern tun, auf beide Wangen.« Sie stand vor der Tür und küsste Gemma auf die Wangen.

»Ja, ich weiß«, sagte Gemma.

»Nun, während ich darauf warte, mich auch von Leo Marais, unserem Gastgeber, zu verabschiedeten, geht vor mir eine Frau in einem silbernen Kleid in die Knie und küsst Leos Füße. Sehr merkwürdig, habe ich gedacht.«

In den folgenden Tagen gingen Gemma immer wieder bestimmte Teile der Unterhaltung mit Pascaline durch den Kopf. Besonders der Gedanke, dass sie zwei Frauen war, kehrte immer wieder. Und dann Pascalines eigenartige Auslegung der ehelichen Treue. Und was sie über die Macht gesagt hatte, wenn sie das Lederkostüm trug.

Es überraschte Gemma, wie sehr sie Pascalines Ansichten übernahm. Es beruhigte sie zu wissen, dass zwei Frauen in ihr steckten, die sich sehr verschieden verhielten. Sie spürte einen Frieden in sich, den sie nicht durch einen weiteren Besuch in der Gruft gefährden wollte. Es genügte schon, dass sie immer wieder mal die Zeichnung des Jägers vor sich sah, die sich mit der Erinnerung an ihren Dream Lover vermischte.

Statt dessen las sie Trollope, den sie mitgebracht hatte, und zwischendurch begann sie ihre Sachen zu packen. Das schwarze Lederkostüm, das Pascaline ihr geschenkt hatte, legte sie ganz unten in den Koffer. Sie lauschte dem amerikanischen Rock and Roll eines französischen Radiosenders, hielt Hausputz und sah ihrer beruflichen Arbeit mit Spannung und zunehmender Zuversicht entgegen.

Vielleicht ist es gar nicht so schlimm, mit Racine zu arbeiten, dachte Gemma. Schließlich war er ein renommierter Regisseur, und sie war eine kompetente Produzentin.

Sie putzte die dicken alten Fensterscheiben und polierte so lange, bis sie ihr Spiegelbild sehen konnte. Sie liebte den alten Film ›Erzählungen des Vampirs‹, und sie liebte das neue Drehbuch.

Sie hatte das Budget bis zur äußersten Grenze gestreckt, und das Casting war abgeschlossen.

Alles war in bester Ordnung, und eigentlich konnte nichts schief gehen. Gemma dachte, Racines Ruf als Bastard müsste maßlos übertrieben sein; der Ruf war wahrscheinlich von Neidern ausgelöst worden. In dieser Branche gab es viele Besserwisser und Versager.

Ja, dachte Gemma und betrachtete ihr Spiegelbild in der Fensterscheibe, Racine war nicht so schlimm, und sie würde gut mit ihm zusammen arbeiten. Wenn es hart wurde, konnte sie auf Pascalines Rat zurückgreifen und an das schwarze Lederkostüm denken und an die Macht, die es der Trägerin verleiht.

Nein, es würde so schlimm nicht werden.

VIERTES KAPITEL

Es war nicht schlimm.

Es war schlimmer.

Es war Hass auf den ersten Blick.

Es war, als ob ein bösartiger elektrischer Strom zwischen ihnen vibrierte, klar und deutlich, schwingend, knisternd, schockierend.

Racine hatte sich zum ersten Treffen um eine Stunde verspätet. Besetzung und Team, die meisten in Jeans und Sweatshirt, hatten sich gemütlich um den Tisch im Besprechungszimmer gesellt, sie rauchten, tranken Kaffee, klatschten und tratschten und ließen eine Cognacflasche kreisen.

Gemmas Assistentin Jane sah umwerfend aus in einem glänzenden schwarzen Lederkleid, das bestimmt jeden Penny ihres Weihnachtsgeldes gekostet hatte. Gemma fühlte sich an Pascalines Kostüm erinnert. Jane flirtete mit dem männlichen Hauptdarsteller, einem zerstreuten Typ mit einem vampirhaften Lächeln, dem er die Rolle zu verdanken hatte.

Gemma, in einem fröhlichen winterweißen Kostüm mit marineblauen Litzen, überflog noch einmal ihre Notizen und versuchte, ihre Verärgerung über Racines Verspätung zu zügeln. Irgendwann kamen Sy und Zippo dazu, die Sekretärin im Schlepptau, und nahmen ihre angestammten Plätze vor Kopf des Tisches ein. Sie begannen sofort, sich flüsternd zu unterhalten. Gemma, die am anderen Ende des Tischs saß, überlegte gerade, ob sie zu ihnen gehen sollte, um herauszufinden, was sie zu besprechen hatten, als sich die Tür öffnete.

Racine schwebte in den Raum, im Gefolge blassgesichtige, zwitterartige Jünger, alle in Schwarz, und mit einem Schlag veränderte sich die Atmosphäre im

Raum. Die ganze Aufmerksamkeit richtete sich auf Racine.

Amüsiert beobachtete Gemma, wie Sy von seinem Stuhl aufsprang, um Racine zu begrüßen, und wie sich der normalerweise behäbige Zippo erhob und imaginären Staub von seinem Jackett wischte. Selbst das Filmteam, gelangweilt, blasiert, weltmüde und unmöglich zu beeindrucken, richtete sich auf den Stühlen auf.

Halb gerauchte Zigaretten verschwanden auf wundersame Weise, jemand versteckte die Cognacflasche hinter dem Flip-Chart, und Sys Sekretärin, die Gemma bisher immer an einen älteren Ghoul erinnert hatte, spielte verlegen mit der Brosche an ihrem Hals, ein sicheres Zeichen einer fast unerträglichen Erregung.

Wie es sich gehört, stellte Sy ihm zunächst Zippo vor und dann Gemma. Der erste Blick in seine Augen, die von einem seltsamen blassen Grau waren, die Farbe alten Gesteins unter fließendem Wasser, Augen, die ihren Körper kurz abtasteten und dann wegblickten, ließ es ihr kalt über den Rücken rieseln.

Die Feindseligkeit zwischen ihnen war so heftig, so heiß, so schwer, so schockierend, dass es Gemma den Atem raubte. Ihre Nackenhaare prickelten, und ihr war, als wären alle Nervenenden entzündet. Sie spürte, wie sich ihre Nippel aufrichteten, und wie das Blut in ihren Ohren rauschte.

Noch nie hatte sie aus dem Bauch heraus so vehement auf einen Mann reagiert. Die Bauchmuskeln verkrampften sich, und sie spürte, wie ihr Herz raste.

Ihr Mund war trocken. Sie schluckte schwer und zog ihre Hand zurück. Bestürzt hob sie den Blick, aber er hatte sich schon abgewandt. Mit wackligen Beinen ließ sich Gemma auf den Stuhl fallen und sah zu, wie Sy und Zippo den Rest des Teams und die Besetzung vorstellten. Dabei benahmen sie sich so kriecherisch wie junge Hunde.

Wenn sie Schwänze hätten, dachte Gemma wütend und erholte sich rasch von ihrer Schwäche, würden sie damit wedeln. Selbst Jane hechelte wie eine hitzige Hündin.

Alexei Racine sah aus, als wäre er aus einem film noir geflohen, dachte Gemma verächtlich. Enge schwarze Hose, schwarzes Polohemd und weit schwingendes schwarzes Cape. Dazu die Nase, die zu jedem Habicht gepasst hätte, und die blasse Haut ... ein wenig weiße Grundierung, dann die Fangzähne, und er hätte selbst die Rolle des dämonischen Liebhabers in ›Erzählungen des Vampirs‹ spielen können, dachte sie gehässig.

Sie betrachtete seinen Mund genauer. Die obere dünne Lippe war verächtlich verzogen, die Unterlippe war voller und wirkte sinnlich. Gemma hatte eine Vision, wie sich dieser Mund auf ihren presste. Sie musste ein Schütteln des Abscheus unterdrücken.

Aber seine Stimme war wunderschön, ein tiefer Bariton mit einem nicht aufspürbaren Akzent. Aus unersichtlichem Grund ärgerte sie das noch mehr.

Sein Gefolge verschmolz mit dem Hintergrund. Gemma schaute sich um und sah die Jünger in weitem Bogen hinter Sys Stuhl. Nur einer hob sich ab, er hatte sich mit einer Backe auf die Fensterbank gesetzt und zündete sich lässig eine Zigarette an. Er kam Gemma vage bekannt vor, und während sie noch überlegte, woher sie ihn kannte, traf sich ihr Blick mit Racines.

Er schlenderte zum Kopfende des Tischs, warf sein Cape einem der Jünger zu, der es auffing und mit ehrfurchtsvollen Fingern faltete. Gemma war aufgebracht, als sie sah, dass Racine sich auf Sys Stuhl setzte. Sie wartete boshaft grinsend auf Sys Explosion ob dieser Anmaßung.

Sie kam nicht. Es war unglaublich, aber Sy scharwenzelte an die Tischseite und zog Zippo und Sekretärin mit. Er scheuchte den ersten Kameramann auf, der sich weiter nach hinten setzen musste, und dabei bewegte Sy die Hände so ungeschickt, dass seine Perücke verrutschte.

Ungerührt saß Racine auf seinem Platz, legte die Finger gegeneinander und brachte die Anwesenden mit einem Blick zum Schweigen.

Er begann zu reden. Erstaunt von seiner Arroganz und gewappnet, die üblichen Lügen und Versprechungen zu hören, schaltete Gemma halb ab. Aber dann drangen ganz andere Töne an ihre Ohren, und sie spürte, wie sie innerlich zu kochen begann.

Er schnippte mit einem Finger gegen ihr Konzeptpapier und tat ihren sorgfältig aufgestellten Drehplan mit einer lässigen Handbewegung ab. Das Budget nahm er mit einer ironisch gehobenen Augenbraue zur Kenntnis, und als er über die Liste der Drehorte blickte, verzog er sarkastisch die dünne Oberlippe. Er hielt sich nicht mit falschem Lob auf; er vernichtete das gesamte Konzept, das unter Gemmas Verantwortung entstanden war, mit barschen Gesten, ehe er es mit seiner wunderbaren Stimme ins Lächerliche zog.

»Dritter Akt«, sagte er, blätterte im Drehbuch und warf es dann zur Seite, »der könnte so gedreht werden. Vielleicht. Man könnte ihn sogar als inspirierend ansehen, als innovativ. In einem Spaghettiwestern. Aber nicht in einem Horrorfilm.« Er ignorierte das nervöse Lachen und fuhr fort: »Die Kostüme sind allerdings ausgezeichnet.«

Man konnte den Eindruck haben, dass die Zuhörer sich entspannten. Racine legte eine längere Pause ein und schenkte Wasser in ein Glas.

»Ja. Das weiße Nachthemd. Das Dinnerjackett aus der Edwardschen Zeit, Kummerbund und samtener Umhang. Perfekt. Perfekt für eine Komödie, für eine Parodie, die BBC 2 produziert. Aber nicht für diesen Film.«

Gemma blickte hinüber zu Maggie auf der anderen

Tischseite. Maggie war Schneiderin seit über dreißig Jahren, sie hatte für Theater, Fernsehen und Film gearbeitet. Jetzt wurde sie so bleich, dass Gemma fürchtete, sie könnte in Ohnmacht fallen.

Gemma konnte sich kaum noch zurückhalten. Sie wollte gerade den Mund öffnen, um Racines ätzende, unprofessionelle Tirade zu unterbrechen, als sie von Sy abgelenkt wurde, der verzweifelt versuchte, Blickkontakt mit ihr aufzunehmen. Seine buschigen Augenbrauen hüpften aufgeregt auf und ab, sie sahen aus wie zwei Tausendfüßler, die zur Paarung auf seiner Stirn zusammenkommen wollten. Sie wusste, was das zu bedeuten hatte. Halt deinen Mund.

Sie konnte es kaum fassen und knirschte mit den Zähnen. Noch ein rüder Kommentar, noch ein sarkastischer Seitenhieb, nur noch einen einzigen, und sie würde loslegen, ganz egal, welche Folgen das nach sich ziehen würde. Racine demoralisierte das Team nicht nur, griff in ihre Zuständigkeiten ein, wurde seinem Ruf als absolutes Arschloch gerecht, sondern es schien ihm auch noch Spaß zu bereiten. Seine Lippen zuckten ein wenig, als wollte er ein Grinsen versuchen.

Es war der Tropfen, der das Fass zum Überlaufen brachte. Gemma wich Sys Blick aus und wollte aufstehen, als Racine zum Schlusswort kam.

»Nun, ein herausforderndes Projekt für uns alle. Meine Assistenten werden wichtige Arbeit zu verrichten haben«, sagte er und wies mit einer Handbewegung auf die bleichen Zwitter in seinem Rücken. »Und Sie sollten auch noch wissen, dass Nicholas Frere uns ein paar Tage begleitet.«

Gemmas Herz setzte fast aus, als sie den Namen von Großbritanniens berühmtesten oder berüchtigsten Filmkritiker hörte. Der schlanke Mann, der sich auf die Fensterbank gehockt und eine Zigarette angesteckt hatte, nickte den Zuhörern zu. Nicholas Frere.

Sie konnte jetzt unmöglich reden, nicht in Freres Gegenwart. Das geringste Anzeichen eines Streits würde am anderen Tag in seiner Kolumne ausge-schlachtet werden, und zu diesem Zeitpunkt konnte ›Erzählungen des Vampirs‹ alles gebrauchen, nur keine schlechte Reklame, denn dann wurden Inves-toren nervös. Nervosität führte oft dazu, dass sie ihr Geld zurückzogen, und Geld wurde dringend benötigt.

Trotzdem musste sie etwas sagen. Etwas, das ihre Autorität wiederherstellte. Etwas, das dem Team die Sicherheit zurückgab. Etwas, woraus Racine schließen musste, dass er ihretwegen abhauen oder krepieren konnte.

Sie erhob sich langsam, und weil ihr absolut nichts einfiel, was sie sagen sollte, applaudierte sie. Einen Augenblick lang war es das einzige Geräusch im Raum. Sie blickte in die Gesichter der einzelnen Zu-hörer, starrte sie an – dieses herausfordernde Starren war den meisten sehr vertraut – und wartete, bis die ersten schüchtern in ihr Klatschen einfielen; bald applaudierten alle. Gemma warf einen neugierigen Blick auf Racine, dessen Ausdruck nicht zu deuten war. Mit einer knappen Handbewegung sorgte Gemma für Ruhe.

»Damen und Herren«, begann sie, »und natürlich auch Sy und Zippo« – ein Seitenhieb, der Gelächter auslöste –, »ich bin sicher, Sie sind ebenso erstaunt und entzückt wie ich, dass wir mit einem Regisseur zusammen arbeiten, dessen Sinn für Humor nur noch von seinen schauspielerischen Fähigkeiten übertroffen wird.«

Die Inspiration flog ihr zu. Es kam ein unruhiges Gemurmel auf, als Gemma eine Pause einlegte, um ihre Eingangsbemerkung wirken zu lassen. Dann wandte sie sich direkt an Racine.

»Am liebsten würde ich Ihnen empfehlen, die

Besetzungsliste um Ihren Namen zu bereichern, aber wie Sie selbst schon gesagt haben – dies ist keine Komödie.« Sie lachte, ein warmes, spontanes Lachen, das sich auf die meisten Zuhörer ansteckend auswirkte, wenn die anderen auch nicht genau wussten, warum sie lachten.

»Wie wir alle wissen, ist unser Geschäft grausam und rücksichtslos, durchsetzt von Gerüchten und Boshaftigkeiten. Selbst unser Regisseur Alexei Racine ist vor giftigen Gehässigkeiten nicht verschont worden. Dass es unmöglich sei, für ihn zu arbeiten.« Sie hob die Schultern und sah Racine direkt an. Einen Moment lang begegneten sich ihre Augen. »Dass er ein gefühlloser Tyrann sei, ein sarkastischer und sadistischer Bastard.«

Sie lächelte ihm dabei freundlich zu und hoffte, dass er den Hass in ihren Augen sah. Sie blickte in die Gesichter der Leute, die am Tisch saßen.

»Nun, wir haben gerade eine brillante Parodie seines Rufs erlebt, und der Mann selbst hat uns diese perfekte Darstellung seiner Kunst geboten, dass sogar ich gestehen muss, wie überzeugend er mich getäuscht hat.«

Klopfenden Herzens sah sie wieder zu Racine.

»Ich möchte Sie herzlich willkommen heißen zu den Vampir-Erzählungen. Ich weiß, dass ich für alle spreche, wenn ich sage, wie sehr wir uns alle freuen, für Sie zu arbeiten. In Studio Drei warten Häppchen, Wein und Champagner auf uns, damit wir unseren neuen Regisseur angemessen willkommen heißen.«

Spontaner Applaus begrüßte ihre Rede, wenn der Beifall auch zum Teil der Tatsache gelten mochte, dass es frei essen und trinken gab. Die Zuhörer drängten zur Tür. Gemma wartete, bis alle gegangen waren, nachdem sie Jane noch ein paar kurze Anweisungen ins Ohr geflüstert hatte. Dann griff Gemma zum Telefon.

»Casino? Ich brauche in fünf Minuten ein Büfett in Studio Drei. Wein, Champagner, Schnaps und eine Reihe von leckeren Häppchen. Wir sind etwa dreißig Leute. Nein, Häppchen für dreißig, die Getränke für sechzig. Ich will, dass sie so schnell wie möglich betrunken sind. Nein, ich will nicht hören, dass es unmöglich ist. Fangen Sie mit Wein und Champagner an, und danach liefern Sie die Häppchen.«

Sie warf den Hörer auf und fuhr sich mit gespreizten Fingern durch die Haare. Ihre Augen leuchteten, als sie eine Zigarettenschachtel auf dem Tisch liegen sah, die jemand vergessen hatte. Impulsiv griff sie nach der Schachtel und zog mit zitternden Fingern eine Zigarette heraus, obwohl sie nicht rauchte. Sie zog wütend daran.

Sie bebte am ganzen Körper, und sie war so benommen, dass sie nicht einmal zuckte, als vor ihr ein Feuerzeug aufflammte.

»Sie werden herausfinden, dass sich eine Zigarette besser rauchen lässt, wenn sie brennt«, sagte eine Stimme, die offenbar zu dem Mann gehörte, der ein elegantes schwarz-goldenes Feuerzeug in seinen schlanken, gebräunten Fingern hielt.

Sie beobachtete, wie die Flamme ihre Zigarette traf und inhalierte tief. Der beißende Rauch in ihrem Gaumen ließ sie husten. Ihre Augen brannten. Wieder inhalierte sie, und wieder musste sie husten.

Sie drehte sich auf ihrem Stuhl um und schaute den Mann an.

»Beeindruckend«, kommentierte Nicholas Frere und zündete sich selbst eine Zigarette an.

Sie stieß eine Tabakwolke aus und beobachtete ihn durch den Dunst. Er war mittelgroß, schlank gebaut; ein angenehmes, unauffälliges Gesicht, das sich aus einer Menge nicht herausheben würde. Vielleicht half ihm das bei seiner Arbeit als selbsternannter Film-scharfrichter. Seine grünen Augen blickten lebhaft.

»Ich rauche nicht«, sagte sie, um ihren Husten zu erklären.

»Nein, statt dessen kochen Sie, nehme ich an«, sagte Frere. »Das war spannend zu erleben, wie Sie und Racine das erste Mal die Messer wetzen.«

»War er nicht großartig?«, fragte Gemma, während sich ihre Gedanken überschlugen. »Ich liebe seinen teuflischen Sinn für Humor. Und wie er so überzeugend das Eis zwischen ihm und dem Team gebrochen hat ... oh, er ist wunderbar.«

»Alexei und ich sind gute Freunde«, sagte Frere ruhig und ließ seine Zigarette in das Wasserglas fallen, das Racine nur zur Hälfte getrunken hatte.

»Oh«, murmelte Gemma und wusste nicht, was sie sagen sollte. Der Blick seiner Augen, bewundernd, boshaft, zynisch, genügte ihr: Er hatte sich von ihrem Bluff nicht täuschen lassen. Und auch das Team musste ihre falsche Jovialität durchschaut haben. Jetzt musste sie sich so schnell wie möglich Sy und Zippo schnappen und herausfinden, was gespielt wurde.

»Sie haben nur einen Fehler gemacht«, sagte Frere.

»Oh? Was denn?«

»Sie haben den Filmtitel falsch zitiert. Er heißt ›Erzählungen des Vampirs‹, nicht wahr?«

»Verdammt«, rief sie aus und fuhr sich wieder durch die Haare. »Verdammter Sy ...«

»Nun ja, so schlimm ist es nicht«, sagte er tröstend. »Ich glaube, niemand sonst wird es bemerkt haben. Noch eine Zigarette?«

»Nein, danke, Mr. Frere. Es war sehr ...«

»Nicholas«, berichtigte er, und sein Lächelnd hatte was Bittendes, Hoffendes, fand sie. »Und ich darf Sie Gemma nennen, nicht wahr?«

»Natürlich«, sagte sie, und ihre Gedanken schlugen wieder Salti. Sie musste ins Studio zu Sy und Zippo ... aber jetzt war es noch wichtiger, Frere zu entwaffnen.

»Ein wunderschöner Name«, sagte er, und seine

grünen Augen blickten warm. »Sehr schön.« Unausgesprochen blieb, dass er sie auch für wunderschön hielt.

»Danke. Ich ...«

»Und mit Alexei sind Sie so glänzend umgesprungen, wie es zu Ihrem Namen passt ... Gemma. Die Gemme ist ein besonders wertvoller Edelstein.«

»Kennen Sie ihn gut?«, unterbrach Gemma ihn und blickte rasch auf ihre Uhr. »Wie oft sind Sie ...?«

»Ach, ich schreibe einen Artikel über ihn. Sie kennen bestimmt die Reihe ›Ein Tag im Leben de ...‹ Sie erscheint jeden Sonntag in der ...« Er nannte eine angesehene Londoner Sonntagszeitung. »Ich spiele auch mit dem Gedanken, eine Biographie über ihn zu schreiben, ob nun autorisiert oder nicht. Ich kenne Alexei schon lange. Aber vielleicht«, fügte er hinzu, »sollten wir jetzt ins Studio gehen, damit wir uns davon überzeugen können, ob sich Ihre Leute erfolgreich betrinken. Das war doch Ihr Plan, oder?«

»Ja«, sagte Gemma. Sie warf den Kopf mit der langen silberblonden Mähne zurück. »Sie haben Recht, wir sollten zum Studio gehen.«

»Und wenn diese ... eh ... Willkommensparty zu Ende ist, darf ich Sie dann noch auf einen Drink einladen?«

Gemma zögerte und sah ihn kurz an. Er war einer von der gefährlichsten Sorte, ein Kritiker und ein Freund von Racine, also musste er eine Art Irrer sein – aber auch eine nützliche Informationsquelle. Außerdem war sie in der Stimmung, sich auf Gefahren einzulassen; der Adrenalinspiegel von der ersten Begegnung mit Racine war noch hoch.

»Aber nur«, sagte sie, »wenn der Drink in einem großen Glas kommt.«

Die improvisierte Party war schon in vollem Gange, als Gemma und Nicholas Frere Studio Drei betraten. Das Versprechen kostenloser Getränke war für die Filmleute so unwiderstehlich wie der Geruch frischen Blutes für eine Meute Haie ist, und jeder Anflug von Scheu und Verlegenheit war längst in einem See aus Gin und Tonic untergegangen.

Frere mischte sich unter die einzelnen Gruppen, und so konnte auch Gemma zirkulieren. Sie griff nach einem Glas mit Perrier, fixierte ein Lächeln und arbeitete sich systematisch durch den Raum, sie testete die Atmosphäre und suchte Sy und Zippo, die sich aber in Luft aufgelöst hatten, so schien es. Und auch Racine und seine Assistenten waren nirgendwo zu sehen.

Frustriert wandte sie sich an Jane. Sie sollte dafür sorgen, dass die Getränke nicht ausgingen. Dann wandte sich Gemma an Maggie, die Chef-Schneiderin, die immer noch bleich war und einen Gin and Tonic nach dem anderen kippte, als hätte sie noch nie etwas von einem Kater gehört.

Bis auf Maggie schienen alle anderen bester Laune zu sein, und wenn jemand ein rüdes Wort über den Regisseur sagte, bedachte Gemma ihn mit strafenden Blicken. Ihr Bluff hatte gewirkt, konnte sie feststellen.

Sie hatte es aufgegeben, Sy und Zippo zu finden, und wollte sich gerade entspannt in eine Ecke zurückziehen, als sie sich vor Racine wiederfand.

»Sie und ich«, sagte er mit sanfter Stimme, »haben ein paar Dinge zu besprechen.«

Dieser Klang! Es lief ihr heiß und kalt den Rücken hinunter. Ihr Puls beschleunigte sich, und sie spürte, wie ihr Mund trocken wurde.

»Ja, das glaube ich auch«, sagte sie kühl und hielt seinem Blick der blassgrauen Augen stand, auch wenn ihr Körper sich unter seinem Starren zusammenzuziehen schien. Sie fühlte sich klein und hilflos, wie etwas Winziges, Pelziges im Lichtkegel von Scheinwerfern.

Denke an Pascaline, redete sie sich zu. Die Macht der Gedanken. Die Kraft des schwarzen Lederkostüms. Sieh ihn an und erinnere dich, dass du Dinge getan und gesehen hast, von denen er nicht einmal träumen kann.

Seine Augen waren in diesem Moment fast farblos, sie wirkten uralt, als hätten sie schon alles erlebt, was es zu erleben gab. Augen, älter als die Zeit und kälter als Eis.

»In meinem Hotel, morgen Mittag. Und über eins sollten Sie nachdenken, Gemma de la Mare.«

»Ach?« Ihre Stimme klang gelassen, aber ihr Herz schlug wie wild.

»Ich habe absolut keinen Humor.«

Es war eine Erleichterung, als Gemma endlich von der Party flüchten konnte. Jane würde sich um die ausharrenden Gäste kümmern. Und es war auch eine Erleichterung, vor dem Gebäude zu warten und den hypnotischen Blicken des Alexei Racine zu entkommen. Erleichtert auch über ihre Begleitung, Nicholas Frere, der gerade ein Taxi anhielt. Aber erst richtig entspannt war sie, als sie in der Bar seines Hotels saß und einen eiskalten Martini schlürfte.

Zu ihrer Überraschung sprach er nicht über die ›Erzählungen des Vampirs‹ und auch nicht über Racine. Er schien alle Themen aus der Welt des Films mit Bedacht zu meiden. Irgendwo im Hinterkopf war Gemma bewusst, dass sie ihm den Film und das Studio in glühenden Farben schildern sollte, aber sie war so froh, dass dieser Tag hinter ihr lag, so froh, dass sie Racine an diesem ersten Tag los war, dass sie alle Gedanken an ihren Beruf weit von sich schob.

Nicholas konnte gut unterhalten, war witzig aber nicht boshaft, gut informiert aber nicht besserwisserisch. Seine Interessensgebiete waren weit gestreut; er unterhielt sie mit seinen Ansichten über die georgianische Architektur, während sie ins Hotel fuhren, amüsierte sie mit seinem Bericht über ein Konzert, das er vor kurzem besucht hatte und mit einer Inhaltsangabe des letzten Buches, das er gelesen hatte.

Außerdem war er aufmerksam, ohne sie einzuengen; er fragte, ob der Martini in Ordnung war und wollte wissen, ob sie einen Zug von der Tür spürte. Nach den Spannungen während des Tages war seine Gesellschaft so erfrischend wie ein heißes Bad, wie Balsam auf eine frische Wunde. Sie war ihm dankbar.

Während des Essens setzten sie ihre Gespräche fort, und es schien ganz natürlich zu sein, dass sie nebeneinander auf einer mit Samt bezogenen Polsterbank saßen, Schenkel an Schenkel. Er ließ sie auf tausenderlei Weise wissen, dass er sie begehrte. Seine Blicke waren warm und bewundernd. Wenn seine Finger sie berührten, schien das unbeabsichtigt zu sein. Ab und zu verstärkte er den Druck seines Schenkels. Sie zog nicht zurück. Er sollte wissen, dass seine Bemühungen sehr, sehr willkommen waren.

Sie tranken einen erfrischenden jungen Chardonnay zu den Austern, einen köstlichen, feudalen Barolo zum Filetsteak und einen süßen, schweren Barsac zu Baiser und frischen Erdbeeren. Nach dem Essen fühlte sich Gemma wohlig entspannt. *So musste sich eine Katze fühlen*, dachte sie, *deren Fell Stunde um Stunde auf genau die richtige Weise gestreichelt wird.* Sie nickte, als er sie noch zu einem Cognac einlud.

»Sie haben keinen guten Cognac hier«, sagte Nicholas dann, während er die Getränkekarte studierte. »Oben in meinem Zimmer habe ich einen viel besseren.«

Ihre Blicke trafen sich. Es ging nur vordergründig um den besseren Cognac, das stand in seinen warmen grünen Augen geschrieben. Er lächelte sanft, und dieses Lächeln zeigte zugleich Scheu und Schalk. Ein

Lächeln, das sie einlud, das aber auch nichts Arges versprach, wenn sie ablehnte.

Es war die Wärme seiner Augen, die ihre Entscheidung beeinflusste. Es war eine lange Zeit her, seit sie so offenes, ehrliches Verlangen in den Augen eines Mannes gesehen hatte, Augen, die warm vor Lust waren. Sie liebte seinen Mund, die Lippen, die sich so ausdrucksstark bewegten, als wollten sie Gemma locken.

Sie verdrängte die Erinnerung an den gesichtslosen anonymen Dream Lover und erwiderte sein Lächeln.

»Es wäre eine Schande, nach so wundervollen Weinen das Essen mit einem mittelmäßigen Cognac abzuschließen«, sagte sie zustimmend.

Er berührte ihre Hand ganz leicht und gab dem Kellner zu verstehen, dass er die Rechnung haben wollte.

Sein Lieben war so sanft und leicht wie der Cognac, den sie nippten, als sie auf seinem Zimmer waren, so unbeschwert wie das Lächeln um seine Mundwinkel.

Er küsste sie behutsam, als sie sich neben ihn setzte, ein leichtes Berühren ihrer Lippen mit seinen. Keine forschende, drängende Zunge, keine Spur von Zähnen, nur der warme, zärtliche Druck seines Mundes, der ihren schmeckte, der sie erkunden und necken wollte.

Er nahm die Nadeln aus ihrem Haar und fuhr mit den Fingern durch die seidige Fülle der silberblonden Pracht, bis sie völlig durcheinander war. Seine Augen waren halb geschlossen, als seine Hände die Haare über ihren Schultern und über ihren Brüsten verteilte.

Wieder küsste er sie. Leichte, süße Küsse, als wollte er sie zappeln lassen. Er fuhr mit der Zungenspitze über die Konturen ihrer Lippen, berührte mit einem Finger den geschwungenen Bogen ihrer Augenbrauen und die sanfte Rundung ihres Kinns. Spielerisch nagte er an ihren Ohrläppchen; die Lippen drückten sich auf ihren Nacken und flirteten mit ihrem Mund, bis Gemma eine Hand auf seinen Hinterkopf legte und ihre Lippen fest auf seine drückte.

Ihre Zungen trafen sich und spielten miteinander. Er neckte sie immer noch, leckte mit der Zungenspitze über ihre Zähne, schlüpfte dazwischen und begann von neuem. Sie erwärmte sich an seinen Küssen und entspannte sich immer mehr; ein Hauch von Lust flog sie an, der ein mögliches Zögern oder gar Sträuben zudeckte.

Seine Hände glitten zu den großen goldenen Knöpfen ihrer Kostümjacke und öffneten sie mit entschlossenen Fingern. Er schob den winterweißen Stoff zur Seite und starrte auf das marineblaue Seidenhemdchen, das sie darunter trug. Er traf keine Anstalten, die Jacke von ihren Armen zu streifen, und als sie unter ihm wegrutschen wollte, sich die Jacke auszuziehen, hielt er Gemma mit einem Kuss zurück.

Sie öffnete überrascht die Augen, aber da waren seine Lippen schon auf ihren Lidern und berührten sie mit der Zunge, so dass sie sich wieder schlossen. Sie begriff, dass er sie passiv haben wollte, die Augen zu.

Seine Hände waren jetzt auf ihren Brüsten. Er streichelte sie durch die dünne Seide und streifte nur kurz die Nippel, die sich schon zu steifen Spitzen aufgerichtet hatten. Mit geschickten Fingern streichelte er die Unterseiten ihrer Brüste, aber bei jeder Aufwärtsbewegung mied er die Warzen.

Sie hatten sich fast schmerzhaft versteift und waren hart wie kleine Kiesel. Sie sehnten sich nach seinem saugenden Mund. Gemma spürte, wie sich ihre Labien mit Blut füllten und anschwollen. Es war, als hätte er die Hitze zwischen ihren Schenkeln gespürt, denn er legte eine feste Hand auf ihr angewinkeltes Bein.

Dann, endlich, drückte er den Mund auf ihre Brüste und saugte sie durch die Seide. Er biss leicht zu, fuhr mit der Zunge über die bedeckten Nippel, stieß mal von dieser, mal von der anderen Seite zu und wusste, dass er auf dem richtigen Weg war, als er Gemma stöhnen hörte.

Sein Mund war noch geschickter als seine Finger. Er wanderte von einer Brust zur anderen, aber er verließ den Nippel jeweils, bevor er die höchste Stufe der Stimulierung erreicht hatte, und versagte ihr das wilde, heftige Saugen, auf das sie ungeduldig wartete.

Erst als er spürte, wie sie die Schenkel gegeneinander rieb, wie sie die Hüften kreisend anhob, als wollte sie die Bewegungen beim Sex imitieren, schob er eine Hand unter ihren Rock, langsam und sanft, und als er die Haut über den Strümpfen erreichte, verharrte die Hand, während er das Saugen seiner Lippen verstärkte.

Er sog die erregten Nippel tief in seinen heißen Mund und saugte mit solcher Kraft, dass Gemma glaubte, das ganze Blut ihres Körpers würde sich in ihren Brüsten stauen. Das seidene Hindernis des Hemdchens, nass von Mund und Zunge, klebte an ihren Brüsten und rieb delikat gegen die geschwollenen Warzen, als er mit der Zunge darüber strich, ehe er sie hungrig in den Mund saugte.

Sie hatte sich seinem eifrigen Mund beinahe hingegeben, sich in dem warmen, feuchten Ziehen von Zunge und Zähnen verloren, als sie seine Hand zwischen ihren Schenkeln spürte. Die Hand schob sich weiter hoch, dem Delta entgegen. Die Finger huschten streichelnd gegen die Seide ihres Höschens.

Sein Mund feucht und heiß auf ihren Brüsten, die Finger sanft, zu sanft, als sie den kleinen Stamm ihrer Klitoris fanden und durch den Stoff drückten. Gemma spürte die dampfende Hitze, die in ihrem Schoß zu pulsieren begann. Der Kontrast zwischen seinem schlingenden Mund und den zarten Fingern, zwischen den neckenden Zähnen, die an ihren Nippeln nagten, und der sanften Hand, die ihren Schamberg drückte, war köstlich erregend und stimulierend.

Gemma lechzte danach, den gierigen Mund auf ihrem heißen Geschlecht zu spüren und seine kundigen Finger auf ihren strotzenden Nippeln.

Er richtete sich auf und legte rasch seine Kleider ab. Gemma öffnete die Augen und schaute ihm im Licht der beiden Tischlampen zu. Er hatte einen hageren, schlanken Körper. Die Brust war fast unbehaart. Nur ein schmaler langer Haarstreifen führte vom Bauch zum dichten Busch seiner Schamhaare.

Sein Penis, steif und fest, stand weit von seinem Körper ab. Für einen kurzen Augenblick sah sie den Jäger aus der Gruft vor sich, er schob sich vor das Bild von Nicholas Frere, aber dann verdrängte sie die Strichzeichnung.

Nicholas legte einen Arm um Gemmas Rücken und den anderen um ihre Kniekehlen. Er hob sie auf und legte sie auf den Boden. Er schob ein Kissen unter ihren Kopf, dann huschte die Zungenspitze wieder über ihre Augenlider. Gehorsam schloss sie die Augen. Sie wollte sich unter dem Kosen seiner Lippen und dem Gefühl seiner streichelnden Hände auf ihrem Körper treiben lassen.

Er streifte ihre Schuhe ab und zog ihren Rock aus. Er schob die Jacke von den Schultern, wodurch ihre Arme gefesselt waren, und drückte ihre Beine leicht auseinander.

Einen Moment lang begnügte er sich damit, sie nur anzuschauen. Er nahm das Bild ihrer langen nackten Beine in sich auf, das winzige Stück dunkelblauer Seide, das sich über dem Venusberg spannte, und das Hemdchen, das feucht gegen ihre Nippel rieb. Schließlich beugte sich Nicholas über sie und küsste sie auf den Bauch.

Er kniete sich zwischen ihre Schenkel. Sie spürte, wie sein Mund über den seidenen Streifen blies, der ihr Geschlecht bedeckte. Sein Hauch war wie ein flüsterndes Versprechen. Er ließ sie zappeln, stieß mit der Nase gegen den Schamhügel, berührte den steifen Knopf des Kitzlers, rieb dagegen, atmete sie tief ein.

Seine Hände strichen über ihre glatten Beine, bewunderten die samtenen Innenseiten und spielten mit der sanften, empfindlichen Haut. Er fuhr in die Beinöffnungen des Höschens und zog es beiseite.

Er war ein eleganter Liebhaber, manchmal ein wenig wunderlich, wenn er zum Beispiel sein intensives Erkunden ihres Geschlechts unterbrach, um sie auf die Rundungen ihrer Hüften zu küssen. Oder wenn er heißen Atem gegen ihren Schoß blies, massierten seine Hände plötzlich die gespannten Muskeln ihrer Waden. Und als er die empfindlichen Fußgewölbe knetete, spürte sie einen Kitzel, der sie stöhnen und sich winden ließ, und sie hörte sein tiefes Lachen.

Als er sie schließlich auf die Füße stellte, über ihre Lider leckte, die sie gehorsam geschlossen gehalten hatte, ihre Kostümjacke von den Armen streifte, die marineblaue Seide des Hemdchens von den Brüsten und das Höschen von Hüften und Beinen, da war sie so bereit und verspielt wie er.

Übermütig fiel sie mit Lippen und Händen über seinen Körper her und erlag schon im ersten Moment der Versuchung, seinen Penis hart einzusaugen. Tief bis in den Gaumen nahm sie ihn auf, und dabei kitzelte sie seine Nippel mit ihren langen Haaren, bis er zu lachen begann und sie zu sich hoch zog, weil er sie küssen wollte.

Es war eine entzückende, herrliche Begegnung, eine Fundgrube der Lust, ein erotischer Spielplatz unbeschwerter Freude. Sie brachten sich gegenseitig zum Lachen und amüsierten sich wie Kinder. Eine erotische Achterbahn aus scheuen Küssen und tief eindringenden Fingern, aus forschenden Lippen und streichelnden Händen.

Es war das geschickte, erfahrene Lieben eines Mannes, für den Sex das Zusammentreffen von Körper und Geist war. Er betrachtete ihre Handflächen und leckte an ihrer Lebenslinie entlang, während er mit drei kecken Fingern in ihre feuchte Höhle stieß.

»Ich muss jetzt noch deine Liebeslinie finden«, sagte er und betrachtete weiter ihre Hand, während sein Daumen gegen ihre Klitoris rieb.

»Ja, ja, ich glaube, du hast sie gefunden«, stieß Gemma heraus. Hitze erfasste ihren Körper. Seine Finger bewegten sich schneller in ihr, und sein Daumen stieß langsam und sinnlich gegen ihren Kitzler.

»Nein, die verläuft ein wenig mehr rechts ... nein, links«, sagte er und drückte den Daumen kräftiger gegen den glitschigen kleinen Hügel.

»Nein, warte ... ahh, jaa«, murmelte sie. Ihr Körper spannte sich in Erwartung der nächsten Attacken seines Daumens. Sie spürte, wie ihr Orgasmus einsetzte, wie er sich langsam aufbaute, wie ihre Klitoris zu pochen begann.

»Bist du sicher? Es ist ganz wichtig, genau die richtige Stelle zu treffen.«

»Ja, ja, ich bin sicher«, stöhnte sie. »Genau da ist sie ... noch einmal ...«

Der Orgasmus sprudelte und schäumte und zischte in ihr, er perlte wie Champagner, er wärmte sie wie die Sonnenstrahlen im Hochsommer. Es war, als erreichte man den Gipfel nach einem langen, mühsamen Aufstieg, so groß war ihre Erleichterung.

Als ihr Körper sich vor ungestümer Lust aufbäumte, drang Nicholas in sie ein und verlängerte die pulsierenden Wellen durch die tiefen Stöße, hinter denen die Kraft seines ganzen Körpers lag. Es war ein wunderbares Gefühl, und sie hörte sich glückselig lachen.

Später gingen sie gemeinsam in die Dusche und spielten ausgelassen wie junge Seehunde unter den prasselnden Wasserstrahlen. Sie rubbelten sich gegenseitig trocken und gingen zurück ins Bett. Ihr letzter Gedanke vor dem Einschlafen war, wie unglaublich schön es gewesen war.

Sie wachte auf und bemerkte, dass er sich in Löffelchenform an sie gekuschelt hatte. Sie streckte sich und warf einen Blick auf die Digitaluhr neben seinem Bett. Zehn Uhr. *Gut, dass es Samstag ist,* dachte sie träge, zufrieden und entsetzlich hungrig – und dann fiel ihr das Treffen mit Racine ein. Um zwölf wollte er sie sehen.

Ihr erster Impuls war, unter die Dusche zu springen, sich rasch anzukleiden und ein Taxi zu ihrer Wohnung zu nehmen, aber schon während sie die Beine auf den Boden setzte, änderte sie ihre Pläne.

Sie ließ sich Zeit beim Duschen und massierte den sanften, süßen Schmerz zwischen ihren Schenkeln. Als sie schließlich aus dem Badezimmer trat, fand sie Nicholas am Tisch vor; der Zimmerservice hatte ein verschwenderisches Frühstück für zwei gebracht.

Sie teilten sich die Zeitung und plauderten planlos bei Kaffee und Croissants, Speck, Würsten und Eiern, und schließlich noch beim frischen Obst. Gemma überlegte, wie sie das Thema auf Racine lenken konnte.

»Du bist also ein alter Freund von Alexei?«, wäre wahrscheinlich der ungezwungene Einstieg gewesen, aber eine solche Frage ließ sich nicht so einfach unterbringen, während Nicholas die Börsenkurse verfolgte und dann ein paar Sätze aus einer Buchbesprechung vorlas. Schließlich warf er die Zeitung beiseite, beugte sich zu Gemma und küsste sie.

»Nicholas, eh … das ist zwar köstlich, aber ich habe um zwölf eine Verabredung mit Alexei Racine.«

Er schaute auf die Uhr. »Dann musst du dich beeilen«, murmelte er. »Es ist fast elf.«

»Nun ja, es macht nichts, wenn ich nicht ganz pünktlich bin«, sagte Gemma und griff nach ihren Kleidern. »Pünktlichkeit ist bestimmt nicht seine größte Tugend ... Was ist er eigentlich für ein Mensch? Du hast gesagt, dass ihr zwei langjährige Freunde seid.«

Seine grünen Augen betrachteten sie aufmerksam. »Habe ich das gesagt?«

»Ja, das hast du. Du hast gesagt, du überlegst, eine Biografie über ihn zu schreiben.« Sie zog ihre Strümpfe an und knöpfte den Rock zu.

»Ein faszinierendes Projekt«, sagte er ausweichend. »Das *enfant terrible*, das sich zum zornigen jungen Mann entwickelte. Und was ist er jetzt? Wer weiß das schon? Er ist fast vierzig. Ich bin neugierig, was er noch zu sagen hat. Und wie er es sagen wird.«

Gemma nickte. »Ja, und warum ›Erzählungen des Vampirs‹? Das ist nicht seine Art Film und ...«

»Gemma«, sagte er ernst. »Ich arbeite nie am Wochenende. Ich will auch nicht Freude und Geschäft miteinander vermischen, okay? Rufe mich an, wenn du fertig bist, dann lade ich dich zum Essen ein. Aber ich möchte nicht über Alexei Racine reden. Verstehst du? Dieses Thema verschlingt alles andere, es beansprucht zu viel Platz und zu viel Zeit. Ich möchte lieber mit dir allein sein. Okay?« Er küsste sie wieder.

»Er ist noch nicht bereit für Sie«, teilte ihr der große, schlanke, bleichgesichtige Jünger in schwarzem Leder an der Tür von Racines Suite mit.

»Ich bin sicher, dass er bereit ist«, stellte Gemma mit kühler Stimme klar. Sie hatte sich mit Absicht um eine Stunde verspätet, eine kalkulierte Antwort auf sein arrogantes Benehmen von gestern. Es hatte ihr eine gewisse Genugtuung bereitet, sich viel Zeit zu lassen, sie hatte die Kleider einige Male gewechselt, ehe sie sich für ein eisgraues Strickkleid entschieden hatte, das zu ihrer Stimmung passte. Dabei hatte sie sich vorgestellt, dass Racine von Minute zu Minute wütender würde.

»Nein, er ist noch nicht fertig«, beharrte der Kerl und wies auf die Schlafzimmertür.

Gemma musterte den Typen genauer. Er hatte große Augen, die schwarz umringt waren. Die Nase war lang und schmal und leicht gebogen, fast eine Hakennase. Glatte schwarze Haare fielen bis auf seine Schultern. Von den weichen Gesichtszügen und auch der piepsigen, süßen Stimme her hätte er auch eine Frau sein können.

»Sie sollten ihm vielleicht sagen, dass ich hier bin«, schlug sie vor.

Der Typ riss die Augen noch weiter auf, als sie schon waren. »Oh, nein, ich kann ihn unmöglich stören.«

»Na, gut«, fauchte sie. »Dann werde ich das tun.« Sie schritt quer durchs Zimmer, bevor der Typ sie aufhalten konnte, und riss die Schlafzimmertür auf.

Racine erhob sich gerade aus dem Bett, als sie das Zimmer betrat. Er war nackt, es war eine schöne, schamlose Nacktheit, und Gemma spürte, wie die Hitze ihre Wangen rötete, als er ihr Starren erwiderte und ironisch eine Augenbraue hochzog.

Sie fand es unmöglich, von ihm wegzuschauen. Sein Körper war schlicht eine Schönheit; er hatte die Schönheit eines dunklen Engels, er war wie Luzifer, der in seinem Fall schwelgt. Er war beeindruckend maskulin, geschmeidig und muskulös. Ein dicker Haarpelz bedeckte seinen breiten Brustkorb, und im Schritt wuchs ein dunkler Busch.

Unwillkürlich fiel ihr Blick auf seinen Penis, der erregt war und glänzte, als hätte er gerade Sex gehabt.

Der Penis war groß und so vollkommen geformt wie der Rest seines Körpers. In seinem derzeitigen Zustand bewies er ungebrochene Manneskraft. Und doch strahlte Racine auch noch etwas anderes aus, Eleganz, Kälte, Vitalität und – Reinheit.

Sie hatte Nicholas für elegant gehalten. Nicholas war eine blasse Imitation gegen ihn, höchstens ein Schatten.

»Gemma de la Mare«, stieß Racine in seiner wohlklingenden Stimme aus, die Gemma zu hassen begann, »ich habe Sie frühestens um zwei Uhr erwartet. Um drei vielleicht, wenn Sie Charakter hätten.«

Sie biss sich auf die Zunge. In diesem Gefecht beabsichtigter Beleidigungen hatte sie offenbar einen Fehlschlag gelandet. Sie zwang sich, ihren Blick abzuwenden und sah hinter ihm eine zusammengekauerte Person unter den Laken.

»Oh, bin ich zu früh?«, rief sie voller falscher Unschuld. »Ich hoffe sehr, dass ich Sie nicht gestört habe«, fügte sie hinzu. Das Gift in ihrer Stimme überraschte sie.

»Mich stören?«, wiederholte er, schüttelte den Kopf und schritt auf sie zu.

Sie bemerkte, dass sie einen Schritt zurückwich, es war ein Zurückweichen vor der dunklen, zwingenden, sinnlichen Aura, die er ausstrahlte, vor dem faszinierten Abscheu, der so stark war, dass er fast einer Erregung gleichkam. Er würde sie berühren, sie spürte es. Ihre Haut zog sich schon zusammen, aber als er dann lässig nach einem schwarzen Seidenmantel am Bettende griff, errötete sie.

»Nein«, sagte er gelassen und band eine Schleife in den Gürtel des Mantels. »Sie stören mich nicht. Eigentlich enttäuschend. Nach unserer ersten Begegnung hatte ich mehr von Ihnen erwartet.«

»Bei allem nötigen Respekt, Mr. Racine«, begann sie und hoffte, dass er den Sarkasmus hören konnte.

»Langweilen Sie mich nicht, Gemma de la Mare«, unterbrach er sie. »Ihre abgedroschenen, heuchlerischen Eingangsphrasen kann ich nicht ertragen, also langweilen Sie mich nicht.« Seine Stimme klang kühl, auch ein bisschen träge, aber seine Augen blickten heiß, sie glühten mit einer intensiven Hitze, die ihre Knochen zum Schmelzen zu bringen schien.

»Sie sind unerträglich«, fauchte sie und verzichtete auf jede weitere Beschönigung. »Unerträglich. Ein arroganter, egoistischer Bastard. Ich werde dafür sorgen, dass Sie aus diesem Film fliegen. Schneller, als Sie ...«

»Dahhhling«, sagte er, und seine Stimme klang wie Noel Coward. »Ich bezweifle es. Aber vielleicht sollten wir darüber unter ersprießlicheren Umständen diskutieren«, fügte er hinzu und wies auf die Gestalt in seinem Bett. Er berührte Gemma am Ellenbogen und führte sie zur Tür.

Sie schüttelte sich. Die Berührung seiner Finger war wie der Kuss einer Kobra. Wie das Streicheln eines Rasiermessers. Eine eisige Hitze, die ihr Rückgrat gefrieren und ihr Blut gerinnen ließ. Benommen trat sie in den Salon, wo der zwitterhafte Jünger um Racine scharwenzelte, hier Kaffee reichte, da ein Kissen als Rückenstütze aufpuffte. Er lief hin und her, bis Racine ihn mit einer knappen Handbewegung wegschickte.

»Ich habe die Probleme zusammengefasst«, sagte Racine und nippte am schwarzen Kaffee. »Ich nehme an, Sie haben die Lösungen. Ich warte.«

»Ich glaube, Sie begreifen Ihre Position innerhalb von Horror Studios nicht«, sagte sie beißend. »Und auch Ihre Rolle als Regisseur ...«

»Sie langweilen mich«, sagte er wieder. »Offenbar haben die Neuigkeiten Sie noch nicht erreicht.« Er schnippte die Finger, und der Jünger hielt plötzlich eine Akte in der Hand. Racine blätterte sie durch, nahm einen Schriftsatz heraus und warf ihn Gemma über den Tisch zu. Die goldenen Siegel waren nicht zu übersehen.

Sie versuchte, gleichzeitig zu lesen und zuzuhören, aber es erwies sich als unmöglich, das alles zu begreifen – oder? Alles deutete darauf hin, dass Alexei Racine der Hauptaktionär von Horror Inc. war – der neue Hauptaktionär.

Die Wort auf dem Papier verschwommen vor ihren Augen, während sie ihm zuhörte. Seine Stimme klang scharf wie ein streichelndes Messer.

»Was das Budget angeht, nun … wie soll ich es sagen? Es spielt keine Rolle. Oder genauer – es liegt in meinem Ermessen. Das Drehbuch, die Kostüme, die erbarmungswürdigen Drehorte, die gehen alle auf Ihre Kappe.«

Wenn sie aufgeschaut hätte, wäre ihr aufgefallen, wie intensiv er sie betrachtete. Aber sie versuchte immer noch, das zu begreifen, was in dem Schriftsatz stand. Ihre Gedanken überschlugen sich.

»Meine ›Erzählungen des Vampirs‹ werden ein Klassiker, und der dämonische Liebhaber wird zu einer klassischen Rolle wie Hamlet oder Lear werden. Eine *tour de force*, ein Symbol unserer Zeit, ein Symbol von Liebe, Tod und Gier.« Seine Stimme klang hypnotisch. »Und natürlich wird es eine unerwartete Wende geben. Es mag sein, dass jeder Mann das tötet, was er liebt. Aber es ist viel spannender, nicht gleich zu töten, sondern zu verletzen, zu verstümmeln. Stimmen Sie mir zu, Gemma de la Mare?«

Sie war viel zu benommen, um etwas zu erwidern. Sie wusste auch nicht, ob sie ihn überhaupt verstanden hatte.

»Denken Sie an etwas Vampirisches, etwas Außerweltliches, etwas Lustvolles, Blutrünstiges. Wenn Sie das alles an einem Ort festmachen können, haben wir den Außendreh für unseren Film gefunden.«

Vampirisch, außerweltlich, blutrünstig und lust-voll.

»Es gibt einen Ort in der Bretagne«, sagte Gemma, ohne nachzudenken. Es war, als folgte sie bedingungslos seiner verführerischen Stimme.

»In der Bretagne?«, fragte er spöttisch. »Das klingt überzeugend für einen transsylvanischen Vampir. Sehr fantasiereich, Gemma de la Mare.«

»In der Nähe von Carnac«, sagte sie mit fester Stimme. »Es gibt dort ein altes Verlies, auch einen Grabhügel und eine Gruft, in der ...«

»Ja?«

»... ich alle diese außerweltlichen Dinge erlebt habe«, hätte sie am liebsten gesagt, aber das konnte sie noch zurückhalten. »Das Chateau Marais liegt in der Nähe.«

Racine nickte. »Zufällig kenne ich Leo Marais. Ja, eine bestechende Idee. Vielleicht«, setzte er noch dazu.

Es war, als wäre sie aus einer Trance erwacht. Verwirrt, wütend über sich selbst und konfus schob sie ihm den Schriftsatz zu. Trotzig starrte sie Racine an. »Das alles ergibt keinen Sinn«, rief sie. »Wir können doch jetzt nicht mehr alles umstürzen. Ihnen scheint nicht bewusst zu sein, was das bedeutet. Sie wurden als Regisseur engagiert, um in einem Horrorfilm mit bescheidenem Budget Regie zu führen. Und jetzt werfen Sie alles über den Haufen. Es wird eine Katastrophe. Eine totale Katastrophe. Sie müssen wissen ...«

»Es wird ein Meisterstück«, sagte er unerbittlich. »Und Sie werden mir helfen, es zu erschaffen.«

Plötzlich schien seine Stimmung umzuschwenken. Er streckte lässig die Beine aus. Der Mantel klaffte auseinander, und sie sah seine muskulösen Beine. Gemma hatte keine Erklärung dafür, aber ihr Mund wurde trocken.

»Oder auch nicht, wenn Sie das so wollen.« Er

lächelte, als ob er etwas Lustiges gesagt hätte. »Reden Sie mit Ihrem Freund, der mit der schlecht sitzenden Perücke. Wie heißt er auch noch – Sly?«

»Sy«, fauchte sie.

Er hob die Schultern. »Also gut, Sy. Reden Sie mit Ihrem Anwalt. Sehen Sie sich Ihren eigenen Vertrag an. Überlegen Sie, ob Sie bereit sind, in die dunkle Seele eines Vampirs zu reisen. Blicken Sie in Ihre Seele, Gemma de la Mare. Ich glaube, dann werden Sie herausfinden, dass Sie keine Wahl haben.«

FÜNFTES KAPITEL

Als sie allein in ihrer Wohnung war, rief sie Sy an. Sie hörte seinen gewundenen Halbwahrheiten, Ausflüchten und Lügen zu, konnte seine ›Oh, Darling‹ und ›Aber Liebling‹ nicht mehr ertragen und glaubte, sich übergeben zu müssen. Schließlich knallte sie den Hörer auf. Sie las ihren Vertrag durch und stöhnte gequält. Sie rief ihren Anwalt an, und danach schenkte sie sich einen scharfen Schnaps ein.

Nicholas Frere rief sie nicht an.

Racine schien Recht zu haben. Sie hatte keine Wahl.

Sie ignorierte seinen zweideutigen Ratschlag, in ihre Seele zu blicken. Sie verschmähte seine Einladung … ja, zu was eigentlich? Das Herz des Vampirs zu erforschen?

Die Gerüchte stimmten hoffentlich. Er war süchtig. Vielleicht würde er sich bald eine Überdosis geben. Vielleicht schon heute Abend. Dann drohte ihr keine Vertragsstrafe in astronomischer Höhe.

Sie zog die Vorhänge vor, um die Nachmittagssonne auszuschließen, zog sich aus und versteckte sich im Bett, kuschelte sich ins Laken und wusste, dass sie nicht schlafen würde. Sie sehnte sich nach Trost. Sie versuchte, ihre Gedanken zu besänftigen, indem sie an die vorige Nacht dachte, an Nicholas Frere und sein spielerisches Lieben, an die Wärme seines Körpers.

Sie wollte das Gespenst von Racine durch die Erinnerung an Nicholas Frere verdrängen. Sie schlang die Bettdecke fester um sich, und schließlich schlief sie zu ihrer eigenen Überraschung ein.

Aber im Schlaf kam er zu ihr, er riss sie aus dem tröstenden Traum und schlang sie in seine blassen Arme, die aus den Flügeln seines schwarzen Samtcapes wuchsen.

Er labte sich an ihr, labte sich an der feuchten Stelle zwischen ihren Schenkeln, als wäre es ihr Herz, reif und rot und pulsierend. Er verzehrte sie mit seinem gierigen, verschlingenden Mund und trank ihre Körpersäfte, als wären sie sein Blut.

Die plötzliche Hitze, die Gemma durchflutete, schien sie zu verzehren. Sie gab sich ihm hin und lechzte danach, von ihm verschlungen zu werden. Sie wollte ihn mit ihrem Körper speisen und tränken. Seine Zunge stieß tief in sie hinein, so tief, dass sie sich vorstellte, er reiße ihr das Herz aus dem Leib.

Es war wild und überwältigend, und es fiel ihr leicht, sich ihm ganz hinzugeben, ein williges Opfer seines gierigen Draculamundes.

Gewandt und sicher, mit der Fertigkeit eines Beutejägers, mit der tödlichen Anmut eines Habichts, der sich aus schwindelnder Höhe auf sein Opfer stürzt, erzwang er ihren Höhepunkt, einen durchschüttelnden, pochenden, pulsierenden Höhepunkt, der sie in eine unbegreifliche Ekstase versetzte.

Sie wand und schlängelte sich, während die Wucht des Orgasmus sie aufwachen ließ. Die Hitze aus dem Traum durchdrang ihren schmächtigen Körper.

In den wenigen Sekunden vor dem Aufwachen hatte er ganz kurz sein Gesicht gehoben, und seine grünen Augen hatten triumphierend geleuchtet. Auf seinen Lippen hatte sie ihr eigenes Blut gesehen.

Im Traum hatte Gemma in das Gesicht von Alexei Racine gestarrt.

Es dauerte lange, bis sich ihr Atem wieder normalisiert hatte, bevor die abebbenden Wogen des Orgasmus ihren Körper beruhigten, bevor sie den Blick seiner Augen vergessen konnte, dieses Leuchten in den grünen Pupillen.

»Schnitt«, sagte Racine und erhob sich aus seinem Regiestuhl. Irritiert ging er auf und ab. Gemma sah ihm zu, wie er mit katzenartiger Geschmeidigkeit über die dicken Kabel und Leitungen trat, die überall auf dem Boden lagen. Sie wünschte, er würde stolpern und sich den Hals brechen. Sie schaute hinüber zu den beiden Schauspielerinnen, die verdrießlich unter den heißen Lampen standen. In ihren Augen konnte Gemma lesen, dass sie denselben Wunsch hegten.

Zwei Wochen waren in verschwommener Hektik von neuen Fassungen und Versionen, von Veränderungen und Verwerfungen vergangen. Gemma kam es so vor, als hätte sie ihr halbes Leben am Telefon verbracht, um Vereinbarungen zu treffen, zu widerrufen und dann wieder zu bestätigen. Sie war ausgelaugt, und auch Besatzung und Team schienen sich alle in jenem Zustand der Erschöpfung zu befinden, der zu den letzten Drehtagen gehörte – aber sie standen erst am Anfang. Racine hatte offenbar das Wort Erschöpfung nie gehört.

Glücklicherweise war er damit einverstanden gewesen, zu Beginn ein paar einfache Szenen im Studio zu drehen. Das würde Zeit und Geld sparen, hoffte Gemma. Aber Racine war ein erbarmungsloser Perfektionist und forderte unzählige Wiederholungen selbst der einfachsten Szenen. Das Budget würde außer Kontrolle geraten, und dann musste das ganze Team auch noch in die Bretagne geschafft werden ...

Seine Stimme drang durch ihre Gedanken. »Dies ist eine einfache Geschichte«, sagte er, und seine Verachtung für die beiden Schauspielerinnen war nicht zu überhören. Sie arbeiteten seit fast zwei Tagen an dieser einen Einstellung.

»Wir fassen die Geschichte Draculas in einer Nacht zusammen. Du, Lucy, und du, Mina, ihr seid alte Freundinnen, mit Ehemann beziehungsweise Verlobtem auf Europatour. Ein plötzliches Gewitter überrascht euch und zwingt euch, Schutz im Schloss zu suchen. Man zeigt euch eure Zimmer, wo ihr euch umziehen könnt. Eure Kleidung ist nass und schwer, völlig durchweicht. Ihr geht die Treppe hoch und erhascht einen Blick auf den Grafen. Es war nur ein kurzer Blick, habt ihr das verstanden?«

Er wartete auf die Bestätigung, ehe er fortfuhr. »Aber es war ein beeindruckender Moment, unergründlich und sogar schockierend. Ihr habt ihn gesehen, und ihr habt es gefühlt. Es war Lust. Sehnsucht, Begierde, die dieser Blick in euch ausgelöst hat. Diese Gefühle durchzucken euch, ihr werdet feucht, scharf. Aber ihr seid angesehene Bürgerfrauen, wir leben im viktorianischen Zeitalter. Ihr versteht nicht, was mit euch geschieht. Ihr wehrt euch dagegen. Aber eure Körper erinnern sich. Ihr müsst eure Körper benutzen … Zeigt mir, wie eure Körper sich erinnern.«

Er kehrte zu seinem Stuhl zurück und nickte dem Team zu. Es konnte weitergehen.

»Aufnahme!«, rief eine versteckte Stimme. »Ruhe am Set!»

Gemma stand neben Racine und beobachtete die Schauspielerinnen intensiv, die wieder ihre Positionen einnahmen und verzweifelt hofften, diesmal die Ausdruckskraft in die Szene zu legen, die den Erwartungen des Regisseurs entsprach. Er schien entschlossen, dem Film eine dunkle, erotische Komponente zu geben, selbst in den trivialsten Szenen.

Gemma hatte Mitleid mit den beiden Schauspielerinnen, die unter den Lampen schwitzten. Es musste schwierig sein, die Erinnerung an ein körperliches Verlangen zu spielen, wenn das Drehbuch lediglich verlangte, dass Mina ihrer Freundin Lucy aus dem Umhang half und ihre Haare bürstete.

»Schnitt! Es hat keinen Sinn«, rief Racine und erhob sich wieder aus seinem Regiestuhl. Er ignorierte das Stöhnen des Teams. »Ich werde euch zeigen, was ich sehen will«, sagte er und scheuchte die Schauspielerinnen weg. »Wo ist die zweite Besetzung von Lucy? Nein … Gemma, kommen Sie her!»

»Was?« Sie war verdutzt.

»Hier«, sagte er und deutete auf die rote Linie, die auf dem Studioboden angebracht war. »Gehen Sie zu der Kreidemarkierung, bleiben Sie stehen, bis ich Ihnen den Umhang abgenommen habe, und setzen Sie sich dann vor den Spiegel.«

Er wartete nicht auf ihre Zustimmung und stellte sich auf die blaue Linie, der Mina zu folgen hatte. Als Gemma den Mund zum Protest öffnen wollte, nahm sie einen subtilen Unterschied in Racines Bewegungen wahr. Er zeigte mehr Anmut, bewegte sich flüssiger, femininer. Sie glaubte, das Knautschen durchweichter Röcke zu hören und die Kälte in den unterkühlten Gliedern zu spüren.

»Kommen Sie schon«, drängte er.

Sie blinzelte, verwirrt von der authentischen Atmosphäre, die er geschaffen hatte. Dann warf sie ihre Notizen auf seinen Stuhl und trat vor. Sie legte den nassen Umhang, den Lucy ihr reichte, um ihre Schultern.

Sie stand auf der Markierung und blinzelte einen Moment wegen der Hitze der Lampen. Der Hintergrund blieb schwarz, die Scheinwerfer strahlten nur die Schauspieler und den Frisiertisch an, und es war unerträglich heiß. Gemma wandte Racine den Rücken zu.

»Schaut zu«, sagte er. Sie spürte ihn hinter sich, als seine Hände ihre Schultern sanft berührten. Es war eine simple Geste, aber Gemma kam sie seltsam intim vor. Die Hände verharrten einen Moment zu lange, und dieser Moment wurde für Gemma zur Ewigkeit. Dann glitten sie zu der Schlaufe an ihrem Hals. Verwirrt bemerkte Gemma, dass seine Hände auf ihrer Haut leicht zitterten. Die Berührung war nur kurz, und schon eine Sekunde später fragte sich Gemma, ob es sie überhaupt gegeben hatte.

»Es geht um die subtile Geste«, sagte Racine. »Dies

wird ein Film, wir stehen nicht auf der Bühne. Die Kamera beobachtet euch mit einem brennenden, durchdringenden Auge. Mina, deine Finger müssen ganz leicht zittern, wenn du Lucys Hals berührst. Nur ein wenig. Deine Finger gleiten über ihre seidene Haut, und plötzlich erhält die Berührung eine neue Qualität, und du reagierst verstört. Nur im Unterbewusstsein nimmst du das Pochen ihrer Halsschlagader wahr. Ihr Lebensstrom unter deinen Fingerspitzen. Du lässt den Umhang ganz langsam von ihren Schultern gleiten, liebevoll, und es muss dabei rüberkommen, dass deine Finger schon spüren, was dein Verstand noch nicht erfasst hat.«

Sie konnte die Hitze seiner Hände durch den Umhang spüren, als er ihn von ihren Schultern nahm. Es war ihr, als berührte er ihre nackte Haut, als ginge ein unhörbares Verlangen von seinen Fingern aus und teilte sich ihrem Körper mit, erregte ihre Nervenenden und ließ ihre Haut lebendig werden.

Sie wusste, dass sie nur das Demonstrationsobjekt war, dass sie dort stand statt der Schauspielerin, die Lucy darstellte. Sie wusste auch, dass das ganze Team aufmerksam zuschaute. Und sie wusste, dass sie den tyrannischen, arroganten Schleifer verabscheute, der hinter ihr stand und den Umhang von ihren Schultern nahm.

Aber seine Hände hatten etwas Magisches, sie schufen eine Illusion, die ihren Körper täuschte, ihre Haut erblühen und den Puls höher schlagen ließ. Es fiel ihr leicht, sich vorzustellen, dass sie die viktorianische Lucy war, die heftig emotional auf die sinnliche Berührung der Freundin reagierte.

»Setzen Sie sich vor den Spiegel.«

Die Stimme hörte sich kratzend an, diese Silben verschluckende Stimme mit den eisigen Vokalen und den harschen Konsonanten. Es war seltsam, aber selbst die Stimme schaffte es nicht, den Zauber zu durchbrechen, den seine Hände geschaffen hatten. Wortlos schritt sie zum Frisiertisch. Sie setzte sich vor den Spiegel und schloss die Augen.

»Schaut wieder genau zu.«

Seine Hände fuhren durch ihre Haare. Mit Fingern, die so zärtlich wie Frauenfinger waren, löste er ihren Nackenknoten und ließ die Haare über ihre Schultern fallen. Dann griff er zur schweren, mit einer Silberplatte belegten Bürste vom Frisiertisch und begann, ihr Haar in langen, langsamen Zügen zu bürsten. Es war ein angenehmes, wohltuendes Gefühl, auch seltsam erregend, wie sie dort unter den begierigen Blicken von Besetzung und Team regungslos unter den heißen Lampen saß und die sanften Borsten auf ihrer Kopfhaut spürte, die kosende Berührung seiner Finger, mit denen er ihre Haare glatt strich.

Er setzte feste, rhythmische Bürstenstriche ein, die tief in ihrem Innern widerhallten, und bald stellte sie sich vor, dass er so auch über ihre nackte Haut strich. Sie fühlte sich zugleich beruhigt und erregt, fühlte sich gestreichelt wie ein kleines Kind, und gleichzeitig spürte sie ihre Nässe.

Er war Racine und nicht Racine. Die Bürstenstriche waren feminin, aber der scharfe männliche Geruch seines Körpers hielt dieser Illusion nicht stand. Unter dem erbarmungslosen Licht der Scheinwerfer schwitzten sie beide, und sie konnte ihn riechen. Gemma schluckte einige Male und spürte, wie ihr Mund immer trockener wurde.

Er bürstete ihre Sinne zu neuem Leben, er schuf ein warmes, prickelndes Bewusstsein, das ihren ganzen Körper vereinnahmte, von der Kopfhaut bis zu den Zehenspitzen, eine flackernde, schmelzende Wärme, die sich zwischen ihren Schenkel sammelte. Sie spürte, wie sich ihre Nippel versteiften, wie ihr Geschlecht anschwoll und nass wurde. Sie presste ihre Beine zusammen und rutschte kaum merklich von einer

Backe auf die andere. Sie versuchte, das Gefühl lange in sich zu behalten, es durfte nicht nach außen dringen, aber sie spürte, wie es unter ihrer Haut zu sieden begann.

Niemand konnte ahnen, dachte sie aufgeregt, niemand konnte sich vorstellen, wie die aufkeimende, sich beharrlich steigende Hitze tief in ihrem Schoß brodelte, wie die glitschige Wärme zwischen ihre Schenkel rann. Es war ein Verlangen, das nur von der harten Länge eines Mannes befriedigt werden konnte, wenn er in ihren Körper drang und ... Unwillkürlich lehnte sie sich ein klein wenig zurück, als wollte sie der heißen männlichen Präsenz noch etwas näher sein.

»Ausgezeichnet«, sagte Racine und warf die Bürste auf den Frisiertisch. Das Geräusch ließ Gemma zusammenzucken. Sie riss die Augen weit auf. Im Spiegel sah sie, wie gerötet ihr Gesicht war. Die verräterische Röte der Sehnsucht. Sie knirschte mit den Zähnen. Gut, dass die Lampen so heiß sind, dachte sie. Sie schaute sich unauffällig im Team um, aber alle waren auf Racine konzentriert.

»Die subtile Bewegung ist alles«, sagte er. »Man muss die Gesten verdichten. Komprimieren. Die leiseste Andeutung, der Hauch eines Blicks ... Ihr habt gesehen, wie Gemma ihre Schenkel zusammendrückte? Unwillkürliche, unbewusste Erregung ... Oh, sehr gut geschauspielert«, fügte er hinzu, ein sarkastisches Glühen in den Augen, als er sich zu ihr umdrehte. Er ließ sie nicht im Zweifel darüber, dass er die Reaktion ihrer Körpers wahrgenommen hatte.

In diesem Augenblick haßte sie ihn mehr, als sie sich hatte vorstellen können.

»Nun«, sagte er und wandte sich an die Schauspielerinnen, die Lucy und Mina darzustellen hatten, »nehmt wieder eure Positionen ein. Und Sie werden genauestens beobachten«, sagte er zu Gemma und drückte mit der Hand zu, die noch in ihrem Nacken lag.

In ihrer Benommenheit konnte sie später nicht mehr sagen, wie sie vom angestrahlten Set wieder zu ihrem Platz gekommen war. Jetzt fand sie sich im Leinenstuhl des Regisseurs wieder, und seine Hand lag schon wieder in ihrem Nacken. Wie bei seiner allerersten Berührung war sie zugleich verlegen und abgestoßen, auch entsetzt, am meisten aber schamlos erregt.

Sie schaute zu, wie Lucy und Mina die simplen Bewegungen nachspielten, die einfachen Gesten ausführten, und unbewusst spürte Gemma, wie sich die subtile Sinnlichkeit der Szene auf sie übertrug. Den beiden Frauen merkte man jetzt an, dass sie einander gewahrten, naiv und doch lüstern, unschuldig und doch schamlos.

Am Set war es mucksmäuschenstill, es war eine Stille, die nichts mit dem üblichen Schweigen zu tun hatte, sobald die Kamera lief. Auch bei den Zuschauern schien es diese besondere Wahrnehmung zu geben, eine schweigende, verschwörerische Wahrnehmung der zunehmenden Sinnlichkeit der beiden Frauen unter den heißen Lampen.

Gemma fühlte sich in die Szene hineingezogen und wünschte einen kurzen, wilden Moment lang, dass sie wieder unter dem Scheinwerferlicht saß und die sanften femininen Hände spürte, dass sie zum ersten Mal die süße verbotene Liebe erlebte – und war gleich darauf schockiert über ihre Gedanken.

»Die Szene ist im Kasten«, sagte Racine. Er lockerte den Griff in Gemmas Nacken und ging nach vorn. Ein erleichtertes Aufseufzen war von allen zu hören, dann redeten sie durcheinander, lachten und klopften sich gegenseitig auf die Schultern.

Gemmas Körper glühte immer noch. Frustriert verfolgte sie, wie Racine nach allen Seiten nickte und die beiden Schauspielerinnen anlächelte. Sie wusste, dass er sie beide im Bett haben würde. Die Absicht war in seinen grünen Augen unverkennbar.

Sie wandte sich ab. Ein Ausdruck der Verachtung überlagerte ihre eigene Erregung.

An diesem Abend rief sie Nicholas an. Seit jener Nacht im Hotel hatten sie ein oder zwei Mal telefoniert; freundliche, höfliche Gespräche, in denen dankbarerweise nicht gefragt wurde, wann sie sich das nächste Mal treffen würden.

Er schien so beschäftigt zu sein wie sie – auch wenn sie nicht ganz davon überzeugt war. Am Dreh hatte er sich nicht mehr sehen lassen. Wenn er Racines Arbeit begleiten wollte, musste es außerhalb des Studios geschehen sein. Es konnte aber auch sein, dass er seinen Plan, eine Biografie über ihn zu schreiben, aufgegeben hatte.

Was sie dringend brauchte, war eine Erholungspause. Ein angenehmer Abend in angenehmer Gesellschaft. Ein anständiges Essen statt der Mikrowellenpampe, die es täglich in der Kantine gab; sie hatte keinen Geschmack und war schlimmer, als man sich vorstellen konnte.

Ja, ein gutes Essen, eine gute Flasche Wein und guten Sex. Etwas, um den hungrigen Schmerz zwischen ihren Beinen zu besänftigen, um die Erinnerung an Racines Hände zu löschen, wie sie durch ihre Haare glitten ... und auch die Erinnerung an Lucy und Mina.

Einen Moment lang verharrte die Hand über dem Telefon. Vor einem Monat hätte sie nicht solche Gedanken gehabt, wurde ihr plötzlich bewusst.

Weil sie nie geglaubt hatte, besonders leidenschaftlich zu sein, hatte sie sich auch nie für eine Romantikerin gehalten. Die alten Ideale der achtziger

Jahre, ›alles zu nehmen, was sich einem bietet‹, waren ihrem Konzept zum Opfer gefallen, eine Superkarriere zu starten. Die Sexwelt der neunziger Jahre endete in der Asche von Zusammenbrüchen, Scheidungen und Geschlechterkriegen. Sie hatte sich um sexuelle Politik ebenso wenig gekümmert wie um den Sex selbst.

Aber jetzt wollte sie Sex. Ein gutes Essen, ein guter Wein, ein guter Fick – am liebsten in dieser Reihenfolge.

Der Gedanke verblüffte sie. War das nicht die Art und Weise, wie Männer über Sex dachten? Es schien so rüde zu sein, so lieblos.

Wie sich herausstellte, war es weder rüde noch lieblos. Sie saßen bei einem exquisiten Abendessen zusammen; nach der Pastete eine Seezunge, dann das Dessert vom Käsebüfett, dazu den guten Wein – nach dem Beaujolais einen Niersteiner, und anschließend den edlen Cognac, den er in seinem Zimmer aufbewahrte.

Sie liebten einander, lange und wunderbar, sanft und heftig. Er küsste sie überall, tiefe, züngelnde Küsse auf Schultern, Arme, Brüste und Bauch, und dann tauchte er zwischen ihre Beine und leckte und schleckte, saugte und nagte, bis sie einen heißen Orgasmus erlebte.

Aber auch als sie befriedigt neben ihm lag, gewahrte Gemma, dass ihre Gedanken zur wilden, roten Hitze zurückkehrten, die sie unter den Scheinwerfern am Set erfasst hatte, als Racines Hände über ihre Haare strichen. Sie sah Lucy und Mina in all ihrer Unschuld vor sich, und sie fragte sich, zu welchen orgastischen Spielen sie sich treffen würden.

Alexei Racine schlürfte Champagner und sah den beiden Schauspielerinnen zu, die Lucy und Mina darstellten. Sie zogen sich langsam aus. Sie schienen scheu und zugleich herausfordernd zu sein, erfahren und unschuldig. Sie starrten ihn ehrfürchtig und aufgeregt an. Sie wollten ihn, das wusste er, aber sie begehrten sich auch gegenseitig.

Das überraschte ihn nicht. Er hatte eine Darbietung aus ihnen herausgekitzelt, die sie beide erstaunt und vielleicht sogar schockiert hatte. Er war der Zauberer, der Regisseur. Er war es, der ihren Willen gestohlen hatte, der sie gezwungen hatte, sich dem erbarmungslosen Auge der Kamera zu offenbaren. Er war zugleich Beichtvater und Pirat, Seelsorger und Scharfrichter. Macht, das ultimative Aphrodisiakum.

Racine genoss den vertrauten Blick in ihren Augen, das vertraute plötzliche Erkennen darin, dass er alles mit ihnen tun konnte. Sie würden seine Initiativen dankbar begrüßen und sich ihm großzügig öffnen.

Er dachte kurz an Gemma, an den flüchtigen Blick der Verachtung, bevor sie sich abgewandt hatte. Er lächelte.

Er verdrängte den Gedanken an sie, als Lucy und Mina sich ihm näherten. Sie zogen ihn gemeinsam aus. Mina öffnete seine Hemdknöpfe, und Lucy machte sich mit geschickten Fingern an seinem Hosenstall zu schaffen. Er spürte, wie sich seine Erektion verhärtete und überlegte, wie er sie nehmen sollte.

Das wird sich ergeben, dachte er. Er wollte nichts überstürzen, wollte die beiden sich entfalten lassen. Es würde eine Wonne sein zu erleben, wie sich die beiden nahe kamen, wie sie sich kosten und betasteten und zum ersten Mal den Verlockungen der lesbischen Lust erlagen.

Spät in der Nacht erhielt Leo Marais in Paris einen Anruf. Er hatte sich in den Salon seines Pariser Stadthauses zurückgezogen. Im neomodernen mit

Marmor eingefassten Kamin brannte ein kleines Feuer. Der flackernde Schein der Flammen spielte mit den schlanken Linien einer weiblichen Bronzeplastik von Giacometti, die er an diesem Nachmittag gekauft hatte. Leo bewunderte die Schönheit der hageren Gestalt, während er an einem alten Cognac nippte.

Vor ihm lag Gabrielle de Sevigny zu seinen Füßen. Sie trug ein austernfarbenes Negligé aus hauchdünner Seide. Ihre dunklen Aureolen und das Nest ihrer Schamhaare waren deutlich zu erkennen. Sie streichelte über seine Füße und wartete geduldig auf ihn.

Er wusste, dass sie frisch gebadet und parfümiert war, und er wusste auch, dass sie auf seine Berührungen wartete, dass sie feucht war und den Anus eingeölt hatte; beide Öffnungen des Körpers für ihn bereit. Bei der geringsten Geste würde sie sich für ihn öffnen, aber sie wusste, dass es ein Fehler wäre, die Initiative zu ergreifen.

Vor ein paar Wochen hatte sie sich beklagt, dass er sich ihr gegenüber kühl und reserviert verhielte. Sie hatten nach dem Sex entspannt im Bett gelegen und Champagner getrunken.

Ohne ein Wort hatte er einen Eiswürfel aus dem Kübel genommen und ihn gegen ihre noch glühende Scheide gedrückt. Er hatte das Eis mit der Zunge tief in sie hineingeschoben und ihr verboten, sich zu bewegen, bis der Würfel geschmolzen war. Die heftige Intensität ihres Orgasmus hatte ihn überrascht.

Ja, dachte Leo, *sie hatte ihre Lektion gelernt*. Er war zufrieden mit ihr. Er hatte sie lange umerziehen müssen, aber die Belohnung war süß. Wie der Giacometti war auch Gabrielle ein Gewinn. Natürlich würde ihre Schönheit bald verblassen – ganz im Gegensatz zur Schönheit der Skulptur.

Woran lag es eigentlich, überlegte er, dass Zufriedenheit – und er war zufrieden – so leicht und unausweichlich zur Langeweile führte?

Er seufzte, schenkte sich noch einen Cognac ein und war erleichtert, als das Telefon klingelte.

»Oui? Ah, ja, mein Freund«, sagte er und zog seinen Fuß ungeduldig aus Gabrielles massierenden Händen. Der Fuß verfing sich im Negligé und zog es leicht hoch, und sie deutete das aus Aufforderung zum Ausziehen. Das hatte er aber nicht gemeint, und abwesend wies er sie zurück auf den Boden.

»Ja, natürlich, das ist möglich. Aber ich muss sagen, ich verstehe deine Gründe nicht.«

Es entstand eine längere Pause, dann sagte Leo stirnrunzelnd: »Eine seltsame Laune. Ich gebe meine Frauen weg, wenn ich genug von ihnen habe. Und du tust es, bevor es überhaupt angefangen hat. Warum?, frage ich dich.«

»Eine gewollte Umkehrung. Eine Inversion. Oder meine ich Perversion?«, fragte Alexei Racine, bevor er die Verbindung unterbrach.

Gabrielle sah ihren Geliebten teilnahmslos an. Seine Worte brannten ihr ins Herz. Leo gab seine Frauen ab, wenn er genug von ihnen hatte?

Ein eisiger Gedanke, der sie lähmte. Sie hatte bisher nicht in einem Luftschloss gelebt und sich nichts vorgemacht. Sie wusste, dass ihre Beziehung zu Leo nicht mehr war als eine exquisite Begegnung des Fleisches. Sie trug keine rosarote Brille, und wenn, dann farblich abgestimmt auf ihre neueste Garderobe.

Nein, sie war ehrlich zu sich selbst. Leo war eine Obsession, eine zwingende, dominante Besessenheit. Sie konnte nicht an ihn denken, ohne ein zuckendes, vibrierendes Verlangen zu spüren, eine feuchte, glitschige Lust. Jedes Detail ihrer Erinnerung an ihn erregte sie. Der Gedanke an seine Hände, an seine wunderschönen schlanken Finger. Seine glänzenden vollen Haare, wenn er sich über ihre Brüste beugte. Die weißen Zähne, wenn sie sich um ihre Nippel schlossen.

Aber es war nicht nur sein Körper.

Er hatte eine ungeheuer sinnliche Ausstrahlung und eine Vorliebe, seine Macht auszuspielen, was manchmal an Grausamkeit grenzte, verbunden mit einer Bewunderung für jede Form der Lust, was ihn, schlicht gesagt, zum besten Liebhaber machte, den Gabrielle je gehabt hatte.

Er war der erste Geliebte, dessen sexuelle Vorstellungskraft ihre eigene übertraf. Im Gegensatz zu den meisten Männern kannte er keine Vorbehalte zu verschiedenem Spielzeug. Dildos, Vibratoren, Perlen. Vielleicht war es ihm nie bewusst geworden, dass die meisten dieser Spielsachen das männliche Glied ersetzen können, vielleicht war er so überzeugt von der Tüchtigkeit seiner Zunge, seiner Hände und seines Penis, dass er keine Konkurrenz in den Phalli sah.

Sie warf ihm einen Blick unter gesenkten Lidern zu. Stirnrunzelnd sah er ins Feuer. Leo Marais gab also seine Frauen ab, wenn er ihrer überdrüssig geworden war. *Nun*, dachte sie, *das passte zu ihm*. Ihr Stolz verlangte, dass sie die Affäre beendete, bevor er es tat ... aber noch war sie nicht bereit dazu.

Gab es eine Möglichkeit, dachte sie, *diesen Mann an sich zu binden? Konnte sie ihn ebenso becircen und fesseln, wie er sie gefesselt hatte?*

»Komm her, Gabrielle.«

Anmutig drapierte sie sich neben ihn in den weißen Ledersessel, und als er sie zwischen den Schenkeln berührte und zielsicher ihre Klitoris reizte, schmolzen Verstand und eigenes Wollen. Er erregte sie mit kurzen, festen Strichen, und schon bald befand sie sich am Rand eines Orgasmus.

Aber Leo schien sonderbar abgelenkt zu sein, sie sah es in seinen Augen, die zur Giacometti-Skulptur blickten und nicht auf seine schnell zustoßenden Finger.

»Möchtest du noch einen Cognac?«, fragte sie leise.

Sie rang darum, es seinem Gleichmut gleich zu tun, spürte aber den sich windenden Knoten in ihrem Bauch, Vorbote des bevorstehenden Höhepunkts.

»Hm, ja, danke, meine Liebe.«

Während er mit seiner freien Hand den Cognacschwenker hielt, hob sie die Karaffe vom kleinen Tisch und schenkte ein. Ihre Finger zitterten ein wenig.

Seine Finger forschten weiter in ihr, testeten den Grad ihrer Erregung und bewegten sich jetzt wieder langsamer. Er stieß gegen ihre inneren Wände, und sie spürte das erste Pochen, das sich bald zu einem Beben steigern würde. Die Finger bewegten sich schneller, rein und raus, als wollten sie den Puls nachahmen, der tief in ihr pochte und sie dem unausweichlichen Höhepunkt entgegen trieb.

Er spürte, wie ihr Gewebe um seine Finger zuckte, wie es sich zusammenzog, als wollte es die Finger nicht mehr frei geben. Aus dem Zucken wurde ein heftiges Schütteln, das ihren ganzen Körper erfasste.

Er wartete auf ihr Stöhnen, auf die kleinen, lustvollen Laute, mit denen sie sich ihm hingab. Immer, wenn es ihr kam, hörte er diese Laute, aber diesmal blieb sie still, er konnte nur ihr heftiges Atmen hören.

Neugierig zwang er seinen Blick von der Statue weg und schaute auf Gabrielle. Ihre Wangen waren gerötet, die Augen glänzten.

»Gabrielle?«, fragte er, die Finger noch tief in ihr.

»Hm? Oh, ich glaube, ich könnte auch einen Cognac vertragen, Leo.«

»Natürlich.« Ein leichtes Lächeln erhellte seine Augen. *Sie ist wirklich eine ausgezeichnete Schauspielerin*, dachte er. Die rosige Farbe ihrer Wangen und das Leuchten ihrer Augen verriet, wie nahe sie dem Orgasmus war.

»Ich werde Paris am Wochenende verlassen«, sagte er und wartete auf ihre Reaktion.

»Ach, Liebling?«, murmelte sie, brach den Kontakt

mit seinen Fingern und bückte sich nach ihrem Negligé. Als sie sich ihm zuwandte, verriet ihr Blick nichts.

»Ja. Ich muss zum Chateau, um zu sehen, ob alles in Ordnung ist.«

»Armer Leo, wie langweilig für dich«, sagte sie, griff zu einem Cognacschwenker und schenkte sich ein.

»Nein, langweilig wird es nicht, da bin ich mir sicher. Möchtest du mitkommen?«

Die Frage kam gepresst heraus, als hätte er sich damit selbst überrascht.

Sie sah ihn nachdenklich an. »Ja, vielleicht.«

Gemma saß im Studio und betrachtete die Rohfassung der bisherigen Einstellungen. Es war früh, so früh, dass sie allein war, und das war gut so. Sie war absolut begeistert. Die Szenen waren brillant, sehr zwingend und zogen sie in den Bann. Die unzusammenhängenden Einstellungen von Szenen, die scheinbar nichts miteinander zu tun hatten, strahlten die Kraft der Erzählung aus.

Racine, fand sie, war ein Genie. Ein sarkastischer, egozentrischer, intoleranter Bastard, aber auch ein Genius. Sie hielt den Film an, als die Szene zwischen Lucy und Mina kam. Verzaubert schüttelte Gemma den Kopf. Nach dem Schnitt würde die Szene etwa zwei Minuten lang sein, vielleicht auch weniger, aber Racine hatte die Einstellung über eineinhalb Stunden filmen lassen – und jede Minute war ein Triumph der Filmkunst.

Was würde er aus den Außendrehs herausholen, fragte sie sich, aus dem alten Verlies, dem unheimlichen Grabhügel und der kalten Gruft?

Die Szenen im Studio waren fast abgeschlossen. Racine hatte darauf bestanden, dass der größte Teil des Films vor Ort gedreht wurde – der Atmosphäre wegen. Die Vorbereitungen dazu hatte er selbst in die Hand genommen.

Seltsam, dachte Gemma, als ihr das durch den Kopf ging. Offenbar hatte Racine ihren spontanen Vorschlag unbesehen übernommen, er schien den Besitzer des Chateaus zu kennen. Sie schüttelte den Kopf. Racine hatte das funktionierende Management ins Chaos gestürzt.

Gemmas Assistentin Jane war begeistert von den zwitterhaften Jüngern, die Racine umschwärmten und zusammen die stellvertretende Regie zu übernehmen schienen. Gemmas eigene Rolle veränderte sich von Tag zu Tag – war sie nicht gestern erst als Ersatz für eine Schauspielerin eingesprungen? Für einen kurzen Augenblick beneidete sie Sy und Zippo, die fluchtartig nach Barbados geflogen waren.

Sie seufzte und wandte sich wieder dem Bildschirm zu.

»Es ist gut«, sagte eine Stimme hinter ihr.

Sie kannte die Stimme. Sie kroch ihr unter die Haut. Wäre es jemand anders gewesen und nicht Racine, hätte sie die Wahrheit gesagt: »Ja, es ist ein fantastischer, genialer Film.«

»Nicht schlecht«, sagte sie, ohne sich umzudrehen.

Zu ihrer Überraschung schien er nicht beleidigt zu sein. »Ja, das glaube ich auch«, erwiderte er. Als sie sich zu ihm umdrehte, hatte er sich eine Zigarette angezündet. Gemma sog den strengen Rauch ein.

Ihre Sinne schwanden. Einen Augenblick lang wurde aus dem dunklen Vorführraum die schwarze Gruft unter dem Grabhügel. Gemma spürte seine flammenden Lippen auf ihrem Mund, sie spürte die Kraft ihres dämonischen Liebhabers, ihres Dream Lovers.

»Wir reisen am Wochenende in die Bretagne«, sagte Racine und schaltete das Licht an.

Sie blinzelte. Die Vision der Gruft verlor sich wieder, aufgelöst im gleißenden Licht des Studios und dem harschen Klang seiner Stimme. »Es ist unmöglich, das so schnell zu arrangieren«, räsonierte sie automatisch. »Transporte, Unterkünfte ...«

»Schon erledigt«, unterbrach er sie und zog an seiner Zigarette. »Wir müssen da sein, bevor das Licht sich im Frühjahr ändert. In sechs Wochen müssen alle Einstellungen abgeschlossen sein.«

SECHSTES KAPITEL

Als der graue Jaguar auf der Straße nach Carnac schnurrte, barg Gabrielle de Sevigny ihre Nase in den Kragen ihres langen Pelzmantels und beäugte Leo nachdenklich. Paris lag jetzt hinter ihnen, und seither hatte er kaum ein Wort mit ihr geredet, weil er sich auf den Straßenverkehr konzentrierte. Sie hatte sein Schweigen akzeptiert, denn es herrschte starker Feierabendverkehr.

Jetzt aber war die Straße frei, und Leo wurde trotzdem nicht gesprächiger. Vielleicht wollte er nicht abgelenkt werden, wenn er hinter dem Steuer saß. Sie wusste es nicht. Wenn sie es recht überlegte, wusste sie überhaupt wenig von Leo.

Die Unterhaltung hatte in ihrer Beziehung nie eine große Rolle gespielt; ihnen gehörte die Sprache ihrer Körper. Mit verbundenen Augen würde sie jeden Zentimeter seines Körpers erkennen, seinen Schwanz, seinen Geschmack. Unter hundert, nein, unter tausend Männern würde sie ihn herausfinden. Aber Sprechen war nicht ihr Ding. Und wenn, dann hatte es mit Sex zu tun. Härter. Schneller. Tiefer.

Sie war neugierig, mehr über ihn zu erfahren. Dinge, die er außerhalb des Schlafzimmers liebte. Sie musste lächeln. Bisher hatten sie es noch nie im Schlafzimmer getrieben. Aber diese lange Fahrt zu seinem Chateau war das erste Mal, dass sie Zeit miteinander verbrachten, ohne Sex zu haben.

Gerade deshalb wollte sie mit ihm reden. Für eine bestimmte Schicht der französischen Frauen – gebildet, politisch interessiert – waren Gespräche so stimulierend wie Sex.

»Dein Freund Alexei Racine«, sagte sie, »was für ein Mann ist er eigentlich?«

Leo ließ sich mit der Antwort Zeit, und Gabrielle dachte schon, er würde gar nicht antworten.

»Er mag Picasso«, sagte er dann.

»Ach, ja?«

»Ja.«

Die Kilometer flogen vorbei. Als Gabrielle gerade ihre Ansichten über Picasso preisgeben wollte – Begeisterung über seine frühen Werke, Vorbehalte gegen die Bilder aus der Blauen und Rosa Periode – , ergriff Leo wieder das Wort.

»Er mag auch Renoir und Modigliani, aber am liebsten ist ihm Picasso.« Bedauern klang in seiner Stimme durch.

»Ich verstehe«, murmelte Gabrielle. Sie hatte das Gefühl, dass dies nicht die Zeit für eine lange Diskussion über kubistische und neoklassizistische Malerei war. Deshalb kehrte sie zu ihrem Ursprungsthema zurück.

»Er ist ein großartiger Regisseur«, sagte sie. »Was hältst du von ›Nackt unter Sternen‹?« Sie sprach Racines letzten Film an.

»Ich habe ihn nicht gesehen«, antwortete er, den Blick auf die Straße gerichtet.

»Nein?« Das überraschte sie. Die Kritiker hatten sich vor Lob überschlagen.

»Ich hasse Kinos«, erklärte Leo.

»Oh«, sagte sie leise. Kunst schien nicht das Thema für ihn zu sein, Film auch nicht, und Politik verabscheute er. Womit konnte sie es jetzt versuchen?

Leos Gedanken waren woanders. Er grübelte über eine Tänzerin von Degas, die vor kurzem auf den Markt gekommen war. Sein Händler hatte ihn an diesem Morgen angerufen und einen lächerlichen Preis genannt. Eine absurde Summe.

Und doch, sie war eine wahre Schönheit, diese Tänzerin. Allein schon die Fotografie, die er von ihr gesehen hatte, hatte seine Stimmung gehoben. Sie war jung und anmutig, frisch wie der Frühling, geschmeidig und leichtfüßig, und er wollte sie haben.

Er besaß zwei beherrschende Leidenschaften; Sex und der weibliche Körper, und beide trafen sich in den Statuen schöner Frauen. Eine leidenschaftliche Liebe für Skulpturen aller Art verbündete sich mit einer geradezu besessenen Gier nach Frauen. Die Bilder, die er auf seiner Silvesterparty im Chateau zusammengestellt hatte, drückten seine beiden Obsessionen genau aus. Er verliebte sich in seine Skulpturen, und er machte Liebe mit Frauen, die den Geschöpfen der Künstler nahe kamen.

Er war ein kluger, umsichtiger Sammler.

Ein wunderbarer Liebhaber.

Und manchmal ein schweigsamer Mann.

Er dachte an Gabrielle und Degas, und er überlegte sich, was Degas aus ihr gemacht hätte, und wie er, Leo, Degas Inspirationen ausleben konnte. Degas hätte sie nicht im Tutu an die Ballettbarre gestellt, er hätte sich etwas Originelleres einfallen lassen.

Ja, dachte er und spürte, wie er hart wurde, er würde die Tänzerin kaufen, auch zu diesem lächerlich hohen Preis, den sein Händler genannt hatte. Dabei hatte Gabrielle nicht viel Ähnlichkeit mit der Tänzerin, auch nicht mit der hageren Statue von Giacometti, die er vor ein paar Tagen erworben hatte … trotzdem, er erinnerte sich noch, wie sie gestern auf seinen Fingern gezuckt hatte, hin und her, und er wusste, wenn es sein Penis gewesen wäre, der in ihr gesteckt hätte, wäre es ihm sofort gekommen; ihre wilden, unkontrollierten Zuckungen hätten ihn leer gemolken.

Er war hart, ob durch die Erinnerung an ihren Höhepunkt auf seinem Finger oder durch den Entschluss, den Degas zu kaufen, wusste er nicht zu sagen.

»Gabrielle, gib mir deinen Fuß.«

»Was?«

»Dein Fuß, deine Wade, deinen Schenkel.«

»Leo?«

»Ich muss gerade an einen Tanz denken, an ein Ballett ... gib mir deinen Fuß«, wiederholte er.

Seine Blicke waren immer noch auf die Straße gerichtet, aber seine rechte Hand lag wartend auf dem Sitz zwischen ihnen. Ihr Körper reagierte sofort auf seine Worte. Sie streifte den Schuh ab und hob ihr Bein an, legte es in seine Hand.

»Du hast an ein Ballett gedacht?«, fragte sie. »Pierre und ich waren letzte Woche in der Opera de Paris Garnier und haben Schwanensee gesehen. Ich ...«

»Pst, Gabrielle.«

Seine Finger erforschten ihren Fuß, streichelten über den hohen Spann, massierten die Sehnen und Muskeln, strichen über die Zehen. Seine Berührungen waren sanft und zugleich seltsam klinisch, als wollte er sich den Lauf jeder Vene einprägen. Ihre Seidenstrümpfe fühlten sich zart an wie Spinngewebe.

Ihr Körper reagierte sofort; die Nippel schwollen an, und ihr Geschlecht prickelte. Sie spürte, wie sie feucht wurde, und zwischen den Schenkeln breitete sich der vertraute Schmerz des Verlangens aus.

Wie schafft er es, fragte sie sich benommen, mich durch harmlose Berührungen so durchzuschütteln, dass mir fast die Sinne schwinden? Sie bemerkte, dass seine Augen immer noch starr auf die Straße blickten, auch als seine Hand höher glitt, über ihre Wade strich und dann hinauf zu den Sehnen ihrer Kniekehle fuhr.

»Spann deine Muskeln an, Gabrielle«, sagte er. »Stell dir vor, du tanzt.«

Automatisch spannte sie die Beinmuskeln an und spürte verwundert, wie das Echo der Kontraktionen ihre Scheidenmuskeln erfassten, als wollten sie den harten Schaft eines unsichtbaren Penis umklammern.

»Härter, Gabrielle, härter.«

Sie gehorchte. Ihr Mund war trocken, und sie musste einige Male schlucken. Das antwortende Pochen im Innern ihres Schoßes wurde stärker und lauter, und sie konnte die glitschige Hitze ihres Geschlechts spüren. Sie war jetzt triefend nass, unerträglich erregt und einem Höhepunkt nahe, und das nur vom festen Griff seiner Finger auf ihrer Wade.

Sie wagte kaum noch zu atmen und wartete darauf, dass seine Finger weiter nach oben wanderten, zum Oberschenkel, um dann gegen ihr Delta zu stoßen, dem geschwollenen Zentrum ihrer Lust. Sie wusste, dass es ihr sofort kommen würde, wenn er sie nur leicht berührte.

»Ja, genau da«, sagte Leo und strich wieder über die Sehnen ihrer Kniekehle.

Wieder spannte Gabrielle die Muskeln an. Der Puls zwischen ihren Schenkeln beschleunigte sich, und dann spürte sie die Explosion, und der Orgasmus überwältigte sie, und ihr Körper wurde durchgeschüttelt, als wäre er von einem gewaltigen Stromstoß erfasst worden. Die schmelzende Hitze ging in ein rosiges Glühen über.

Leo hielt ihre Fußfessel gepackt und löste seinen Griff erst, als sich der Aufruhr ihres Körpers abgeschwächt hatte.

»Ja«, sagte er und wandte ihr seit der Abreise in Paris das erste Mal sein Gesicht zu. »Das war ein ganz besonderer Tanz.«

Den Rest der Strecke schwiegen sie.

Gemma hätte es nie für möglich gehalten, dass die Erinnerungen so lebhaft, so wirklich sein konnten. Es war, als ob die Zeit stillgestanden und sie wieder die Gemma wäre, die diesen Weg vor wenigen Wochen gefahren war.

Die Landschaft hatte sich nur wenig verändert; ein

grauer Schleier lag über dem Land, das auf den Frühling wartete. Die neuen Blätter der Bäume würden erst in ein paar Wochen sprießen. Gemma hatte das Gefühl, zurückzukehren, ohne je weg gewesen zu sein. Als ob das, was inzwischen geschehen war, nur ein Traumerlebnis und ohne Bedeutung war.

Träume … ihr Dream Lover … Sie spürte, wie ihr die Röte ins Gesicht schoss, und blickte Alexei Racine von der Seite an. Er ignorierte sie, vertieft in eine Taschenbuchausgabe von Bram Stokers Graf Dracula. Vor ihnen, durch eine dicke Scheibe getrennt, saß der Fahrer, der nur Augen für die Straße hatte. Hinter ihnen folgten drei Vans mit dem Rest von Team und Besetzung sowie mit der Ausrüstung.

Racine selbst hatte auf dieser Aufteilung bestanden. Nachdem er in London alle bestehenden Strukturen durcheinander gewirbelt hatte, schien er jetzt Wert auf die Wahrung der Hierarchie zu legen.

Sie und Racine würden im Chateau wohnen, während die anderen irgendwo in Carnac einquartiert wurden. Beinahe hätte sie ihm von ihrem Bauernhaus erzählt, aber irgendeine innere Stimme hatte sie davon abgehalten.

Sie schaute aus dem Fenster. Die Landschaft wurde mit jedem Kilometer vertrauter; sie erkannte den Kirchturm in der Ferne, abseits von der Straße, dann eine hässliche Tankstelle mit einem angeschlossenen Café.

Es war natürlich ein ihr vertrautes Land, das Zuhause des anonymen Dream Lovers, des Mannes, der sie zweimal genommen, ihren Körper mit seinem zum Glühen und Explodieren gebracht hatte, einmal in der dunklen, kalten Gruft und dann im Schatten des verfallenen Turms, der zum Chateau gehörte. Er hatte sie mit einer unglaublichen Wildheit genommen, mit einer hemmungslosen Gier…und ohne ein einziges Wort.

Plötzlich und ohne jeden Anlass kam er ihr realer vor denn je. Die mühsame Routine der letzten Wochen kamen ihr jetzt fast bedeutungslos vor. Wie hatte sie überhaupt nach London zurückkehren können, als ob nichts geschehen wäre? Hatte sie nicht erkannt, dass sie sich total verändert hatte?

Seit sie die Bretagne nach Neujahr verlassen hatte, war der geheimnisvolle Dream Lover kaum noch in ihren Gedanken gewesen, sie war abgelenkt durch ihre Arbeit und durch Racine – aber stimmte das auch? Ihr Körper erinnerte sich an ihn, erinnerte sich an die dunkle Hitze, an das langsame Glühen, an die Sehnsucht, an die reinigende Explosion des Höhepunkts unter seinem Mund und seinen Händen.

Mit einer fast schmerzlichen Klarheit konnte sie sich an jede Einzelheit erinnern, an jede Bewegung seines Körpers, seiner Lippen. An die sanfte Grausamkeit seiner Zunge, die zuerst warm und feucht in ihrem Mund forschte, dann spitz zustieß, um dann die ganze Mundhöhle zu erobern. An die Art und Weise, wie ihr erhitzter Körper reagiert hatte, wie er ihr Blut zum Kochen gebracht hatte.

Die behutsame, delikate Art, wie seine Hände ihren nackten Körper erforscht hatten, wie sie sich auf ihre Kehle gelegt hatten und dann von den Schultern zu ihren Brüsten geglitten waren. Sie spürte noch jetzt den festen Griff der Hände um ihre Fußgelenke, als er seinen Mund auf ihr Geschlecht gepresst hatte. Sie spürte noch die reibende Zunge auf ihrer Klitoris … das harte Drängen seiner Zunge, die tief in sie hineinstieß.

Ja, sie erinnerte sich an jede Einzelheit.

Wie er sich an ihren Nippeln festgenagt hatte, wie er sie saugte und suckelte, bis sie zu schmerzen begannen. Mit einer Hand hatte er den anderen Nippel gedrückt, gezwickt und gequetscht, bis die ganzen Brüste angeschwollen waren. Wie das Pochen ihrer

Brüste ein Echo in ihrem Schoß gefunden hatten und dort in einem Feuerball explodiert waren.

Wie er sie schließlich gefüllt und mit seinem ersten treibenden Stoß fast gelähmt hatte. Wie schnell ihr Körper seinen Rhythmus angenommen hatte und auf dem harten Boden der Gruft hin und her gerutscht war.

Sie erinnerte sich auch noch ganz genau, wie er sie an jenem Abend der Silvesterparty im Chateau Marais gefunden und von hinten genommen hatte. Er hatte sie mit seinem harten, langen Schaft gebrandmarkt, so sehr hatten sich die beiden Geschehen in ihre Erinnerung geritzt.

Und jetzt kehrte sie zum Ort des Geschehens zurück. Sie blickte zur Seite, als sie Racine glucksen hörte, ein Laut, bei dem es ihr kalt über den Rücken lief. Aber Racine sah sie nicht an, er war immer noch in sein Buch vertieft.

Würde er sie wiederfinden? Sie hatte sich oft genug gefragt, ob es Zufall gewesen war, dass sie ihn in der Gruft getroffen hatte. Oder war er ihr gefolgt? Hatte er gewusst, wo er sie finden konnte? Und auf der Party – er hatte eigentlich nicht wissen können, dass sie es war, die in dem schwarzen Katzenanzug steckte.

Handelte es sich überhaupt um denselben Mann? Dies war ein neuer, beunruhigender Gedanke.

Zum ersten Mal spürte sie, dass es möglich sein konnte, ihn aufzuspüren und seine Identität zu lüften. Er musste ein Gast auf der Party gewesen sein. Und er musste in der Nähe leben, wie hätte er sonst ausgerechnet an jenem Abend in der Gruft sein können?

Aber wollte sie überhaupt wissen, wer er war?

Sie gab sich die Antwort spontan und instinktiv. Ja. Ihren geheimnisvollen Dream Lover nicht zu kennen schien ihr undenkbar zu sein.

Die Vans hinter ihnen bogen nach Carnac ab, doch Gemma bemerkte es kaum. Sie hatte das Team vergessen, den ganzen Film und sogar, dass Alexei Racine neben ihr saß. Sie fuhren jetzt in den dichten Wald hinein. Von den Bäumen verdeckt wartete die Gruft auf sie, die Heimat des Jägers, der eingemeißelten Zeichnung des Kriegers, dessen Waffe seine Lanze war und dessen dreieckiges Gesicht ihr wildes Paaren mit dem gesichtslosen Geliebten beobachtet hatte.

Dann lag das Chateau vor ihnen mit seiner eleganten Renaissance-Fassade und dem verfallenden Turm des alten Verlieses. Das Bild schien ihr so vertraut, als hätte sie es schon immer gekannt.

»Jetzt geht es los«, sagte Racine, als die Limousine vor der breiten Steintreppe anhielt. Der Chauffeur öffnete ihre Tür, und als Gemma ausstieg, bemerkte sie, dass das Doppelportal offenstand.

Ein weißhaariger Mann in mittleren Jahren hastete die Treppe hinunter, um sie zu begrüßen. »Monsieur Racine, willkommen, herzlich willkommen, auch Miss de la Mare. Der Graf bedauert, dass er Sie nicht persönlich ...«

»Der Graf?«, fragte Gemma überrascht.

»Er meint Leo, Graf Marais«, erklärte Racine kurz.

»Aber er wird Sie zum Abendessen willkommen heißen«, fuhr der Mann fort. »Ich werde Sie zu Ihren Zimmern bringen. Hatten Sie eine angenehme Reise?«, fragte er und führte sie die Stufen hoch und in die Eingangshalle.

»Ohne Zwischenfall«, sagte Racine. »Und Sie, Henri, wie geht es Ihnen?«

»Sehr gut, Sir. Sie wohnen im Westflügel. Es ist nicht Ihre übliche Suite. Folgen Sie mir, bitte.«

Die beiden Männer plauderten weiter, während Gemma versuchte, die Zusammenhänge von dem zu begreifen, was gesprochen wurde.

Nicht die übliche Suite? Racine war also häufiger Gast auf Chateau Marais. Er kannte es gut. Deshalb also die spontane Bereitschaft, die Außenaufnahmen in die Bretagne zu verlegen. Aber hatte er ihr nicht gesagt, dass er Leo Marais nur flüchtig kannte?

Sie schritten einen breiten Korridor entlang, den Gemma nicht kannte. Die Wände waren voller Stuck und Blattgold, auf einer Seite unterbrochen von Fenstern, die vom Boden bis zur gewölbten Decke reichten. Kristallene Wandleuchten zu beiden Seiten der Fenster warfen ein goldenes Licht in den Flur und beleuchteten die kunstvoll geschnitzten Tische und die kleinen Plüschsofas in den Nischen und Alkoven.

Gemma hatte den atemberaubenden Prunk des Chateaus noch in guter Erinnerung, und trotzdem war sie verblüfft, als sie die hohen Vitrinen sah, die auf der Innenseite der Korridors standen. Sie waren gefüllt mit Eiern von Fabergé, mit viktorianischem Silber, römischem Glas und mit Töpfereien aus Staffordshire. Sie war ganz verzaubert von den edlen Kostbarkeiten, an denen sie fast achtlos vorübergingen.

»Ich hoffe, Sie finden alles zu Ihrer Zufriedenheit«, sagte Henri und wies auf eine Doppeltür. »Sie brauchen nur zu klingeln, wenn Sie …«

Er verschwand, und Racine öffnete die Tür. Verwirrt öffnete Gemma den Mund, um sich nach ihrem Zimmer zu erkundigen – es erwartete doch wohl niemand, dass sie in einem Zimmer mit Racine schlief? Aber dann hielt sie die Luft an.

Es war dunkel, fast völlig dunkel. Als sich ihre Augen darauf eingestellt hatten, schüttelte sie sich.

Weiches, ein wenig unheimliches Licht sickerte aus schwarzen metallenen Wandleuchtern und warf bizarre Schatten auf die Wände. Dicke schwarze Samtdrapierungen und schwarze Seide hüllten das Zimmer ein, ein schwarzer Teppich bedeckte den Boden … alles war in Schwarz gehalten, eine allumfassende, ominöse schwarze Umarmung.

In der Mitte des Zimmers glitzerte etwas Blasses auf einem erhöhten Podest. Gemma wandte den Kopf und sah, dass es sich um einen Sarg handelte. Die Goldgriffe blitzten im unheimlichen Licht. Der Sargdeckel war geöffnet und gab den Blick frei auf das weiße Satinfutter und auf einen Dolch, der auf dem Satinkissen lag.

Das Zimmer schien sich um die eigene Achse zu drehen, oder drehte es sich um Gemma? Sie konnte nur mühsam einen Schrei unterdrücken.

»Ah, Leo«, sagte Racine glucksend. »Er hat das, was man einen schuljungenhaften Humor bezeichnet.«

Er ging hinüber zum Sarg und nahm den Dolch an sich. Ein Zettel flatterte zu Boden. »Er hofft, dass wir den Salon inspirierend finden … Es gibt zwei Suiten, die von hier abgehen.«

»Oh, sehr amüsant«, murmelte Gemma.

Erst viel später, als sie in der breiten Badewanne lag und sich einweichen ließ, konnte sie ihr Lachen nicht mehr unterdrücken.

»Ja, sehr amüsant«, wiederholte Gemma ein paar Stunden später. Sie standen um den Sarg herum, sie, Alexei, Leo und Gabrielle, und nahmen einen Willkommensdrink vor dem Essen. Von irgendwoher war ein Getränkewagen aufgetaucht. Champagner wurde in einem Eiskübel gekühlt. Dicke, schwarze Wachskerzen auf schweren silbernen Haltern erwärmten das Zimmer mit sanftem, gelbem Licht.

»Es war Sarah Bernhardt, die immer in einem Sarg geschlafen hat, nicht wahr?«, fragte Gabrielle. In ihrem bronzefarbenen Seidenkleid, im Rücken tief aufgeschnitten und an den Seiten hoch geschlitzt, sah sie phantastisch aus. Es betonte die festen, spitzen Brüste. Man sah, dass sie keinen Büstenhalter trug. Die Haare waren in einem lockeren Knoten zusammengefasst und gaben den Blick auf die langen, goldenen Ohrringe frei, in denen sich das Licht brach.

Sie sah sehr chic, sehr elegant aus, und neben ihr fühlte sich Gemma in ihren Jeans und dem blauen Pullover nicht wohl. Sie hatte sich für einen Dreh angezogen, und das bedauerte sie jetzt.

»Eine seltsame Marotte«, bemerkte Leo und füllte die Gläser nach. Er und Alexei tranken Whisky, Gabrielle und Gemma Champagner.

»Ganz reizend«, meinte Racine und fuhr mit einer Hand über das Satinkissen.

»Brrr«, machte Gabrielle und schüttelte sich.

Sie speisten in einem enormen Saal, in dem sich der lange Hartholztisch winzig ausnahm. Er war mit goldenen Tellern und silbernem Besteck ausgelegt, und in den Kristallgläsern brach sich das Licht von den kristallenen Kronleuchtern.

Identisch gekleidete Diener servierten Platten mit geräuchertem Lachs und Leberpasteten. Der Weißwein war frisch und blumig, und Gemma wurde bewusst, dass sie ihm zu üppig zusprach.

Die verschwenderische Umgebung verwirrte sie. Großartige Wandteppiche zeigten mittelalterliche Jagdszenen. Sie saß direkt unter einem gestürzten Hirsch mit einem Speer im Hals, und rotes Blut rann auf grünes Gras. Sie wandte sich schaudernd ab und traf Leos Blick.

»Sie mögen keine Jagdszenen, nicht wahr?«, fragte er, als er ihren angewiderten Ausdruck sah.

»Zum Essen lieber nicht«, gab sie zu und führte einen Bissen der Pastete zum Mund. Die Pastete war köstlich und schmolz auf der Zunge.

»Für uns im Chateau ein vertrauter Anblick«, sagte Leo und nippte am Wein. »Im ganzen Haus gibt es noch viele Jagdszenen. Meine Vorfahren haben offenbar großen Wert darauf gelegt. Jagd gehört zum Geist des Hauses.«

»Zum Geist des Hauses?«, fragte Gemma.

»Der Jäger«, erklärte Leo. »Die prähistorische

Zeichnung an der Wand der Gruft. Eine beeindruckende Gestalt. Ich glaube, die Familie hat ihn adoptiert«, fügte er lächelnd hinzu.

»Ja, ich kenne ihn«, sagte Gemma.

»Natürlich«, sagte er. »Die Gruft ist nicht weit von den Ställen entfernt.«

Es war die erste Andeutung, dass er Bescheid wusste über ihren Kauf eines der Bauernhäuser am Rande seines Besitzes. Aber er schien das Thema nicht vertiefen zu wollen.

»Die Gruft war mein bevorzugtes Versteck in meiner Kindheit«, fuhr Leo fort. »Ich habe viele Stunden dort verbracht und stellte mir dann vor, ich sei der Krieger, der Jäger. Ja, die Gruft gehörte mir. Ein wunderbarer Ort, besonders in der Nacht.«

Er sah sie an, und sie spürte ihr Herz klopfen. Ein wunderbarer Ort, besonders in der Nacht … Die Worte klangen in ihr nach. Eine zufällige Bemerkung oder eine subtile Andeutung? Konnte das sein – Leo Marais, ihr geheimnisvoller Dream Lover?

Sie trank noch ein Glas Wein und beobachtete ihn. Er saß ihr am Tisch gegenüber, und sie stellte sich seinen Körper vor. Sie suchte nach einem Erkennungspunkt. Sie sah genau zu, wie er das Glas an die Lippen führte. Seine Hände waren breit, die Finger lang und schmal. Kräftig genug, um ihre Fußgelenke im festen Griff zu halten, während er den Mund auf ihr Geschlecht drückte. Kräftig genug, um die Gelenke zu halten, während sie sich im Orgasmus wand.

Aber er trug einen Ring, einen großen goldenen Siegelring. Sie hätte sich daran erinnert, wenn ihr Dream Lover diesen Ring getragen hätte. Oder?

Seine Stimme klang glatt, ganz anders als die harsche, knarrende Stimme, an die sie sich erinnerte. Aber das Echo in der Gruft gab die Stimme vielleicht falsch wieder. Wie viele Worte hatte er eigentlich gesagt? Drei oder vier?

Bei diesem Gedanken betrachtete sie seinen Mund. Die Lippen waren fein geschwungen und etwas zu dünn. Es war unmöglich zu sagen, ob das der Mund war, der sich mit dieser unglaublichen Sinnlichkeit auf ihren gepresst und ihr Geschlecht so wunderbar geküsst hatte.

Die Erinnerung an seinen Körper war in ihr eingebrannt, und doch hatte sie keine Ahnung, wie er aussah. Sie wusste nur von seiner Kraft und seiner Macht, von seinem hageren, muskulösen Körper.

Gemma hatte den Gesprächsfaden verloren. Sie sah auf und bemerkte, dass Gabrielle und Leo sich angeregt unterhielten, während Racine sie mit ironischer Gelassenheit beobachtete.

Sie bemühte sich, ganz normal zu wirken. Sie zerdrückte eine Zitronenscheibe über dem Lachs und spießte eine dicke Kaper mit der Gabel auf. Sie lächelte, als ihr Teller abgeräumt und durch ein Sorbet der Passionsfrucht ersetzt wurde. Der Hauptgang bestand aus Wild in Wildkirschsauce.

Dazu gab es einen fruchtigen Roséwein. Sie folgte jetzt wieder den Gesprächen, nickte und lächelte an den richtigen Stellen und gab sich interessiert, aber bei einem gelegentlichen Seitenblick auf Racine stellte sie fest, dass dieser sich nicht täuschen ließ. Sie fing seine Blicke auf, sie wirkten wie eine sarkastische Replik.

Sie mied seine Blicke und war erleichtert, als Gabrielle ihn nach dem Symbolismus seines letzten Films befragte.

Die Unterhaltung über dieses Thema hätte sie in Bann ziehen müssen, aber Gemma hatte Mühe, dem Gespräch zu folgen. Dem Rosé folgte ein Barsac, und dazu gab es köstliche Baisers, gefüllt mit Maronenpüree und Schlagsahne. Sie naschte am Dessert und genoss den Wein, obwohl ihr wieder bewusst war, dass sie zu viel trank. Aber zu ihrer eigenen Überraschung fühlte sie sich mehr als nüchtern.

Sie spürte eine schleichende Spannung, eine Überzeugung aus dem Bauch heraus, dass irgend etwas geschehen würde. Es war wie eine mit dem Verstand nicht zu erklärende Vorahnung, die sich vielleicht nur zurückdrängen ließ, wenn sie ein Glas zu viel trinken würde.

Deshalb lehnte sie auch ein Glas Portwein nicht ab, der zu Obst und Käse gereicht wurde. Er war dick und süß und glomm wie Rubine unter dem prismatischen Licht der Kronleuchter.

Sie beobachtete Leos Hände, die das Glas hielten, lange Finger, die über den Stiel des Baccarat-Glases strichen, und wieder fragte sie sich, ob dies die Hände waren, die sie auf den harten Boden der Gruft gelegt und später am Silvesterabend ihren erhitzten Körper vom Katzenanzug befreit hatten. Damals in der Nacht des Sturms.

Auch Racine spielte mit seinem Glas, er drehte den Stiel von einer Seite zur anderen und bewunderte die Farbe des schweren Rotweins. Einen Augenblick lang sah es so aus, als ob das Licht seine Finger mit Blut befleckte.

»Entscheidend sind die Schatten«, sagte er zu Gabrielle, die an seinen Lippen hing. »Im Schatten hat die Illusion mehr Gewicht als die Realität. Der Schatten ist das Chiaroscuro der psychologischen Landschaft.«

Leo gähnte. »Filme langweilen mich«, sagte er zu Gemma und schenkte ihnen beiden noch ein Glas ein. Mit einer knappen Handbewegung entließ er die Diener.

Sie lächelte müde. Sie konnte natürlich nicht zustimmen, deshalb hob sie nur die Schultern. Es fiel ihr schwer, ein Gähnen zu unterdrücken.

»Sie sind müde«, sagte Leo. »Sie haben eine anstrengende Reise hinter sich.«

»Ja, ein wenig«, gab sie zu.

»Ich zeige Ihnen den Weg zu Ihrem Zimmer«, sagte er hilfsbereit. »Gabrielle und Alexei sind noch tief im Gespräch, und ich muss gestehen, dass mich die Langeweile überkommt, wenn er über die psychologischen inneren Landschaften fachsimpelt.«

Er war aufgestanden und bot ihr seinen Arm. Sie blickte hinüber zu Alexei und Gabrielle.

Leo fing den Blick auf und meinte: »Gemma ist müde. Ich zeige ihr den Weg zu ihrem Zimmer und komme dann zurück.«

Gemma hatte den vagen Eindruck, dass Gabrielle leicht zusammenzuckte. Ihre Augen verengten sich, und ihr Körper erstarrte. Es dauerte nur einen Wimpernschlag lang, dann entspannte sie sich, und die Augen wurden wieder rund. Sie sah die beiden an, und ihre roten Lippen wölbten sich zu einem freundlichen Lächeln.

Demonstrativ streckte sie einen Arm aus, als wollte sie Gemma berühren. »Aber natürlich, Leo. Ich bin egoistisch, nicht wahr? Aber es ist wunderbar, so einen intelligenten Mann, so ein Filmgenie zu treffen und mit ihm reden zu können. Gemma, ich wünsche Ihnen eine gute Nacht.«

Racine nickte kurz, sah Gemma mit seinen durchdringenden grauen Augen an und wandte sich dann wieder an Gabrielle.

Ihre Gedanken überschlugen sich, als Leo sie hinausführte. Eine Hand lag ganz leicht auf ihrer Schulter, die andere tief im Rücken, als er sie durch eine andere Tür in einen kleineren Korridor leitete.

Im Gegensatz zu der prachtvollen Eleganz in Gold und Kristall war dieser Korridor warm und einladend. Dicke chinesische Teppiche dämpften ihre Schritte, und indirektes Licht beleuchtete eine kostbare, aber willkürlich zusammengestellte Sammlung von Drucken, Seidenmalereien und Ölgemälden.

Gemma erkannte ein Stillleben von Caravaggio, das

neben einem Porträt von Van Gogh hing, einen Tintoretto neben einer Campbells Suppendose von Warhol. Ein anderes Bild sah verdächtig nach einem Rembrandt aus. Aber dann schmolzen die Farben und Gegenstände zusammen und gingen unter in der starken Wahrnehmung des Manns neben ihr.

Sie sog sein exklusives Rasierwasser ein, sie bemerkte, wie er seine Schritte verringerte, um sie ihren anzupassen, und ihr war die leichte Berührung seiner Hände auf der Schulter und tief im Rücken sehr bewusst, während er sie zu ihrem Zimmer führte.

Dies könnte der Augenblick der Aufklärung sein, dachte sie. Weg von Racine, weg von der schönen Gabrielle, die ganz sicher die Geliebte des Hausherrn war. Spielte er mit ihr, oder hatten seine Bemerkungen bei Tisch nichts zu bedeuten?

»Hierher«, sagte er und lenkte sie nach rechts.

»Ihr Chateau ist so groß, dass ich immer nur herumirren würde«, sagte Gemma.

»Ja, ich weiß. Als Kind habe ich mich oft verlaufen. Damit habe ich meine Lehrer zur Verzweiflung gebracht.«

»Als Kind?«, fragte sie und erinnerte sich, dass er während des Abendessens davon gesprochen hatte, wie er sich als Kind in der Gruft versteckt hatte.

»Und auch heute noch«, sagte er lächelnd. »Es gibt eine Vielzahl von Möglichkeiten, sich im Chateau und auf dem Land zu verirren.«

Wieder so eine Andeutung, dachte sie. Oder suchte sie nur nach möglichen Doppeldeutungen?

Sie betraten einen anderen Korridor, dessen Wände mit Gobelins behangen waren, und schließlich einen weiteren, in dem die Wände weiß verputzt und mit großen Leinwänden versehen waren, deren Motive einen anzuspringen schienen. Ein dramatischer Sonnenuntergang, ein spektakulärer Sonnenaufgang, eine Meereslandschaft, die so real wirkte, dass

Gemma fast die Spritzer des Salzwassers auf dem Gesicht zu spüren glaubte; danach eine spitze Kurve nach rechts, und sie hatten die Tür zu ihrem Zimmer erreicht. Sie wandte sich dem Hausherrn zu und sah ihn an, alle Sinne geschärft.

Das Schweigen lag schwer zwischen ihnen, während sie sich taxierend ansahen.

Sie sah einen großen, schlanken Mann mit breiten Schultern und einer schmalen Taille vor sich. Sein weißes Hemd war am Hals offen und gab einen Blick auf die Brust frei. Leo, Graf Marais, Besitzer dieses gewaltigen und verschwenderisch luxuriös ausgestatteten Chateaus, Freund von Alexei Racine, Geliebter der Gabrielle de Sevigny, ihr Gastgeber, der ihr die Ehre erwies, sie zu ihrem Zimmer zu führen ... Leo Marais, ihr anonymer Dream Lover?

Er sah eine Frau, schlank und frisch aussehend, mit langen, silberblonden Haaren, die ihr Gesicht umrahmten, ein Gesicht mit hohen Wangenknochen und meerblauen Augen. Im Gegensatz zu Gabrielles einstudiertem blasierten Chic schien sie fast ungewollt provozierend, wurde ihm bewusst, als er die Kurven ihres Körpers musterte, die unter einem weiten, dunkelblauen Pullover verborgen waren, der zu ihrer Augenfarbe passte.

Er konnte die innere Spannung in ihr ahnen und erinnerte sich an Alexei Racines geheimnisvollen Anruf.

Sie standen da, spürten jeweils die Ausstrahlung des anderen, wie sie zwischen Mann und Frau fließen kann, wenn sie sich anziehend finden.

Er beugte sich über ihre Hand und küsste die Luft über ihrer Haut. Nicht einmal seine Lippen berührten ihren Handrücken. Sie spürte seinen Atem wie eine brodelnde Woge. Die Geste war intimer, als wenn er sie berührt hätte.

Während ihr Verstand fieberhaft auf ein Zeichen

wartete, auf ein verräterisches Wort oder eine bekannte Geste, reagierte ihr Körper instinktiv auf das stillschweigende Versprechen, das sie in der Beinahe-Berührung seines Mundes sah.

Allein im breiten Korridor vor ihrem Zimmer, gebadet im warmen Glimmen der Kristallleuchter, war alles möglich. Gemma fühlte sich benommen, wie in Trance, Nachwirkung der Weine und der wirbelnden Gefühle, die seine körperliche Nähe auslösten.

Würde er sie berühren? Würde er sie küssen? Würde er sich ihr zu erkennen geben?

Mit pochendem Herzen sah sie auf seinen gebeugten Kopf, auf das dichte, glänzende Haar, das sich über den Kragen des weißen Hemds kräuselte, auf die olivfarbene Haut seines Nackens und die elegante Gestalt. Sie stellte sich ihn nackt vor, wie er sich über sie beugte, und plötzlich hatte sie eine Vision seines erigierten, schön geschwungenen Penis, und verlegen hörte sie ihren eigenen hechelnden Atem.

Sie stand reglos da, als er den Kopf wieder hob und einen Schritt zurücktrat. Er ließ ihre Hand los, die schlaff herabfiel.

Gemma wartete.

Auch Leo rührte sich nicht. Das Schweigen zwischen ihnen setzte sich fest. Seine Augen blickten hungrig und gleichzeitig verwirrt, als er ihr Gesicht betrachtete, dann ihre Brüste mit Blicken abtastete, ihre Hüften und Beine. Als er sich langsam auf sie zu bewegte, war sie bereit, sie wartete auf die treibende Kraft seiner Zunge, auf das Saugen seiner Lippen, auf seinen geschmeidigen Körper.

Sie war bereit, sich hier im Korridor im Stehen nehmen zu lassen. Er konnte sie hart gegen die Wand drücken, ebenso hart, wie er sie auf den Lehmboden der Gruft gedrückt hatte.

Ihr Körper lockerte sich, er fühlte sich heiß und geschwollen an, fast betäubt von der Erwartung seiner

Berührungen. Als sein Mund sich ihrem näherte, schloss sie die Augen.

Sie spürte das leichte Streicheln seiner Lippen auf der einen Wange, dann auf der anderen. Im nächsten Moment war da nur eine Leere, und das bedeutete, dass sie allein war.

Leo ging den Korridor zurück, und diesmal hatte er keinen Blick für die strahlenden Farben auf den Leinwänden. Er wünschte, er hätte eine Zigarre bei sich, eine gute kubanische Zigarre, einen Cognac und eine Erklärung.

Alexeis Worte klangen in seinen Ohren nach. ›Es steht dir frei, mein Freund, das *droit de seigneur* auszuüben, damit hilfst du mir bei dieser so komplizierten Verführung.«

Nun, er hatte es nicht getan. Nicht, weil sie nicht begehrenswert war und auch nicht, weil er sie nicht begehrt hatte. Nur wenige Männer wären in der Lage gewesen, diesen tiefen blauen Augen zu widerstehen, und schönere Haare hatte Leo noch nie gesehen. Dann dieser immer stets leicht geöffnete Mund, der geradezu darum bettelte, geküsst zu werden. Und die bebende Hitze ihres Körpers, die seiner gleichkam.

Aber er hatte gezögert und war dann gegangen. Und er hätte nicht sagen können warum. Irgendein vages Unbehagen, eine halb gefühlte, halb verstandene Vorahnung. Er versuchte, sich Rechenschaft zu geben.

Lag es daran, dass Alexei ganz im Gegensatz zu seiner sonstigen Art so hartnäckig darauf bestanden hatte? Er liebte Alexei wie einen Bruder – oder wenigstens so, wie Leo, der Einzelkind gewesen war, glaubte, einen Bruder zu lieben. Aber er traute ihm nicht. Niemand traute Alexei. Er war zu subtil, zu komplex, zu verdreht.

Und er war allein mit Gabrielle. Bei diesem Gedanken verharrten seine Schritte. Er stand vor einem Seurat. Eifersucht gehörte nicht zu Leos Naturell; er war in eine Familie hineingeboren worden, die keinen Anlass für Neid und ähnliche Gefühle gab.

Er wandte sich vom Seurat ab. Es war nicht seine Stärke, Gefühle zu analysieren; er hasste es bei anderen und gab sich nur selten solchen überflüssigen Gedanken hin. Aber als er sich den beiden näherte, bemühte er sich, leiser aufzutreten. An der Tür blieb er stehen.

Alexei und Gabrielle waren vom Tisch aufgestanden und schauten aus einem der Fenster auf den Wintergarten. Leo stand reglos im großen Zimmer. Seine Bewunderung für alles Schöne ließ ihn verharren, er wollte den Zauber, der über diesem Bild lag, nicht zerstören.

Sie war kleiner als Alexei, und im Kreis seiner Arme wirkte sie zierlich und zerbrechlich. Sie hatte den Kopf weit in den Nacken gelegt, und Leo konnte das Pochen der Halsschlagader erkennen. Ihre Haut war leicht gerötet … vom Wein? Vor Erregung?

Alexei war über sie gebeugt, seine Hände hielten sie an den Hüften gepackt, glitten jetzt höher, blieben dicht unter den Hügeln ihrer Brüste liegen. Sein Mund verharrte an ihrem Hals. Selbst aus dieser relativ großen Entfernung konnte Leo ihre flüsternden Stimmen hören und Gabrielles tiefes, gedämpftes Lachen.

Generationen der Marais waren erzogen worden, dass sie in jeder Situation Haltung bewahrten, und so ging Leo in den Saal hinein, nach außen unbewegt.

Auch Alexei schien ganz gelassen zu sein. Ohne die Hände von Gabrielles Körper zu nehmen und ohne den Mund an ihrem langen weißen Hals zu bewegen, schaute er auf. »Ah, Leo. Ich zeige Gabrielle gerade die Lockung eines Vampirs. Schau genau hin.«

Dann beugte er sich noch eine Idee tiefer, der pulsierenden Halsschlagader entgegen, und ließ die Zähne auf ihre weiße Haut sinken.

Es war ein verspieltes Nagen, nicht kräftig genug, um die Haut zu ritzen.

»Natürlich, mein Freund, natürlich«, sagte Leo, um Gleichmut bemüht. Es kam ihm fast so vor, als ob Blut geflossen wäre. Hatte das irgendeine symbolische Bedeutung? Welche? Und wessen Blut war geflossen?

»Alexei hat mir erklärt, wie die Kamera einen Körper sieht«, sagte Gabrielle und wand sich geschickt aus der Umarmung. Sie zeigte kein Anzeichen von Verlegenheit. »Und wie man in der Pose jede psychologische Nuance erkennt.«

»Tatsächlich«, sagte Leo und schenkte Portwein nach. Er konnte die Glut in Gabrielles Augen nicht übersehen, und auch nicht den Ausdruck tiefer Frustration bei Alexei.

In ihrem Empirebett, das einmal Kaiserin Josephine gehört hatte, mit Baldachin und rotem Samtvorhang, warf sich Gemma von einer Seite auf die andere. Der Schlaf wollte kommen, schwebte heran, senkte sich über sie, um dann vom nächsten Gedanken vertrieben zu werden, der ihr in den trunkenen Kopf geriet. Der Drehort, die Gruft im Wald … ihr Bauernhaus … das erwartungsvolle Sehnen, das sie gequält hatte, als Leo Marais sie zu ihrem Zimmer geführt hatte.

In ihrem Körper pulsierte es, ein langsames, heimliches Pochen, als wollte es anklopfen und nach Stimulans schreien, nach einer Erlösung.

Seit sie durch den Wald gefahren war, der den Blick auf den Grabhügel mit der Gruft verhinderte, und zum Chateau zurückgekehrt war, hatte sie sich in einem Stadium unterschwelliger Erregung befunden. Sie warf sich auf die andere Seite und zog ein Kissen heran, das sie wie einen Liebhaber in die Arme nahm.

Schließlich schlief sie ein und träumte, dass er zu ihr kam, sie umarmte, fest in seinem Griff hielt, ihren Körper gegen seinen schmiegte, sein Gesicht im Schatten.

Sie wehrte sich gegen ihn, kratzte mit den Fingern durch sein Gesicht, als wollte sie den Schatten wegziehen, herunter reißen; sie wand sich und biss und trat um sich, aber es war fruchtlos, denn er drang in sie ein, drückte sich ihr auf. Sie spürte dieses wirbelnde, heiße Urverlangen in sich, das alle Gedanken auslöschte.

Er zwang sie, sich zu den fordernden Stößen seiner Lenden zu bewegen, sich dem unnachgiebigen Rhythmus seiner Hüften anzupassen, seinem Penis, der hart in sie stieß, der die Säfte ihres Körpers abrief. Ungewollt spürte sie ihre Nässe, ihre Erregung. Er war stärker als sie, härter, zwingender, und scheinbar ohne Mühe unterwarf er sie seinem Willen.

Sie wachte mitten in den aufrüttelnden Wellen ihres Orgasmus auf und wurde sich des heißen, verschwitzten Körpers bewusst. Das Betttuch lag zerknautscht zwischen ihren Schenkeln. Sie lag schwer atmend da, noch ganz im Bann des Geschehens, und spürte den Druck eines Phantomgeliebten, eines Dream Lovers, der nicht existierte.

Sie ließ die prickelnden Wellen durch ihren Körper schwappen, bis sie abebbten, und sie spürte, wie sie sich entspannte und locker wurde. Sie atmete tief durch und rutschte zu einer Seite des massiven Betts, stützte sich auf einem Ellenbogen ab und tastete nach dem Lichtschalter. Sie streckte den Arm aus, berührte zuerst die schwere Goldkordel, die den Vorhang zurück zu den Bettpfosten zog, dann griffen die Finger weiter zum Nachttisch.

Sie konnte die Knöpfe im Geiste sehen, eine wunderschöne Kombination aus Kristall und Blattgold, eingelassen in die kunstvolle Intarsienarbeit der

Tischoberfläche. Noch ein wenig nach links, dachte sie, und rutschte zur Bettkante.

Plötzlich wurde ihr Arm gepackt; ein eiserner Griff, der bestimmt blaue Flecken hinterlassen würde, warf sie grob zurück auf die weiche Matratze. Eine große Hand drückte auf ihren Mund und schnitt den Schrei ab, den sie sonst ausgestoßen hätte. Sie hörte das Rascheln des Samtvorhangs, dann fand sie sich in völliger Dunkelheit wieder.

Sie wand sich, schlug mit den Armen um sich, aber dann wurden ihre Hände wie von Schraubstöcken gepackt. Sie sträubte sich gegen einen harten Körper, der sich auf sie legte und der viel stärker war als ihrer.

Es war wie in ihrem Traum, aus dem sie eben erst aufgewacht war, und doch wusste sie sofort, dass dies kein Traum war. Im ersten Augenblick war sie verwundert über dieses déjà vu, aber dann spürte sie die erste aufkommende Angst, die ihr fast die Kehle zuschnürte.

»Hör auf!«

Sie erkannte die harsche Stimme, das verzerrte Flüstern. Sie hatte es als Echo gehört, wie es von den Wänden der unterirdischen Gruft widergehallt hatte. Es war seine Stimme, unverkennbar, unvergessen.

Plötzlich war sie wütend. Sie wand und streckte sich, versuchte die Hand über ihrem Mund zu beißen, aber das Gewicht seines Körpers hielt sie so fest, dass sie sich kaum bewegen konnte. Ihr Gesicht wurde in die nachgiebige Weichheit der Matratze gedrückt.

Sie setzte jede Unze ihrer Energie ein, alle Kräfte, die sie mobilisieren konnte. Ihr Atem kam schwerer. Er presste ihr mit seinem Körper die Luft ab. Der Sauerstoff im verhangenen Bett wurde knapp, die Luft dick und schwer.

Das Bettzeug rutschte immer tiefer und bedeckte sie nur noch von den Hüften abwärts, und je mehr sie strampelte, desto weiter rutschte es nach unten. Sie spürte, wie sie mit den nackten Hüften gegen seinen Schoß stieß. Sie bemerkte die harte Stange seiner Erektion und erstarrte.

»Nicht schon wieder«, sagte sie gegen seine Hand. »Nicht so. Ich muss es wissen. Leo?«

Er konnte sie nicht gehört haben, aber er musste gespürt haben, dass sie etwas gesagt hatte. Er hob die Hand von ihrem Mund, zuerst nur zaghaft und testend, aber genug, dass sie reden konnte.

Sie atmete tief ein, holte die Luft in ihre platten Lungen. »Nicht so«, wiederholte sie, nachdem sie ein paarmal tief eingeatmet hatte. »Ich muss es wissen. Leo?« Ihre Stimme war kaum mehr als ein krächzendes Flüstern.

»Nicht?«, fragte er mit seiner harschen, gepressten Stimme.

Seine Hand drückte wieder gegen ihren Mund, aber diesmal war sie zärtlich, sie presste ihre Lippen zusammen, als wollte er nichts mehr von ihr hören.

Wütend wand sie sich unter ihm, stieß gegen ihn, denn sie war entschlossen, endlich sein Gesicht zu sehen. Aber ihre Bewegungen brachten sie näher an ihn heran, an seine Lenden, und dann spürte sie, wie er mit schlafwandlerischer Sicherheit in sie eindrang.

Sie war glitschig und bereit, noch feucht von ihrem Traumhöhepunkt, und unbewusst hatte dieser Kampf sie erregt.

Sie wehrte sich weiter gegen ihn, wollte sich ihm entziehen, unter ihm weggleiten. Sie bäumte sich auf und wand sich hin und her. Aber die strampelnden Bewegungen hatte nur zur Folge, dass er tiefer und tiefer in sie eindrang.

Sie hätte später nicht sagen können, wann es sich wandelte, wann ihre Wut zur Leidenschaft wurde, wann die erwidernden Stöße ihrer Hüften und des Beckens gegen seine harten Lenden von Lust und nicht mehr von Empörung getrieben wurden.

Es war ein schnelles, hektisches Paaren, und ihr Höhepunkt schlug unerwartet zu, schoss wie eine Feuerwalze durch ihren Körper. Er biss sie in den Hals, als es ihr kam, wie ein Hengst sich während des Ergusses an seiner Stute festbiss, und sie spürte, wie er geschüttelt wurde.

Er hatte die Hand immer noch auf ihren Mund gepresst. Sie sollte beißen, sollte ihn mit ihren Zähnen markieren, damit sie ihn am Tag, wenn Licht und Verstand zurückgekehrt waren, erkennen konnte. Dann würde er ihr Zeichen tragen. Sie wollte es gerade tun, aber genau in dem Augenblick drückte sich die Hand wieder fester auf ihren Mund.

»Meine kleine Psyche, denke an Amor«, hörte sie ihn harsch flüstern.

Amor? Psyche? Ihre Gedanken überschlugen sich, sie dachte an Karten zum Valentinstag, Amor mit Pfeilen und Köcher ...

Sie seufzte, atmete tief ein und sog einen fremden Geruch ein. Im nächsten Moment fiel sie in einen tiefen Schlaf.

SIEBTES KAPITEL

Als Gemma am anderen Morgen die Augen aufschlug, war es in dicker, schwarzer Dunkelheit. Trotzdem fühlte sie sich wach und erfrischt. Sie gähnte und streckte sich, und dabei stieß sie mit einer Hand gegen den schweren Samtvorhang. Sofort erinnerte sie sich.

Sie runzelte die Stirn, und dann musste sie lächeln. Sie schlängelte sich übers Bett bis zum Rand und teilte die Vorhänge. Blassgraues Licht filterte durch die Fenster. Die Antikuhr auf dem Nachttisch zeigte auf acht.

Mit nachdenklicher Miene verrichtete sie die Morgentoilette im glänzend weißen Badezimmer. Sie hatte kaum einen Blick für den Luxus in ihrer Umgebung, selbst nicht für die ungewöhnlichen Armaturen in der Gestalt von goldenen Delfinen.

Sie duschte, wusch sich die Haare und schlang ein gewaltiges, flauschiges Badetuch um ihren Körper. Nach dem Zähneputzen wollte sie ein Minimum an Make-up auflegen. Sie betrachtete sich im Spiegel, dann legte sie die Tube für eine leichte Grundierung wieder hin. Ihre Haut sah frisch und rosig aus, und ihre Augen blickten hell.

Sie sah aus, als hätte sie sich gerade aus den Armen des Geliebten erhoben. Sie lächelte. Das stimmte ja auch beinahe.

Sie lächelte sich im Spiegel an, und das Bild lächelte verschwörerisch zurück, als ob sie ein köstliches, heikles Geheimnis teilten. Sie konnte nicht genau sagen, woher ihre gute Laune rührte. Sie fühlte sich wie aufgedreht, unbeschwert und euphorisch.

Sie ließ das Badetuch fallen und betrachtete ihren nackten Körper im Spiegel.

An einem Morgen vor ein paar Wochen war sie durch den Anblick einer roten Mondsichel auf ihrer

Brust an das Geschehen in der Nacht erinnert worden, aber jetzt waren ihre Brüste unversehrt, ohne Spur vergangener Leidenschaft.

Er hatte sie dort gar nicht berührt, hatte ihre Nippel weder geküsst noch gesaugt noch gebissen; er hatte ihren Körper kaum angefasst, ehe er in sie eingedrungen war. Gemma ließ eine Hand zu ihrem Schoß sinken und strich langsam durch den goldenen Flaum des Venusbergs.

Er hatte sie gesucht und gefunden, hatte sie wild und wunderbar genommen, bevor sie ihn mit einem Biss in die Hand hatte zeichnen können.

Amor und Psyche. Im hellen Tageslicht wusste sie sofort, was ihr Liebhaber angedeutet hatte. Ein Gott, der sich in eine Sterbliche verliebt hatte, besuchte sie im Schutz der Dunkelheit, weil sie sonst von seiner göttlichen Schönheit geblendet worden wäre. Als Psyche, die ihren Dream Lover unbedingt sehen wollte, eine Kerze anzündete, um sein Gesicht erkennen zu können, war Wachs auf den Arm des Gottes gefallen, und aus den Armen waren Flügel geworden …

War Psyche in der blendenden Schönheit ihres unsterblichen Geliebten zu Grunde gegangen? Gemma konnte sich nicht erinnern. Es spielte auch keine Rolle.

Automatisch strich sie die Hände durch ihre Haare und begann sie zu flechten, aber dann schüttelte sie den Kopf, fuhr mit der Bürste durch die Haare und ließ sie frei über die Schultern fallen.

In ihrem Zimmer zog sie sich rasch an. Sie stieg in Jeans und flache Wildlederschuhe, deren Maulbeerfarbe zu ihrem Kaschmirpullover passte. Sie band sich einen langen Schal in Blau und Purpur um, warf einen letzten Blick in den Spiegel und fand, dass sie bereit war.

Er würde sie wieder finden … oder vielleicht würde sie ihn finden.

In diesem Augenblick fühlte sie sich so gut, so

gesättigt, so befriedigt, dass sie nach dem Frühstück lechzte.

Ein dralles lächelndes Mädchen in schwarzer Tracht fand sie verloren in einem Korridor und führte sie zu einem Wintergarten. An der Tür blieb Gemma stehen. Sie hatte den Eindruck, in einen tropischen Regenwald zu treten, heiß und feucht.

Bäume mit üppigen grünen Blättern reichten bis unter die Decke, und verschiedene Schlingpflanzen rankten sich um die Stämme. Orchideen schoben sich durch den moosigen Boden, und überall prangten grelle Blüten. Sie hörte das gedämpfte Plätschern von Wasser und das Zwitschern einer Vielfalt von Vögeln.

Das Mädchen führte sie zu einem großen runden Tisch, der zum Frühstück gedeckt war. Gabrielle saß schon da, sie hatte es sich in einem breiten Korbsessel gemütlich gemacht und nippte am Kaffee. Sie trug eine scharlachrote Tunika und eine enge Hose. Lippen und Fingernägel waren auf die Farbe der Tunika abgestimmt. Das rabenschwarze Haar hatte sie zu einem dicken Zopf zusammengefasst, den sie über eine Schulter geworfen hatte. Es war, als gehörte sie zum exotischen Ambiente.

»Guten Morgen, Gemma«, sagte Gabrielle. »Sie sehen so … so ausgeruht aus.« Ihre Augen blickten sie spekulierend an. »Kommen Sie, setzen Sie sich. Marie bringt Ihnen, was Sie wollen.«

»Kaffee, bitte, dazu Saft, Schinken und Eier, wenn das möglich ist«, sagte Gemma und ließ sich in einen tiefen Korbsessel fallen. Sie waren mit dicken Kissen in purpurnen, roten und grünen Farben gepolstert und sehr bequem. »Oh, und ein paar Scheiben Toast«, fügte sie hinzu.

Das Mädchen erklärte rasch und ausführlich, aber Gemma verstand nur jedes zehnte Wort.

»Sie bietet jede Form von Eiern an, gerührt, gebraten, gekocht, verloren oder als Omelette«, erklärte Gabrielle mit einem überlegenen Lächeln. »Crêpes, Waffeln, Würstchen, Obst … was immer Sie wollen.«

»Rühreier, bitte«, sagte Gemma dem Mädchen, das wiederum in einen Wortschwall ausbrach.

»Filterkaffee, Espresso, Capuccino, koffeinfrei«, übersetzte Gabrielle.

»Filterkaffee, bitte.«

»Und Toast – braun, weiß, Vollkorn …«

»Braun«, sagte Gemma, leicht amüsiert, und wandte sich an Gabrielle. »Was für ein Aufwand«, sagte sie, nachdem das Mädchen gegangen war.

»Nicht wirklich«, sagte Gabrielle achselzuckend. »Jetzt weiß sie, was Sie wollen, und genau das wird sie Ihnen bringen. Leo will, dass seine Gäste auf allen Gebieten befriedigt werden, und er hat ausgezeichnetes Personal.« Sie nippte an ihrem Kaffee und schaute Gemma über dem Rand ihrer Tasse an.

»Es ist ein fantastisches Schloss«, sagte Gemma. »Es ist wunderbar von Leo, dass er uns hier wohnen lässt. Sehr großzügig.«

»Großzügig?«, wiederholte Gabrielle und brach ein Croissant. »Hm, ja, vielleicht.« Sie vermutete offenbar ein anderes Motiv und beäugte Gemma. Sie war eine schöne Frau mit den silberblonden Haaren und den tiefen blauen Augen. Ihr fehlte das französische Flair, wenn sie es hätte, wäre ihr Schal anders gebunden, eleganter, und sie hätte einen Gürtel getragen.

War sie Leos Typ?, fragte sich Gabrielle. Er war letzte Nacht nicht in ihr Bett gekommen. Sie hatte stundenlang wach gelegen und auf die pummeligen Putten und vollbrüstigen Nymphen gestarrt, die zum Muster der Tapete gehörten. Sie hatte an ihn gedacht, hatte sich nach ihm gesehnt und sich gefragt, ob sie einen Fehler begangen hatte.

Aus zwei Gründen hatte sie mit Racine geflirtet.

Erstens war er auf eine dunkle Weise ein faszinierender Charakter, und zweitens wollte sie Leo eifersüchtig machen. Aber sie hatte nicht mit Racines scharfen Zähnen an ihrem Hals gerechnet, dem plötzlichen Thrill, den er in ihr ausgelöst hatte.

Konnte es sein, dass sich ihre Leidenschaft für Leo ein wenig abgeschwächt hatte? Ach, das war ein interessanter Gedanke. Wie konnte sie das herausfinden?

»Hat Leo bei Ihnen geschlafen?«, fragte sie Gemma und schenkte sich eine frische Tasse Kaffee ein.

Gemma, die gerade einen Schluck Wasser getrunken hatte, verschluckte sich und begann zu würgen.

Gabrielle betrachtete sie, ein amüsiertes Lächeln um die Winkel ihres perfekt geschminkten Mundes. Sie wartete, bis Gemma sich gefangen hatte, dann fuhr sie fort.

»Ich bin neugierig, müssen Sie wissen, nicht eifersüchtig«, erklärte Gabrielle. »Jedenfalls glaube ich nicht, dass ich eifersüchtig bin. Ah, da ist Marie mit Ihrem Frühstück. Leo und ich sind seit sechs Monaten liiert. Er ist großartig im Bett, einfach großartig. Und ich habe Angst, dass er sich allmählich bei mir langweilt, verstehen Sie?«

Gemma murmelte etwas, weil Gabrielle offenbar eine Reaktion von ihr erwartete. Sie fragte sich, ob sie die Franzosen je verstehen würde. Lustlos und verlegen stakste ihre Gabel in den Rühreiern.

»Zwischen uns ist es nur eine körperliche Angelegenheit«, sagte Gabrielle. »Aber es ist gut, deshalb kann ich nicht genug von ihm bekommen. Schwierig, nicht wahr?«

Gemma verfing sich in ihren eigenen Gedanken und ließ sich Zeit mit einer Antwort.

Gabrielle legte das Schweigen falsch aus. »Vielleicht schockiere ich Sie«, sagte sie, zündete sich eine Zigarette an und lehnte sich zurück.

»Nein, überhaupt nicht«, rief Gemma. In Wirklichkeit war sie schon ein wenig schockiert, nicht über die Geschichte selbst, sondern von Gabrielles unbeschönigter Ehrlichkeit – schließlich war Gemma eine Fremde für sie.

»Wenn du einen Geliebten hast, der deinen Körper zum Schwingen und Glühen bringt, der Sehnsüchte in dir auslöst, von denen du bisher nichts gewusst hast … nun, dann ist er ein guter Liebhaber«, sagte Gabrielle. »Für mich ist Leo so ein Mann. Aber wenn er sich mit mir zu langweilen beginnt und die Affäre abbrechen will, dann muss ich es sein, die einen Schlussstrich zieht. Oder ich muss einen neuen Weg finden, ihn wieder an mich zu fesseln. Das ist mein Dilemma, verstehen Sie? Ich meine, es ist ein Dilemma, für das nur eine Frau Verständnis aufbringen kann.«

»Ja«, sagte Gemma und schob ihren Teller von sich. Ihr Appetit war verschwunden, möglicherweise verflogen mit dem beißenden Rauch von Gabrielles Zigarette.

»Deshalb bin ich neugierig, ob Leo in der Nacht zu Ihnen gekommen ist, verstehen Sie? Es ist eine komplizierte Angelegenheit.«

»Nicht so kompliziert wie meine«, sagte Gemma plötzlich und stieß einen Seufzer aus. »Darf ich eine Zigarette haben?«

Und dann erzählte sie die ganze unglaubliche Geschichte ihres Dream Lovers zwischen dem Ziehen an der Zigarette und dem Nippen an der Kaffeetasse.

Gabrielle lauschte aufmerksam, die Augen weit geöffnet. Sie murmelte auffordernd, wenn Gemma stockte und unterbrach nur einmal, als sie Marie bat, Zigaretten zu holen und eine Flasche Champagner zu bringen, den sie mit frisch gepresstem Orangensaft mischen sollte.

»Eine solche Geschichte verlangt Champagner«, sagte sie zu Gemma.

Das perlende Getränk löste Gemmas Zunge noch ein wenig mehr, und sie vertraute sich Gabrielle auch mit intimeren Details an, bis es nichts mehr zu erzählen gab.

Gabrielle drückte ihre Zigarette aus und zündete sich gleich eine neue an. »Unsere Geschichten begegnen sich also«, sagte sie, »jedenfalls berühren sie sich. Ihr Dream Lover ist entweder Leo oder Alexei Racine.«

»Racine?«, wiederholte Gemma und zuckte zusammen. Sie schüttelte energisch den Kopf. »Unmöglich.«

»Er war auf der Party«, sagte Gabrielle. »Ich habe ihn dort kennen gelernt, ihn und einen anderen von Leos Freunden, dessen Namen ich vergessen habe. Ja, Alexei Racine war auf der Party.«

»Himmel, nein«, murmelte Gemma. Sie spürte, wie sich eine Gänsehaut bildete. Sie nahm rasch noch einen Schluck Champagner.

»Viel interessanter ist, was diese Heimlichkeit soll«, sagte Gabrielle. »Warum gibt er sich Ihnen gegenüber nicht zu erkennen? Ich glaube, er betrachtet es als eine Art Spiel.«

»Aber wozu?«, fragte Gemma verwirrt. »Was bezweckt er damit?«

»Nun, Leo hat eine begnadete Fantasie«, sagte Gabrielle nachdenklich. »Aber Amor und Psyche … Ich verstehe das noch nicht. Vielleicht ist es doch Alexei, weil er weiß, dass Sie ihn hassen.«

»Aber er hat es geradezu darauf abgezielt, dass ich ihn hassen musste, Gabrielle. Sie haben keine Vorstellung davon, wie entsetzlich arrogant er sein kann, wie … ach, lassen wir das, es spielt jetzt keine Rolle mehr.«

»Richtig«, sagte Gabrielle entschieden. »Es ist egal. Wichtig ist, einen Plan zu entwickeln. Eine List. Wir wollen beide wissen, ob Leo Ihr Dream Lover ist … würden Sie ihn erkennen? Ich meine, würden Sie es wissen, wenn er Sie noch einmal nähme?«

»Ja«, sagte Gemma, »da bin ich mir sicher.«

»Und wenn ich Ihnen helfe, helfen Sie mir dann auch?« Gabrielle streckte ihre Hand aus und streichelte Gemmas Hand. Ihre Blicke trafen sich.

»Wir müssen uns etwas einfallen lassen«, flüsterte Gabrielle und fuhr mit der Fingerspitze über die empfindliche Haut zwischen Gemmas Fingern. »Etwas Phantasievolles.«

»Aber was?«, murmelte Gemma und spürte plötzlich eine sexuelle Spannung zwischen ihnen, die sich offenbar daraus ergeben hatte, dass sie ihre intimen Bekenntnisse ausgetauscht hatten.

»Sie müssen verstehen«, sagte Gabrielle, »dass es auch für mich um sehr viel geht. Deshalb bin ich auch gewillt, viel einzusetzen. Auch das hier.«

Sie lehnte sich weit vor, beugte sich zu Gemma, deren Hand sie noch immer hielt, und küsste Gemma auf den Mund.

Gemma blieb still sitzen. Die Überraschung war Gabrielle gelungen. Gemma nahm den exotischen Duft von Gabrielles Parfum wahr, spürte die sanften Lippen auf den eigenen und fühlte dann, wie die warme, schlüpfrige Zunge in ihren Mund drang, kurz neckte und sich wieder zurückzog.

Gabrielle sah Gemma fragend an. »Bist du bereit, auch so weit zu gehen?«

»Ja.« Gemma hatte das Gefühl, Gabrielle hätte ihr dieses Wort abgerungen.

»Gabrielle, meine Liebe, und Gemma. Ich hatte nicht damit gerechnet, dass ihr schon so früh auf den Beinen seid.« Leo betrat den Wintergarten. Neben ihm ging ein hoch aufgeschossener Mann mit braunen Haaren und braunen Augen. »Jay, ich bin sicher, du erinnerst dich an Gabrielle? Gabrielle de Sevigny, Jay Stone.«

»Oh, ja, natürlich erinnere ich mich«, sagte Gabrielle und streckte ihre Hand aus. »Wir haben uns auf der Silvesterparty kennen gelernt.«

»Jay, das ist Gemma de la Mare, Alexeis Produzentin«, fuhr Leo fort. »Jay ist am späten Abend eingetroffen.«

Nachdem die Begrüßung beendet war, setzten sich die Männer an den runden Tisch, und Marie stand sofort neben ihnen. Es gab eine längere Diskussion, als Leo einige Fragen zu den Erdbeeren stellte, die sie empfohlen hatte. Waren sie reif? Waren sie importiert?

Gabrielle zündete sich wieder eine Zigarette an und warf Gemma einen verschwörerischen Blick zu.

Gemmas Gedanken überschlugen sich. Sie lächelte und beteiligte sich munter an den Gesprächen, um ihre Verwirrung zu verstecken, aber sobald es schicklich schien, entschuldigte sie sich und floh.

Aufgestützt auf das weiße Satinkissen, nur mit dem schwarzen Morgenmantel aus Seide bekleidet, schaute Alexei Racine dem flackernden gelben Licht zweier schwarzer Kerzen zu. Das Filmteam würde am frühen Nachmittag eintreffen, dann würden ein paar zäh dahinfließende Stunden vergehen, bis die Technik eingerichtet war. Es war ein perfekter Tag zum Filmen, es war trübe, der Himmel mit Wolken verhangen. Zur Dämmerung hin würden die Schatten länger werden.

Vor seinem geistigen Auge lief die Szene ab. Die zerbröckelnden Grabsteine auf dem alten Friedhof, die sich zur Erde neigten. Der bedrohlich wirkende baufällige Turm, im Hintergrund schemenhaft zu erkennen. Die Frau, die sich wie in Trance durch die unheimliche Gegend bewegte, angezogen vom mysteriösen Locken des Grafen.

Nackt, überlegte er, oder im durchsichtigen weißen Nachthemd, wie die Schneiderin vorgeschlagen hatte? Es war ein abgedroschenes Bild, so abgedroschen, dass es vielleicht noch zog. Das Spiel des Lichts im durchsichtigen Nachthemd würde ihre nackten Beine gut zur Geltung bringen und den Schatten zwischen den Schenkeln sichtbar machen. Trotzdem – nackt wäre vielleicht besser, überlegte er und schloss die Augen. Der blasse Glanz nackter Haut unter einem grauen Himmel …

»Was, um Himmels willen, tun Sie denn da?«

Gemmas Stimme, aus der Erstaunen und Abscheu klangen, riss ihn aus seinen Überlegungen. Er öffnete ein Auge und schloss es wieder. »Ich denke nach«, sagte er.

»Sie sehen … so …« Ihre Stimme brach ab. Sie hatte ›lächerlich‹ oder ›absurd‹ sagen wollen, aber statt dessen schaute sie nun genauer hin.

Gegen das weiße Satinkissen leuchteten seine langen schwarzen Haare wie ein polierter Onyx. Sein schwarzer Seidenmantel klaffte über dem Brustkorb auseinander und enthüllte einen seidigen schwarzen Pelz, der zum Bauchnabel hin noch dichter wurde. Das flackernde Licht spielte mit seinem Gesicht und hob seine Adlernase, die tief liegenden Augen und den sinnlich-brutalen Mund stärker hervor.

»… so absurd aus«, entschied sie dann.

Nur das schwache Zucken seiner Lippen ließ erkennen, dass sie ihn gehört hatte. »Ich denke über die jeweiligen Vorzüge von nackter Haut und einem durchsichtigen weißen Nachthemd nach«, sagte er.

Sie fühlte, wie bei diesen Worten die Hitze in ihre Wangen stieß. Gabrielles Stimme klang in ihren Gedanken nach. »Es muss entweder Leo oder Alexei Racine sein … Er war auf der Party, da bin ich mir ganz sicher.«

»Ich glaube, ich neige zur Nacktheit«, fuhr er träge fort. »Nackte Haut, blass und kühl, die darauf wartet, von Glut gewärmt zu werden, von der Glut der gierigen, fatalen Küsse des dämonischen Liebhabers.«

Sie atmete schneller, und ihr Puls begann zu rasen.

Es war unmöglich ...

»Natürlich wird die dumme Kuh jammern, dass es zu kalt sei«, sagte Racine, schlug die Augen auf und stützte sich auf einen Ellenbogen. »Sie hat doch keine Nacktbeschränkung in ihrem Vertrag?«

»Was?«

»Hat sie darauf bestanden, dass mit ihr keine Nacktszene gedreht wird?«, fragte Racine mit erhobener Stimme und einem Stirnrunzeln.

»Wer?«

»Lucy natürlich«, fauchte er.

»Oh.« Allmählich begriff Gemma. »Nein, nein, so einen Vorbehalt gibt es in keinem Vertrag für diesen Film. Sprechen Sie von der Friedhofsszene?«

»Natürlich rede ich von der Friedhofsszene. Sie erinnern sich, dass wir einen Drehplan haben? Ein dicker schwarzer Ordner, den Ihre Leute zusammengetragen haben? Traurig entstellt durch unzählige orthographische Fehler und falsche Grammatik, aber trotzdem eben ein Drehplan?«

»Ich erinnere mich schwach«, gab Gemma eisig zurück. Sie war erleichtert, dass ihre momentane Verwirrung unter dem vertrauten Gift, das Racines Zunge versprühte, gewichen war. Sein Sarkasmus war ihr in diesem Augenblick sogar tröstlich, denn er erinnerte sie daran, dass sie sich um die konkreten Probleme des Drehs zu kümmern hatte. Diese Probleme waren real, man konnte sie angehen – ganz im Gegensatz zu den bizarren Themen dieses Morgens, die sie plagten: Gabrielles Kuss, Leo als ihr Liebhaber. Und da war auch noch Jay, der in der Nacht eingetroffen war.

Ja, sie war erleichtert über Racines Sarkasmus. »Im Drehbuch trägt sie ein Nachthemd«, sagte sie. »Und Lucy soll unschuldig wirken ... sie ist eine Frau aus der viktorianischen Zeit ... es würde nicht zu ihrem Charakter passen, nackt herumzuwandern.«

»Stimmt«, sagte er und schwang seine Beine aus dem Sarg. »Stimmt, aber das ist irrelevant. Denken Sie an Polanskis Hexen. Der Film schafft seine eigene Welt, seine eigene Realität. Lucy steht im Bann der hypnotischen Verzauberung des vampirischen Liebhabers, es ist also nachvollziehbar, dass sie sich für ihn entblößt.«

»Sie verzichten damit auf den gespenstischen Effekt des durchsichtigen Gewebes«, wandte Gemma ein und warf einen Blick auf die langen Beine, die sich aus dem polierten dunklen Holz des Sarges streckten. Seine Füße waren nackt; es waren lange und selten elegante Füße mit einem hohen Rist und sehr langen Zehen.

»Ich weiß«, sagte er bedauernd, »und das stimmt mich traurig. Vielleicht sollten wir beide Alternativen filmen und entscheiden, wenn wir sehen, was die Kamera am meisten liebt.«

Sie konnte es kaum glauben. Zum ersten Mal, so schien es ihr, konsultierte er sie, ließ er sie teilhaben an der eigentlichen Regiearbeit ... und die ganze Zeit spürte sie den wilden, verrückten Impuls, sich vor ihn zu knien und ihre Zunge über den hohen Rist seines Fußes zu lecken und in seine blassen grauen Augen zu sehen, um seine Reaktion zu erleben.

»Es wäre sinnvoller, die Entscheidung jetzt zu treffen«, sagte sie, immer noch verwundert über ihre perversen Gedanken. Wenn Racine ihr Dream Lover war, was würde sie dann tun? Wollte sie es dann überhaupt wissen? »Vom weiteren Verlauf des Drehbuchs her spielt es keine Rolle, wenn ich mich recht erinnere.«

»Und Sie, die Produzentin Gemma de la Mare, Sie haben keine künstlerische Präferenz? Keine Meinung?«

Doch. Plötzlich war die Vorstellung überwältigend, mit ihrer Zunge über seine nackte Haut zu lecken, ihn für einen Moment einzulullen, um dann hart zu-

zubeißen, bis sie den Knochen zwischen den Zähnen spürte und das warme Blut ihren Mund füllte.

Sie sah ihn durch verengte Augen an, nahm kühl die bleiche Eleganz seines Körpers wahr, die schwarze Seide seines Mantels. »Ich ziehe die Lösung mit dem Nachthemd vor, glaube ich«, sagte sie ruhig. »Das sieht verlockender aus … und gibt der Kamera mehr Tiefe.«

Großer Himmel, jetzt fing sie sogar schon an, wie Racine zu reden!

»Hm«, machte Racine und streckte sich wieder auf der weißen Seide des Sargs aus. »Ich liebe Verlockungen.«

Es war später Nachmittag. Der Himmel hatte ein Einsehen und war so, wie Alexei Racine ihn gewünscht hatte, verhangen, grau, bedrohlich. Das Team stand bereit, und die Schauspielerin, die Lucy darstellte, zitterte in ihrem transparenten weißen Nachthemd.

Gabrielle stand auf einen Grabstein gestützt, von Kopf bis Zehen in Nerz gewandet, und beobachtete mit rapide abnehmendem Interesse den Auf- und Abbau der technischen Geräte. Einen Film zu drehen, fand sie, schien zu erfordern, dass eine große Anzahl Menschen gelangweilt herumstand, rauchte, schalen Kaffee aus Plastiktassen trank und darauf wartete, dass etwas geschah.

Erstaunlich, überlegte sie, dass eine so kreative, künstlerische Arbeit sich so zäh hinschleppte. Und so langweilig war. Sie konnte sich nicht erinnern, jemals einen so überflüssigen Nachmittag verbracht zu haben.

Sie sah zu, wie Racine um die Kamera stakste. Sein Gesicht drückte kontrollierte Spannung aus. Gemma befand sich in einem intensiven Gespräch mit einem kampfeslustig aussehenden Mann mit Pferdeschwanz und schwarzer Lederkleidung. Leo glänzte natürlich durch Abwesenheit. Vielleicht sollte sie ihn suchen.

Sie schüttelte sich und hatte sich gerade entschieden, zurück zum Chateau zu gehen, als eine Stimme rief: »Ruhe am Set! Ruhe, bitte!«

Sie sah zu, wie die Schauspielerin mit den langen blonden Haaren zögernd über den Friedhof schritt, die Augen groß und blank. Das Nachthemd wehte um sie herum und bauschte sich bei jedem Schritt auf, wobei ihre langen, schlanken Beine zu sehen waren.

»Schnitt!« Racines Stimme klang wie ein Peitschenhieb.

Sie wiederholten die Szene immer wieder. Gabrielle sah die Bewegungen der anderen Frau, und ganz allmählich formte sich in ihrem Kopf eine Idee.

Gemma rekelte sich in der Badewanne und ließ sich vom dampfenden parfümierten Wasser die Spannungen aus dem Körper ziehen. Racine war an diesem Nachmittag in seiner sarkastischen Hochform gewesen; er hatte eine Wiederholung nach der nächsten verlangt. Gemma war zu sehr in das Geschehen involviert gewesen, um an etwas anderes denken zu können.

Jetzt aber hatte sie Zeit, die Gedanken wandern zu lassen. Sie spielte noch einmal das Gespräch mit Gabrielle am Frühstückstisch durch. Ihre Erinnerung schien irgendwie unwirklich zu sein, wie fast alles seit ihrer Ankunft im Chateau. Vielleicht, dachte sie, lag es am Chateau selbst. Dieses verschwenderische, luxuriöse Ambiente war an sich schon unwirklich genug.

Sie hätte sich nie träumen lassen, einmal in einem Bett zu schlafen, das der Kaiserin Josephine gehört hatte, von goldenen Tellern zu essen … und jetzt lag sie in der Wanne eines Badezimmers, das so groß war wie ihre Londoner Wohnung, hatte die Füße auf die goldene Armatur in Gestalt von zwei Delfinen gelegt, atmete den Duft des exotischen Parfums eines kostbaren Badeöls ein und überlegte, wie sie die Verführung angehen konnte.

Ihre Gedanken wanderten zu ihrem Dream Lover, zu Leo Marais, Jay Stone und Alexei Racine. Sie schüttelte sich beim Gedanken an Racine, aber sie zwang sich, die Möglichkeit objektiv zu beurteilen. Alle drei Männer waren groß, über einen Meter achtzig, sie waren hager und muskulös, und alle waren auf der Silvesterparty gewesen. Jeder von ihnen konnte ihr Dream Lover sein.

Würde sie ihn wiedererkennen, wie sie Gabrielle gegenüber so vollmundig behauptet hatte?

Sie richtete sich auf und drehte an dem Delfinhahn, um mehr heißes Wasser einzulassen. Sie konnte natürlich versuchen, den Detektiv zu spielen und jeden zu fragen: »Wo warst du an jenen Abenden?« Aber irgendein Instinkt hielt sie davon ab. Eine gezielte Verführung war vielleicht geeigneter, die Wahrheit herauszufinden.

Seufzend streckte sie sich. Dann hörte sie ein Klopfen gegen die Tür ihrer Suite. »Ja?«

»Gemma, ich bin›s«, hörte sie Gabrielles Stimme. »Darf ich reinkommen?«

»Ja, natürlich, komm herein.« Gemma zögerte, die Wanne zu verlassen, aber dann stand sie auf und griff nach dem Badetuch. In diesem Augenblick öffnete sich die Tür, und Gabrielle schlüpfte herein.

»Ich wollte dich nicht stören«, sagte Gabrielle lächelnd und ließ ihre Blicke über Gemmas nackten Körper wandern. »Aber ich dachte, wir sollten etwas trinken und uns dabei unterhalten. Soll ich nach irgendwas klingeln? Was möchtest du?« Sie setzte sich auf den Stuhl vor dem Toilettentisch und winkte Gemma zurück in die Wanne.

»Eh … Ich bin nicht sicher, ob ich …« Mit einem Seufzer ließ sich Gemma zurück ins Wasser sinken.

»Martini«, unterbrach Gabrielle sie. »Eiskalt, mit Oliven. Mein Lieblingsgetränk, wenn ich in der Wanne sitze. Ja?«

»Hört sich gut an«, stimmte Gemma zu. Gabrielle schien ihrer Sache absolut sicher, Verlegenheit kannte sie nicht. Sie machte auch keinen Hehl aus ihrem Interesse an Gemmas Körper. Sie saß da, als ob es ganz natürlich wäre, in Gemmas Badezimmer zu sitzen. Vielleicht war es für sie auch nicht ungewöhnlich, dachte Gemma und erinnerte sich an die Unterhaltung und den Kuss am Frühstückstisch.

Gabrielle sprach in ein Mikrofon, das am Toilettentisch angebracht war, und lachte Gemma an. »Ich habe eine Karaffe bestellt. Es wird dir schmecken, das weiß ich. Aber sage mir, ist das Filmen immer so langweilig? Ich hätte nie gedacht, dass es so entsetzlich ermüdend sein könnte.«

Sie plauderte drauflos und wurde erst unterbrochen, als der Drink gebracht wurde. Sie schenkte zwei Martini ein, zündete sich eine Zigarette an und schlug ihre vollkommenen Beine übereinander.

»Sprechen wir über Jay Stone«, sagte sie. »Ein Zufall, nicht wahr?«

»Zufall? Ich weiß nicht.« Gabrielles Gegenwart war ihr ebenso bewusst wie ihre eigene Nacktheit. Wieso konnte sie nicht so unbefangen sein wie Gabrielle?

»Kann sein, dass Zufall nicht das richtige Wort ist. Aber du weißt, was ich meine?«

»Ja, ich glaube schon.« Gemma nippte an ihrem Glas. Der Martini schmeckte köstlich und frisch.

»Und was willst du tun?«

»Ich weiß nicht«, gestand Gemma. Sie begriff nicht, wie sie eben noch darüber hatte nachdenken können, Jay oder Leo zu verführen.

»Oh, es ist ganz einfach«, sagte Gabrielle. »Du wirst

es bei allen dreien versuchen, ja? Oder du musst darauf warten, dass dein Dream Lover noch einmal zu dir kommt. Aber ich habe eine Idee für uns beide.«

»Ja?« fragte Gemma und nahm noch einen Schluck Martini.

Gabrielle drückte ihre Zigarette aus und trat vor die Wanne. Sie hockte sich auf den Rand, tauchte eine Hand ins Wasser und schob sie hin und her, so dass kleine Wellen entstanden, die das Wasser kräuselten.

»Ich habe dir gesagt, dass ich mich frage, ob Leo sich bei mir zu langweilen beginnt.« Gabrielle blickte in Gemmas Augen. »Nun stelle ich mir vor, dass wir beide sein Interesse wieder wecken könnten.«

»Du und ich zusammen?« Gemma glaubte, ihre eigene Stimme nicht zu erkennen. Plötzlich fühlte sie Gabrielles Hand, die leicht über ihre Brüste strich. Trotz der Wärme des Badewassers richteten sich ihre Warzen zu kleinen steifen Spitzen auf.

»Zusammen«, murmelte Gabrielle mit lockender Stimme. Ihre Finger umschlossen eine Warze und drückten sie sanft. »Leo wird mich wieder mehr zu schätzen wissen, und du – nun, du findest heraus, ob er dein geheimnisvoller Dream Lover ist. Wir schlagen zwei Fliegen mit einer Klappe.«

»Nein. Ich meine, Gabrielle …«

»Denk doch mal darüber nach, Gemma.«

Langsam glitt die Hand tiefer, strich über den flachen Bauch und drückte leicht auf den Venusberg. Gemma schluckte. Ihr Mund fühlte sich trocken an.

»Ich habe so etwas noch nie getan, musst du wissen«, hauchte Gabrielle aufgeregt. »Aber jetzt stelle ich mir vor, dass es sehr schön sein kann. Du bist eine wunderbare Frau, Gemma.«

Ihre Hand schwebte über dem Delta zwischen Gemmas Schenkeln, berührte sie aber nicht. »Bist du nicht ein klein wenig neugierig?«

Es kam Gemma so vor, als hätten sich all ihre Sinne

auf den Pfad von Gabrielles Hand konzentriert und auf ihre sanfte, lockende Stimme. Ja, sie war neugierig, und sie war auch erregt. Zwischen den Schenkeln spürte sie ein leises Beben, ein verräterisches Zucken. Sie nahm das Ziehen in der Vagina wahr. Sie fürchtete sich. Sie fürchtete sich davor, ja zu sagen, fürchtete sich aber auch, nein zu sagen.

Neugierde rang gegen Feigheit. Ihre Emotionen mussten ihr deutlich im Gesicht stehen, denn Gabrielle lächelte und ließ ihre Hand sinken. Ihr langer, schlanker Zeigefinger berührte Gemmas Klitoris, sie fand den versteckten Kopf sofort und drückte ihn leicht.

Gemma schüttelte sich, ein wohliger Schauer durchrann sie. Sie spürte ein Ziehen vom Schoß bis zu den Nippeln.

»Wir sind Frauen«, sagte Gabrielle, »und wir können uns gegenseitig helfen. Vielleicht können wir uns sogar gegenseitig Freude bereiten, ja?«

»Ja«, sagte Gemma, »ja.« Sie seufzte. Es war, als wäre plötzlich eine große Last von ihren Schultern genommen.

»Wunderbar«, sagte Gabrielle lächelnd.

Sie blieb bei Gemma, bis diese ihr Bad beendet hatte, sie plauderte und schenkte sich einen zweiten Martini ein.

Gemma spürte, wie sie in Gabrielles Gegenwart ihre Befangenheit ablegte. Ohne Scham richtete sie sich auf und schlang das Badetuch um ihren schlanken Körper. Sie kämmte ihre Haare und wurde von Gabrielles lockender Stimme eingelullt.

Nachdem Gemma ein leichtes Make-up aufgetragen hatte, gingen sie gemeinsam ins Schlafzimmer.

Plötzlich rief Gabrielle: »Oh, ich habe etwas vergessen! Ich dachte, du würdest gern so etwas borgen wollen ...« Sie hob eine nackte Schulter und wies auf die schlanke Linie ihres schwarzen Abendkleids, ehe sie Gemma ein fast identisches Kleid hinhielt – aber in Weiß.

Es war eine sündige Kreation in stark moirierter Seide. Sie ließ die Arme und den Rücken frei und hatte einen tiefen V-Ausschnitt. Es war bis zur Mitte des Oberschenkels geschlitzt und umschmiegte sie wie eine zweite Haut.

»Nein, nein, du darfst keinen Büstenhalter darunter tragen, meine Liebe«, wandte Gabrielle ein. Sonst ruinierst du die wunderbare Linie, verstehst du?«

»Ja, ich glaube, du hast Recht«, stimmte Gemma zu und legte den Büstenhalter zur Seite. Die Seide fühlte sich kühl und schwer auf ihren nackten Brüsten an.

»Siehst du es jetzt?«, fragte Gabrielle und stellte sich hinter sie, damit sie sich beide im Spiegel betrachten konnten. »Ein herrlicher Kontrast, du in Weiß, ich in Schwarz. Ich habe an dich in diesem Kleid gedacht, als ich das arme Mädchen immer wieder in ihrem Nachthemd über den Friedhof gehen sah. Da wusste ich, dass das Kleid genau richtig für dich ist.«

Sie nahmen das Abendessen wieder im großen Saal ein, wo das gleißende Licht des breiten Kronleuchters die goldenen Teller wärmte und das Kristall zum Funkeln brachte. Weil ihre Anzahl ungerade war, setzte sich Leo vor Kopf des Tisches, Gabrielle zu seiner Rechten und Gemma zu seiner Linken. Neben ihr saß Jay Stone, und ihm gegenüber hatte Alexei Racine Platz genommen.

Das Mahl war köstlich und wurde elegant serviert. Zu der Mousseline von Hummer, dekoriert mit Beluga Kaviar, gab es einen hellen Weißwein. Das Champagnersorbet bereitete den Gaumen auf die Lammnüsschen und einen wirklich ausgezeichneten Bordeaux vor. Es gab eine verführerisch arrangierte und dekorierte Platte mit verschiedenen Gemüsen; die kleinen Kartoffeln, mit Schnittlauch und Petersilie bestreut, glänzten von der Butter, in der sie geschwenkt worden waren. Zum Treibhausspargel gehörte eine sämige Hollandaise, die dünn geschnittenen Karotten und Zucchini waren mit einer leichten Knoblauchsauce angemacht, der Spinat war mit Rosinen und Pinienkernen zubereitet, und frische Erbsen waren mit einer Mintsauce übergossen.

Die Unterhaltung verlief stockend und dann verkrampft, dachte Gemma, oder bildete sie sich das nur ein? Sie sollte Jay Stone und Alexei Racine mehr Beachtung schenken, denn sie diskutierten über den Film, aber das Thema ging an ihr vorbei, selbst dann, als sie hörte, dass der Firmenname Horror, Inc. getilgt werden sollte.

Gabrielle und Leo unterhielten sich auf Französisch, doch die Frau schaute oft hinüber zu Gemma und lächelte sie an, übersetzte auch die eine oder andere Bemerkung von Leo.

Es war Gemma, als würde sie in künstlicher Spannung gehalten, im Schwebezustand. Es blieb ihr auch nichts anderes übrig als zu warten. Sie wusste, dass Gabrielle die Situation im Griff hatte, sie würde die Dinge so manipulieren, dass sie zu ihren Plänen passten. Und der Plan war, dass sie und Gabrielle irgendwann am Abend allein sein würden.

Und dann?, fragte sich Gemma. Für Gabrielle war es ein pikantes Wagnis, auf diese Weise den Appetit ihres Geliebten aufzufrischen. Für sie war es die Gelegenheit, sich darüber Klarheit zu verschaffen, ob Leo ihr geheimnisvoller Dream Lover war. Aber wenn sie ehrlich war, musste sie sich eingestehen, dass sie dazu nicht Gabrielles Hilfe benötigt hätte.

Ja, räumte sie ein, der Gedanke selbst, sie drei zusammen, enthielt eine erregende Versuchung, den Lockruf des Verbotenen. Wie mochte es sein, wenn zwei Frauen einen Mann verwöhnten? Wenn drei

Menschen wetteiferten, sich gegenseitig Lust zu verschaffen? Eine Rivalität der Leidenschaften.

»Findest du nicht auch, Gemma?«, hörte sie Gabrielle fragen.

»Ja, natürlich«, hörte sich Gemma antworten.

Champagner wurde zum weißen Schokoladenmousse serviert, dazu dicker, bitterer Kaffee mit Cognac. Als sich das Mahl dem Ende näherte, empfand Gemma eine Spannung, die ihren Körper zusammenzog. Sie spürte ihr Herz schneller schlagen.

Es sollte Racine selbst sein, der Gabrielle, Leo und ihr einen Weg eröffnete, wie sie den Plan ausführen konnten.

»Dein Arbeitszimmer, Leo – könnten wir es benutzen? Jay und ich haben ein paar geschäftliche Dinge zu besprechen. Und ich muss vielleicht auch das eine oder andere Fax schicken.« Er erhob sich.

»Natürlich, mein Freund«, sagte Leo. »Wenn du irgendwas brauchst, fragst du Henri.«

Bildete sie es sich ein, oder sah Gemma für einen Moment, wie Gabrielle und Racine einen kurzen Blick tauschten, in dem so etwas wie Verschwörung lag?

Dann waren sie allein.

Gabrielle streckte sich geschmeidig und gähnte verstohlen. »Leo, begleitest du mich zu meiner Suite? Ich bin ein wenig müde … oh, und Gemma, du musst auch mitkommen. Das Kleid, verstehst du …«, sagte sie auf Leos fragenden Blick hin, »… Gemma hat es von mir geliehen. Es steht ihr wunderbar, findest du nicht auch, Leo?«

»Fantastisch«, stimmte er höflich zu und bot Gabrielle einen Arm, Gemma den anderen.

Der Weg ins Schlafzimmer kommt einem später oft wie hinter einem Schleier verborgen vor. Die Erinnerung verblasst im Glutofen, der einen am Ziel erwartet.

Aber Gemma würde sich den Rest ihres Lebens an

jeden einzelnen Schritt erinnern, der zu Gabrielles Suite führte, an jede Pause. Die Wärme von Leos Körper, als er sie mit dem Arm an sich drückte, der schwere exotische Duft von Gabrielles Parfum, das Rascheln ihres weißen Kleids.

»Cognac gefällig?«, fragte Gabrielle, als sie ihre gehaltene Suite betraten. Mit einer Bewegung ihres Arms lud sie Gemma und Leo auf das mit blauem Samt bezogene Sofa ein. Ohne auf eine Antwort zu warten schenkte sie Leo Cognac ein, reichte ihm den Schwenker und setzte sich neben ihn. Es war kaum Platz für drei auf diesem Sofa, und Leo wunderte sich ein wenig über die aufgezwungene Intimität.

»Und du, Gemma? Was möchtest du?«, fragte sie leise. Sie beugte sich vor, nahm Gemmas Hand, führte sie an Leos Schritt und drückte sie leicht dagegen.

Einen Augenblick lang zuckte Leo überrascht. Er versteifte sich. Aber unter der weichen, teuren Wolle seiner Hose spürte Gemma auch eine Versteifung. Sein Glied reagierte sofort auf den leichten Druck ihrer Hand. Sie konnte es unter den Fingern wachsen spüren, es wurde hart und drückte gegen den Stoff.

Gabrielle hielt ihre Hand auf Gemmas und führte sie leicht hin und her, auf und ab. Es war spannend, der Länge der Erektion zu folgen. Gemma spürte, wie ein leises Beben durch Leos Körper lief.

Er stieß einen gedämpften Laut aus, und Gabrielle nahm den Cognacschwenker aus seiner Hand. »Vielleicht ist dir das hier lieber«, hauchte sie.

Sie streichelte die Seite von Leos Körper, die ihr am nächsten war, fuhr mit den Händen über seine Brust, fingerte seine Brustwarzen und glitt verführerisch hinunter zu seinem Schoß. Ohne nachzudenken tat Gemma es ihr nach, ließ ihre Hände diesem Pfad auf ihrer Seite folgen. Sie fand seinen Nippel, der sich unter ihren Fingern versteifte, obwohl sie ihn nur durch die feine Seide seines Hemds zwickte. Dann kehrte eine Hand zu seinem Schoß zurück und tastete über das sichtbare Ausmaß seiner Erregung.

»Ja?«, fragte Gabrielle leise, legte ihre Hand auf Gemmas und drückte sie auf seinen zuckenden Schaft.

»Ja«, ächzte Leo, »ja.«

Ohne sich abzusprechen bewegten sich die Hände der Frauen synchron. Gabrielle und Gemma streiften seine Hose ab, die seidenen Boxershorts, Socken und Schuhe. Er hatte, bemerkte Gemma, einen wirklich schönen Körper, kräftige Schultern und eine schmale Taille. Sein Penis erhob sich aus dem schwarzen Busch seiner Schamhaare.

Gemma griff mit einer Hand an seinen Penis und fragte sich, ob ihre Hand ihn erkannte, ob irgendeine fleischliche Alchemie ihr den entscheidenden Hinweis gab. Aber dann schob Gabrielle sie weg.

»Lass mich«, sagte sie und griff mit beiden Händen zum Reißverschluss von Gemmas weißem Kleid.

Gemma verhielt sich reglos, als Gabrielle ihr Kleid öffnete und zu Boden fallen ließ. Sie sah die Hitze in Leos Augen, als er auf ihre nackten Brüste starrte und auf das kleine weiße Dreieck ihres Slips. Sie fühlte sich stolz und scheu zugleich, aufgeregt, ein wenig alarmiert und entsetzlich erregt.

Sie spürte, dass Gabrielles Hände sich zu ihrem Slip bewegten und unter das Elastikband glitten.

»Nein«, sagte Leo, »noch nicht.« Seine Stimme klang rau vor Erregung, fast unkenntlich als Stimme des höflichen, kultivierten Grafen Marais, und Gemma spürte, wie ein Schauer über ihren Rücken lief. Aber es war nicht die harsche Stimme aus ihren Träumen, dessen war sie fast sicher.

Nackt erhob sich Leo vom Sofa und stellte sich zwischen die beiden Frauen. Mit einer flüssigen Bewegung streifte er Gabrielles Kleid von den Schultern. Jetzt saß auch sie nur noch in ihrem Seidenslip da. »Wunderbar«, murmelte er mit belegter Stimme und schaute von Gabrielle zu Gemma und wieder zurück.

Er schob eine Hand zwischen Gemmas Schenkel, die andere zwischen Gabrielles. »Ein höchst erregendes Dilemma«, stieß er hervor. »Ich habe zwar zwei Hände, aber nur einen Schwanz.«

Durch die dünne Seide ihres Höschens konnte Gemma spüren, wie seine Finger den fleischigen Blüten ihrer Labien folgte und nach ihrer Klitoris tastete, wie er sie erforschte und ihre Nässe fühlte. Sie konnte Gabrielles Arm an ihrem spüren, ihren Atem hören, der schneller wurde, und dann gewahrte sie Leos Penis, der gegen ihren Bauch stieß.

Ihre Labien schwollen an und rieben sich gegen die klamme Seide ihres Höschens, sie pochten und zuckten unter dem leichten Spiel seiner Finger.

Wenn er doch nur, dachte sie benommen, *seinen Mund auf ihre Labien pressen würde, damit sie diesen unvergesslichen Kuss noch einmal erleben konnte – dann würde sie endgültig wissen, ob Leo ihr Dream Lover war oder nicht. Oder er sollte sie nehmen, schnell und hart, sie wollte seinen steifen Schaft spüren, um seine Länge und seine Form zu erkennen.*

Aber Leo Marais hatte andere Pläne. Zunächst verdutzt, war er doch zu sehr von der Aussicht erregt, Gabrielle und Gemma zusammen zu nehmen. Gabrielle, die dieses unglaubliche Trio arrangiert hatte, hatte seine Erwartungen übertroffen, und Gemma, die dem Plan zugestimmt hatte, war eine riesige Überraschung für ihn.

Vor ein paar Tagen hatte er Alexei noch vor den Kopf gestoßen, ohne dass er hätte sagen können, warum er das getan hatte. Er wusste, dass Alexei von ihm erwartete, mit Gemma zu schlafen, wenn ihm auch das Motiv des Freundes nicht klar geworden war – und jetzt bot sie sich ihm selbst an. Und dazu noch mit Gabrielle …

Aber wenn es einen geheimen Plan geben sollte, inszeniert von wem auch immer, dann wollte er gern die Richtung bestimmen.

Er konnte beide Frauen unter seinen Händen spüren, heiß und zitternd öffneten sie sich seinen Fingern.

Seine Bewunderung für Gabrielle war echt; er hätte nie geglaubt, dass sie dieses Experiment gewagt hätte. Er war ihr für diese Initiative dankbar, und er würde sich erkenntlich zeigen … auf seine Weise.

Widerwillig zog er seine Hände zurück und wandte sich an Gabrielle. Er küsste sie auf den Mund.

»So ein schönes Geschenk, das du mir gebracht hast«, murmelte er und drückte ihre Hände. »Komm, lass es uns zusammen auspacken.«

Er führte ihre Hände zu Gemmas Brüsten. Ihre Finger zwischen seinen, umfassten sie beide bebenden Hügel und rieben sie leicht, bis die pinkfarbenen Nippel sich aufrichteten, ohne berührt worden zu sein. Sie nahmen eine dunklere Farbe an und füllten sich mit Blut.

Gemma hatte die Augen geschlossen und wartete auf seine Berührung. Sie spürte, wie Leos große Hände die kleineren von Gabrielle führten, wie sie den Rhythmus bestimmten. Gemmas Sinne begannen zu tanzen, als sie die so unterschiedlichen Finger auf ihren Brüsten genoss.

Sie fühlte sich in einem herrlichen, sinnlichen Netz gefangen. Das Echo der Erregung ihrer Brüste hallte in ihrem Bauch wider, ein Puls, den die fremden Finger erschaffen hatten. Ihre Warzen waren steinhart und schienen sich den Fingern entgegen zu strecken, sie bettelten um ein hartes Ziehen und Dehnen und Saugen.

Die seidene Einengung durch ihr Höschen wurde unerträglich. Sie hörte sich stöhnen.

Gabrielles Lippen schlossen sich um ihre Brust.

Gemma wölbte den Rücken, bog sich dem heißen Mund entgegen. Die Zunge tupfte leicht gegen den Nippel, stieß ihn hin und her, ehe sie ihn zwischen die Zähne nahm.

Es war der Mund einer Frau, weich und feucht und heiß, lockend und verführerisch. Gemma spürte, wie ihre Brüste noch mehr anschwollen, ebenso ihre Labien, die sich gegen die Seide rieben.

Gabrielle wandte sich der anderen Brust zu und übte an ihr dieselbe Tortur aus, ließ die empfindliche Spitze zwischen Zähnen und Zunge und Lippen spazieren gehen. Das Prickeln der Brüste schoss quer durch ihren Leib und stimulierte ihren erhitzten Schoß.

Sie wusste, auch mit geschlossenen Augen, dass Leo die Szene mit heißen Blicken aufnahm. Das zu wissen vertiefte ihre Erregung noch.

»Und jetzt, Gabrielle?«, hörte sie Leo fragen.

Hände und Mund verließen ihre Brüste, und Gemma spürte eine warme Kussspur über Bauch und Hüften. Die neckende Zunge stieß in ihren Nabel, bevor sie in das Delta ihrer Schenkel glitt. Durch die Seide des Höschens spürte Gemma die forschende Zunge. Sie stieß gegen ihre Klitoris.

Die Muskeln ihrer Beine begannen zu zittern. Sie schwankte ein wenig. Geschickt huschte Leo hinter sie und hielt sie fest. Er drückte seinen Körper gegen ihren, und Gemma spürte seinen harten Penis zwischen den Pobacken und die Wärme seines Atems im Nacken.

»Und jetzt, Gabrielle?«

Gabrielles Hände berührten Gemmas Hüften, die Finger glitten unter die weiße Seide und zogen sie hinunter. Sie landete auf ihren Füßen, während Gabrielle ihr Gesicht gegen den hellen Flaum drückte. Lippen und Zunge forschten, leckten und umkreisten die Knospe des Kitzlers.

Das Flattern von Gabrielles Zunge schürte das Feuer in Gemmas Schoß. Eine feuchte, glühende Hitze breitete sich aus, ließ das Blut wie Lava fließen und richtete in ihrem Innern ein Inferno an.

»Und jetzt, Gabrielle?«

Gemma hörte die Frage, als sie die Vorboten ihres Höhepunkts bemerkte. Im nächsten Moment drang er von hinten in sie ein, und das erste Zucken packte ihren Körper wie eine Riesenfaust. Ihr Leib wurde geschüttelt.

Leo musste sie festhalten, weil sie sich nicht mehr auf den Beinen halten konnte. Sie spürte ihn tief in sich.

Er war es nicht.

Er war zu lang, aber nicht lang genug, er füllte sie aus, aber nicht genug, er war zu dick, aber nicht dick genug, vertraut und doch fremd.

Sobald sie dazu in der Lage war, ließ sie sich aufs Sofa fallen. Sie fühlte sich ausgelaugt, aber sie empfand eine triumphale, wilde Freude.

Leo stand reglos da, nur der steife Penis zuckte hilflos. Gabrielle kniete sich vor ihn.

Gemma bückte sich und hob ihr weißes Kleid auf. Rasch zog sie es über den Kopf.

»Und jetzt, Gabrielle?« Leo starrte auf die vor ihm kniende Gestalt.

Gemma sah, wie Gabrielle sich langsam erhob. Die beiden schienen vergessen zu haben, dass sie noch im Zimmer war, sie wandten sich einander zu und küssten sich.

Gemma schlüpfte leise aus der Tür.

ACHTES KAPITEL

Die Frau lag auf einem Steinpodest. Ihr bleiches, fließendes Kleid fiel in Falten auf den Steinboden, und auch die bleichen fließenden Haare strichen über den Boden. Dunst und Schatten suchten die Ecken des Höhlenraums heim.

Die Frau lag reglos und bleich da, ihre Haut von jenem matten Elfenbein wie ihr Kleid, ihr Leib so wächsern wie die Lilie zwischen ihren Brüsten. Nur ihre Lippen hatten Farbe, ein helles, leuchtendes Rot. Die Farbe von Blut.

Die Wände waren aus wuchtigen Steinquadern, die gegen alles schützten, nur nicht gegen die klamme Kälte, die durch jede Ritze zu kriechen schien. Obwohl es nur ein Lichttrick war, glitzerte es schemenhaft auf der kalten grauen Oberfläche der Steine, ein sich immer wieder wandelnder böser Geist, der die ganze Höhle durchdrungen hatte.

Dann, kaum wahrnehmbar, veränderte sich das Licht. Die Steine verschmolzen mit dem Hintergrund und lösten sich im gespenstisch wabernden Dunst auf.

Im unheimlichen Licht tauchten plötzlich drei Frauen auf, die Körper rund und drall, die Augen glänzend und hart, die Zähne weiß, die Lippen rot wie Blut. Sie lächelten auf die reglose Frau hinab und riefen mit süßen Stimmen: »Komm zu uns, Schwester, komm zu uns.«

Sie bewegten sich lüstern, lockten mit weißen, dicken Armen, entblößten ihre runden Brüste und spreizten ihre weißen Schenkel.

»Komm zu uns, Schwester.«

Ihre Hüften simulierten die Bewegungen des Geschlechtsakts, sie wiegten sich, ruckten vor und zurück, wölbten und krümmten ihre Rücken und bückten sich tief. Ihre Bewegungen waren so lebendig und so sinnlich, dass die Luft plötzlich vom Duft ihrer Erregung geschwängert war.

Die schlängelnden Körper näherten sich der Gestalt immer mehr, sie beugten sich über sie, als wollten sie den Duft der weißen Lilie zwischen den Brüsten einatmen. Sie tauchten tief hinab, aber kurz bevor sie die Frau berührt hätten, zogen sie sich immer wieder zurück.

Eine, tollkühner und listiger als die anderen, berührte beinahe den bleichen Hals mit ihren roten Lippen. Genau in diesem Moment hob sich der Dunst, er schwirrte herum, wirbelte durch die Luft und entpuppte sich zur schwarzen, bösartigen Gestalt des Grafen…

Sein Gesicht war so bleich wie der Tod. Die Augen blitzten vor Zorn. Er stieß die drei Frauen mit einer groben Bewegung beiseite. Sie fielen zurück in die Schatten.

Er stand neben der bleichen reglosen Gestalt und sog ihr Bild in sich auf. Die Blässe seines Gesichts ließ nach, als ob der Anblick ihres bleichen Körpers sein Blut wärmte.

Seine Augen waren verhangen, sie lagen tief in den Höhlen und verrieten nichts. Als er schließlich lächelte, ein müdes, verlegenes Lächeln, zeigte er seine weißen Fangzähne.

Es war, als wirbelte die Luft durch die Höhle.

Die heißen Augen verschlangen die reglose Gestalt vor ihm, die bewegungslosen blutroten Lippen, den bleichen Hals, den hohen Ansatz ihrer Brüste und die Nippel, die sich schwach unter dem dünnen weißen Kleid abzeichneten.

Es war ein Moment der Sehnsucht, des mächtigen Verlangens. Vielleicht lag es an der Luft, in der immer noch der Duft der Erregung hing, vielleicht waren seine Sinne auch gefangen von dem Wissen, dass die

Erfüllung seiner tödlichen Lust unmittelbar bevorstand.

Auch Gemma war gebannt. Wie die Frau auf dem Podest fühlte sie sich wie gelähmt, als wartete auch sie auf die Berührung des dämonischen Liebhabers. All ihr Wollen, ihre Sehnsucht, jeder Herzschlag schien von dem Verlangen nach dem vampirischen Geliebten beherrscht zu sein.

Es war, als würde der Körper der Frau unter seinen Blicken geweckt. Die Reglosigkeit wich von ihr, die Bleiche ihrer Haut nahm ab, der Körper wurde wärmer.

Als er schließlich seinen Mund auf ihren Hals drückte, wölbte sich ihm ihr Körper entgegen. Er penetrierte sie mit den Zähnen, die er ansatzlos in ihre blasse Haut stieß.

Dann war es vorbei.

»*Magnifique*«, stieß Gabrielle hervor, die neben Gemma stand. »*Magnifique*.«

Lächelnd wandte sich Gemma ihr zu. Einige Tage waren seit der Nacht in Gabrielles Suite vergangen, und seither hatte Gemma wenig von Leo und der Freundin gesehen. Die Mahlzeiten hatten sie in Gabrielles Suite eingenommen. Wenn sie sich aber zufällig über den Weg gelaufen waren, hatten sie Gemma mit Herzlichkeit begrüßt – wie die Lieblingsschwester.

Es schien, als hätte Gabrielles List gewirkt. Leo war fast immer an ihrer Seite, und zum ersten Mal bekannte er sich zu ihr. Gabrielle selbst sah schlanker aus, selbstsicherer, und wenn sie redete, klang es wie ein Schnurren.

Gemma freute sich zwar für sie, aber die Zurückgezogenheit der beiden hatte die Atmosphäre im Chateau verändert. Jay Stone war nach Paris abgereist, wo ihn dringende Geschäfte erwarteten, und sie und Racine hatten die letzten Abende allein verbracht.

Zuerst das Essen im riesigen Saal, danach schauten sie sich den Rohschnitt in einem winzigen Studio an, das Leo ihnen zur Verfügung gestellt hatte.

Er war von dem Film fasziniert, so fasziniert, dass er kaum von was anderem sprach. Wenn Gemmas Gedanken mal wanderten und zu ihrem Dream Lover drifteten, oder auch zu ihrem Erlebnis mit Gabrielle und Leo, schien Racine nichts davon zu bemerken.

Nachdem Gemma Gewissheit hatte, dass Leo nicht ihr Dream Lover war, stand ihr nicht der Sinn danach, sofort weitere Nachforschungen anzustellen. In ihrem Schlaf wurde sie von dunklen, sinnlichen Träumen gestört, in deren Mittelpunkt ihr dämonischer Liebhaber stand, der sie hohl und unerfüllt zurückließ. Manchmal schien es ihr, dass der Film Realität war – oder wurde die Realität zum Film?

Vor zwei Nächten, als sie verschwitzt und unerträglich erregt aus einem anderen Traum aufgewacht war, hatte sie das Chateau verlassen und war zum alten Verlies gegangen. Sie hatte die Szene auf dem Friedhof in Gedanken nachgespielt und gegen ihren Verstand gehofft, dass er wieder zu ihr käme. Schließlich war sie, erschöpft und bis auf die Knochen unterkühlt, ins Bett geschlüpft und traumlos eingeschlafen.

»Ein dunkles Genie«, murmelte Gabrielle neben ihr. »Sehr dunkel.«

Alexei Racine, hätte er diesen Kommentar gehört, würde Gabrielle wegen ihres Scharfblicks gelobt haben. Denn er dachte genauso. Ein dunkles Genie. Und jeder Abend, an dem er sich die Aufnahmen des Tages ansah, bestätigte ihn in seiner Überzeugung. Dabei sah er Gemma an.

Die Veränderung in ihr war zwar gering, aber trotzdem bemerkbar. Sie bewegte sich jetzt mit einer natürlichen rhythmischen Eleganz. Eine körperliche Anmut, von deren Sinnlichkeit sie nichts zu ahnen schien. Aber das erregte ihn mehr als eine absichtliche aufreizende Art.

Er gewöhnte sich bald an den abwesenden Blick in ihren blauen Augen und erregte sich, wenn er hörte, wie ihr Atem schwer wurde. Er wusste, woran sie dachte. In diesen Momenten, wenn sie sich unbeobachtet fühlte, verströmte sie die Aura einer Frau, die sich an ihren Geliebten erinnerte.

Leo hatte ihm natürlich von dem Dreierspiel berichtet, das Gabrielle inszeniert hatte, und Alexei hatte schmunzelnd zugehört, wie begeistert der sonst so unterkühlte Leo über seine aufgeheizten Emotionen schwärmte.

Racine hätte nicht den Drang gehabt, die drei zu beobachten, schließlich war er es gewesen, der Gabrielle den Rat gegeben hatte, Gemma mit einzubeziehen. Außerdem hatte er die beiden Frauen schon in seinem Kopf. Gabrielles dunkle, geschmeidige Schönheit, Gemmas lange silberblonde Haare und Leo als harter männlicher Gegenpol zu den eleganten Frauen.

Ja, es war bedeutend befriedigender zu wissen, dass er die Szene kreiert hatte.

Doch allmählich begann er der Rolle des erotischen Impresario überdrüssig zu werden. Vor ein paar Nächten hatte er beobachtet, wie Gemma über den Friedhof geschlichen war. Die Haare leuchteten silbern im Mondlicht. Er war versucht gewesen, ihr zu folgen und sie an Ort und Stelle zu nehmen. Er hätte sie über einen kalten Marmorstein gelegt und …

Nur die Franzosen, dachte er, *begriffen die Verbindung zwischen Sex und Tod. Nur die Franzosen wussten* la petite mort *zu schätzen, jene zerstörerische, fast fatale Ekstase des vollkommenen Orgasmus.*

Ja, eines Tages würde er sie auf dem Friedhof nehmen, er würde sich den Schatten des Todes stellen und die Schatten mit der Leidenschaft ihres Paarens vertreiben.

Vielleicht würde er sich für den Père Lachaise entscheiden, den erotischsten und sinnträchtigsten von allen Pariser Friedhöfen, am liebsten neben dem schonungslos sexuellen Monument, das Epstein für Oscar Wildes Grab geschaffen hatte ... nein. Irgendein Barbar hatte den Steinpenis des geflügelten Schutzengels abgebrochen, eine Schändung, die Racine entsetzt hatte.

Eher neben dem Liebespaar Heloise und Abelard, im Grab wiedervereint unter ihren Steinplatten. Racine lächelte bei diesem Gedanken. Er hatte die aufgefrachtete süße Sentimentalität, die dieser Geschichte angehängt worden war, nie verstehen können. Peter Abelard war in Wirklichkeit ein kaltblütiger, berechnender Kerl gewesen, der sich mit keinem anderen Ziel in Canon Fulberts Haus eingeschlichen hatte, als die liebliche Heloise zu verführen. Er hatte ihr seinen Willen aufgezwungen, und wenn er mit Drohungen und Streicheleinheiten nichts erreichte, hatte er auch vor Schlägen nicht zurückgeschreckt. Ein Mann, den man bewundern muss, dachte Racine.

Ihr trauriges Ende – Heloise landete im Kloster, Abelard wurde kastriert – entbehrte nicht jenes pikanten Hauchs, den nur Franzosen richtig zu schätzen wussten.

In der kühlen weißen Seide des offenen Sargs legte sich Alexei Racine zurück, schloss die Augen und wollte sich vor dem Essen noch ein wenig ausruhen.

Auch Leo hatte sich hingelegt. Sein nackter Körper lag gespreizt über der Tagesdecke aus grauer Seide, und von Hand- und Fußgelenken gingen Seidenschals von Givenchy zu den vier Bettpfosten. Sein Körper war mit einem leichten Schweißfilm bedeckt, und seine Erektion zuckte rot aus dem krausen Schamhaar.

Gabrielle summte leise vor sich hin, während sie ihr

austernfarbenes Nachthemd von den Schultern gleiten ließ. Sie lächelte über Leos Erektion, die angesichts
ihres nackten Körpers noch härter wurde. Er hatte
versprochen, kein Wort zu sprechen und keinen
Muskel zu bewegen, bis sie es ihm gestattete, aber den
Muskel seines Schafts konnte er nicht kontrollieren.

Sie spürte, wie ihre eigene Erregung stieg. Langsam
ging sie zu dem Tisch mit den Einlegearbeiten aus
Elfenbein. Einen kurzen Moment war sie aus Leos
Blickfeld verschwunden, und sie konnte fast seine
Spannung fühlen, seine Erregung riechen, als sie die
Schublade des Nachttischs aufzog.

Ein Vibrator vielleicht, den sie genüsslich über
ihren eigenen Körper gleiten lassen würde, über Hals
und Brüste und Bauch; sie würde jeden Zentimeter
ihrer Haut stimulieren, bis sie völlig nass war, während er zuschaute, hilflos erregt. Er wusste, dass sie
sich eine köstliche Strafe ausdenken würde, wenn er
kam, bevor sie es erlaubte.

Hm. Vielleicht würde sie noch einen Schal aus der
Schublade ziehen, seine Augen verbinden und mit seinem Körper zu spielen beginnen. Sie konnte ihn stimulieren, bis er die Beherrschung verlor, und dann
würde sie ihn mit dem glatten Dildo aus Elfenbein
penetrieren, den er ihr geschenkt hatte.

Sie entschied sich für ein kleines Gefäß mit Salbe
und stellte sich ans Bettende. Sie spürte seine Blicke
auf sich, heiß und hungrig. Er schaute genau zu, als
sie begann, Rouge auf ihre Brustwarzen aufzutragen,
denn er wusste, dass die rosa Salbe mit Amylnitrat
und Kokain gespickt war, was ein brennendes, eisiges
Prickeln verursachte, das sich im ganzen Körper ausbreitete.

Die empfindliche Haut ihrer Nippel reagierte
sofort; die Warzen richteten sich steil auf und vergrößerten sich unter der stärkeren Durchblutung.
Zischend sog Gabrielle die Luft ein, als sie die spon-

tane Verhärtung spürte und den köstlichen Schauer, der über ihren Rücken lief.

Die Versuchung, eine Hand auf ihr Geschlecht zu legen und die Klitoris mit der rosa Salbe zu bestreichen, bis sie sich unter dem brennenden Prickeln vergrößerte, war beinahe unwiderstehlich. Ihre Augen fest auf Leo gerichtet, ließ sie die Hand zu ihrem Schoß gleiten. Ihre Erregung schwoll an, als sie sah, wie sich seine Augen verengten und er auf seine Unterlippe biss.

Wenn sie wollte, war ihr Höhepunkt nur wenige Wimpernschläge entfernt.

Sie konnte ihn herbeiführen, ihn selbst erzwingen. Es würde eine doppelte Lust sein – die Lust ihres eigenen Orgasmus und die Lust an Leos hilfloser Reaktion, wenn er ins Leere ejakulierte, denn noch versagte sie ihm ihren Körper.

Sie quälte ihn und sich noch ein wenig länger. Sie führte die Finger näher zu ihrem Geschlecht. Sie wusste – und Leo wusste es nicht –, dass sie andere Pläne für ihn hatte. Sie schwelgte in ihrer Macht über ihn und genoss die lustvolle Befriedigung, die absolute Kontrolle auszuüben.

Denn Gabrielle de Sevigny, verwöhnte aristokratische Ehefrau eines prominenten Ministers, war dabei, die komplexen Regeln der Dominanz zu verinnerlichen.

Erfinderisch, schelmisch und listig genoss sie es, die Lustlektionen anzuwenden, die Leo ihr beigebracht hatte: Wie man Erwartungen weckte und schürte, wie man das Glühen der Vorfreude in die Länge zog, wie man das Katz- und Maus-Spiel auskostete, wie man neckte und quälte, wie man schmeichelte und kratzte, bis die Beute ganz von Sinnen war.

Für lange atemlose Momente ließ sie Leo im Zweifel darüber, ob sie sich vor seinen Augen zum Orgasmus bringen würde, und dann, mit der

Boshaftigkeit einer Kobra, wenn sie ihr Opfer in der Falle hatte, gab sie nach. Sie fuhr mit der Hand über die Innenseiten der Schenkel und rieb die Salbe in die Haut. Wenn sie die Schenkel fest schloss, konnte die Salbe auf die empfindlichen Labien übertragen werden.

Sie tunkte einen Finger noch einmal in das kleine Gefäß und näherte sich seinem nackten Körper, und dabei zeigte sie ein Gesicht wie jemand, der sich mit einem abstrusen philosophischen Problem herumschlug. Sie beschrieb kleine Kreise über seinen Brustwarzen und ließ ihn im Unklaren darüber, ob sie seine Nippel streicheln oder ihre Finger tiefer über seinen Penis reiben wollte.

Sie wusste, und er wusste, dass ein sanftes Streicheln über seine strotzende, purpurne Eichel seine Erleichterung auslösen würde. Eine leichte Berührung mit der eisigen Hitze würde ihm den Orgasmus bescheren, ob er wollte oder nicht. Gabrielle sah auf den zuckenden Schaft und lächelte. Sie ließ die Hand tiefer sinken und glitt mit den Fingern über seinen gespannten Hodensack, der nicht minder aufgebläht war wie der Schaft. Sie wusste, dass er sich fragte, wie es sein würde, wenn sie die Salbe in seine Hoden rieb, und sie hätte es auch gern gewusst.

Leo hatte die Augen geschlossen und atmete schwer. Sein Penis wippte auf und ab. Gabrielle fuhr mit der Hand leicht über die Testikel und dann die harte Erektion hoch. Sie sah, wie seine Lenden unruhig zuckten, wie sich die Hüften unkontrolliert bewegten. Rasch zog sie die Hand zurück und wischte die Finger an der Tagesdecke ab.

Ihr Körper schrie unhörbar, ihr Geschlecht war geschwollen und zum Bersten bereit, aber Gabrielle de Sevigny war eine gelehrige Schülerin. Sie ging hinüber zum Getränkeschrank und überlegte sich die nächsten Schritte.

Sie war, überlegte sie, während sie am Cognac nippte, in diesem Spiel nicht so erfahren wie Leo. Sie fühlte sich schwül und heiß, und ihr Geschlecht zuckte vor Verlangen. Sie wollte sich auf ihm pfählen, als sie seinen Schaft zucken sah. Leo sah ebenso ratlos aus wie sie, aber er wartete geduldig, wie sie es verlangt und er zugesagt hatte.

Sie spürte den Cognac, der eine brennende Spur von der Kehle zum Bauch hinterließ. Sie zwang sich zu kleinen Schlucken, stellte den Schwenker ab und trat wieder ans Bett. Sie kniete sich neben ihn, strich mit den Händen über seinen Körper, tastete über seine Nippel, streichelte seinen Brustkorb und stieß hinunter zu seinem Schoß. Von dort glitten die Hände über die Innenseiten seiner Schenkel und über seine Waden. Eine Weile gab sie sich damit zufrieden; sie ignorierte den zuckenden Penis, hob sich dann über ihn und bestieg ihn.

Sein Penis rieb blindlings gegen ihr weiches, nasses Gewebe, und ihre inneren Muskeln zuckten und zogen sich zusammen, als sie die Härte und Fülle seines Schafts erwarteten. Aber sie hielt sich reglos über ihm, ließ ihn nur mit der pochenden Eichel eindringen, während sie die Hüften schwingen ließ. Er stieß ihr von unten entgegen, doch sie verwehrte ihm den letzten, entscheidenden Stoß.

Sie spürte das Zucken seiner Hüften und wie er sich nach ihr streckte, aber sie gestattete ihm nur ein kurzes Eindringen in ihr feuchtes Nest. Die Muskeln ihrer Schenkel begannen zu zittern, und Gabrielle spürte das tiefe Pochen in ihrem Bauch.

Sie verharrte noch einen Moment, bevor sie sich auf seinen Schaft sinken ließ. Wie in Zeitlupe erlebte sie das aufgeregte Pumpen ihrer Höhle, die sich streckte und dehnte, um ihn aufzunehmen. Seine Hüften stießen zu, und dann drang er tief in sie ein.

Gabrielle lehnte sich weit zurück, wodurch der

Penis gegen ihre inneren Wände rieb, bis es fast weh tat. Im Rücken spürte sie das Flackern einer lodernden Flamme, und ihre inneren Muskeln schlossen sich wie eine Faust um seinen Schaft.

Sie biss sich auf die Unterlippe, richtete sich auf und beugte sich vor, tief hinunter gegen seinen Brustkorb. Sein Atem kam in kurzen, keuchenden Zügen, und seine Haut war heiß und feucht vom Schweiß. Sie legte sich auf ihn, fuhr mit der Zunge über seinen Hals und schmeckte das Salz auf ihrer Zunge. Sein Körper war verkrampft, und sie spürte seine Muskeln, die an den seidenen Schals zerrten.

Sie hob sich auf einen Ellenbogen auf und schaute ihn an. Er hatte die Augen fest zugedrückt, sein Gesicht war in angestrengter Konzentration verzogen, sein Mund zusammengepresst. Langsam kroch sie höher zu ihm, bis eine Brust über seinem Mund pendelte. Seine Zunge schnellte hinaus, um die Brust einzufangen, aber sie zog sie rasch zurück. Erst beim zweiten Mal ließ sie es zu, dass er einen Nippel zwischen die Lippen nahm.

Er saugte hart, setzte die Zähne gekonnt ein, schabte an der Warze entlang und lutschte sie zu einer steifen, harten Spitze. Sie ließ ihn noch einen Moment saugen, dann bot sie ihm die andere Brust an.

Ihre Nippel waren fast schmerzhaft in die Länge gezogen. Gabrielle spürte ein heftiges Ziehen, das sich als heißes Kribbeln bis in den Schoß bemerkbar machte. Ihr Körper bereitete sich auf den Orgasmus vor. Sie konnte es nicht mehr länger hinausschieben. Langsam rutschte sie auf den Knien weiter vor, hörte einen gedämpften Laut, als sein Schaft aus ihr glitt, und spreizte die Schenkel über seinem Kopf.

Langsam ließ sie sich auf seinen Mund nieder. Seine Zunge schnellte hervor und stieß zwischen ihre Labien und weiter hinein. Gabrielle hielt zischend die Luft an.

Ihr Schoß verspannte sich vor Verlangen. Sie wiegte sich in den Hüften und zuckte heftig, als er die Knospe ihrer Klitoris einfing und zwischen die Lippen sog. Er leckte einige Male darüber, ehe er wieder in ihr Inneres stieß.

Sie drohte ihre Kontrolle zu verlieren, sie löste sich unter der schweren Not des Verlangens. Sie hatte ihn nötig, sie litt Not, sie brauchte ihn, sie musste ihn wieder in sich spüren. Sie wusste, dass Leo ihr Spielzeug war, dass sie diese Gelegenheit lange auskosten sollte … aber sie musste ihn in sich spüren.

Sie rutschte zurück, an ihm entlang, und ließ sich wieder auf ihm nieder. Sie nahm den Stab, der nichts von seiner Härte verloren hatte, in die Hand und spießte sich auf.

Leo, der jedes Gran Beherrschung aufrief, hielt sich zurück und überließ ihr den Rhythmus. Sie bewegte sich langsam, fast behutsam, als ob sie etwas ausprobieren wollte. Dann hob sie sich höher und ließ sich genüsslich wieder von ihm pfählen, bis ihre eigene Gier verlangte, dass sie sich schneller bewegte.

Jetzt ruckte sie wild auf ihm, ritt ihn härter und härter und mit einer Wildheit, die Leo bisher nicht in ihr kennen gelernt hatte, bis die Hitze explodierte und der Orgasmus über sie herfiel.

Ihr Körper hielt seinen gepackt, als Welle um Welle des Höhepunkts sie erfasste und schüttelte. Es war, als rollten glühende Wogen über sie hinweg, und keuchend warf sie sich über seinen Brustkorb.

In ihrer Suite hatte sich Gemma auf die breite Chaiselongue vor dem Fenster gekuschelt. Neben ihr stand eine Flasche Cristal, kühl gehalten in einem silbernen Eiskübel, und vor ihr lagen die Seiten des Drehplans, ausgebreitet auf dem kostbaren Aubusson-Teppich, dazu ihre handgeschriebenen Anmerkungen.

Von Zeit zu Zeit unterbrach sie ihre Arbeit und nippte am Champagner.

Die Dreharbeiten gingen gut voran, fast zu gut, dachte sie, und instinktiv klopfte sie auf das Holz der Chaiselonguelehne. Keine großen Katastrophen, keine zeitraubenden unvorhergesehenen Zwischenfälle, keine Nervenzusammenbrüche – noch nicht.

Der Schauspieler, der Renfield darstellte, weigerte sich, lebende Spinnen zu essen, worauf Racine bestand. Eine der Visagistinnen hatte einen höllischen Krach mit ihrem Freund, einer der Kameramänner, und war Hals über Kopf nach London zurückgereist. Drei Mitglieder des Teams waren über Nacht von der Polizei in eine Ausnüchterungszelle in Carnac gesperrt worden, und die Darstellerin der Mina hatte eine rätselhafte Allergie entwickelt, die sich in einem roten Hautausschlag zeigte, wodurch der Drehplan der nächsten Tage über den Haufen geworfen wurde.

Relativ geringfügige Störungen also, dachte Gemma, abgesehen vielleicht von Renfields Problem. Gemma wusste nichts über französische Tierschutzgesetze – gab es ein Gesetz gegen Grausamkeit zu Insekten? Wenn ja, wäre das ein hilfreicher Grund, Racine davon zu überzeugen, dass man schrecklich real aussehende Plastikspinnen verwendete.

Gemma fand besonders die Tatsache erstaunlich, dass der Drehplan fast eingehalten worden war. Racine, der gnadenlose Perfektionist, der durchaus bereit war, Stunden zu warten, bis er den idealen Moment eingefangen hatte, lag im zeitlichen Plan!

Sie streckte sich, schenkte sich Champagner nach und überflog ihre Notizen. In etwa zwei Wochen sollten die Außenaufnahmen abgeschlossen sein. Wenn nichts Unvorhergesehenes geschah. Sie notierte rasch ein paar Dinge im Tagesplaner und sammelte die ausgebreiteten Papier ein.

Sie schaute auf die Uhr und stellte fest, dass es fast

sieben war. Im Vorbeigehen hatte Gabrielle ihr zugeflüstert, dass Jay Stone an diesem Abend aus Paris zurückerwartet wurde, deshalb würden sie und Leo zum Abendessen in den Wintergarten kommen. Gemma überlegte, was sie anziehen sollte. In ihrem Kleiderschrank hingen noch einige Kleider, die Gabrielle ihr geborgt hatte. Dieser Abend, so ahnte Gemma, verlangte nach gehobener Garderobe.

Aber was sollte sie anziehen – und für wen?

Sie lächelte, als ihr der Gedanke kam, dass Gabrielle einen beunruhigenden Einfluss auf sie ausübte. Sie öffnete den Kleiderschrank. Da war das schwarze Schlauchkleid mit den Spaghettiträgern, gefährlich sexy; das safrangelbe Seidenkleid mit dem weiten Faltenrock und dem praktisch nicht existierenden Top; das scharlachrote Samtkleid, das sie von Hals bis Fuß umschmiegte und so wahnsinnig züchtig und zugleich aufreizend wirkte.

Sie fasste die einzelnen Stoffe an. Im Wintergarten würde es warm sein. Instinktiv glitten ihre Finger über die weiße Seide des Kleids, das sie an jenem ereignisreichen Abend mit Gabrielle und Leo getragen hatte, und zog es vom Bügel.

Es war kein Wunder, dass sie manchmal das Gefühl hatte, in zwei Welten zu leben, dachte sie, als sie ihr Bild im Spiegel mit dem goldenen Regencyrahmen betrachtete. Sie verließ die düstere unwirkliche Welt der ›Erzählungen des Vampirs‹ und kehrte zurück zum opulenten Luxus des Chateaus, wo jeder Wunsch spätestens dreißig Sekunden nach dem Drücken der Haussprechanlage erfüllt wurde.

Ja, die Reichen lebten anders, dachte sie und strich die weiße Seide über den Brüsten glatt. Sie spürte, wie sich ihre Nippel versteiften. Sehr anders.

Sie schritt den Korridor entlang und bewunderte das sanfte, honigfarbene Licht der kristallenen Wandleuchten. Allmählich kannte sie sich aus im

Labyrinth des Chateaus, aber immer noch gab es unerwartete Abzweigungen, die sie bisher noch nicht erforscht hatte. Doch den Weg zum Wintergarten fand sie, und als sie die Tür öffnete und den stickigen Salon betrat, stellte sie überrascht fest, dass noch niemand da war.

Sie blieb neben dem knorrigen Stamm eines riesigen Baums stehen und atmete den schweren Duft der warmen, feuchten Erde ein und den süßen grünen Geruch pflanzlichen Lebens. Sie bückte sich, um eine Orchidee näher zu betrachten, die aus dem Moos zu ihren Füßen wuchs, und hatte das Gefühl, beobachtet zu werden. Sie hob den Kopf und blickte in boshafte rote Augen.

Eine Schlange hatte sich um den Stamm gewunden, eine nass glänzende Schlange in Schwarz und Grün. Gemma hielt die Luft an und rührte sich nicht. Die Augen des Reptils starrten sie mit unnatürlicher Intensität an, es war ein leeres, dumpfes Starren, das seltsam tot wirkte. Gemma stand immer noch unbeweglich da.

Erst viel später nahm sie die absolute Stille des Reptils wahr, den unbeweglichen Blick der roten Augen, und dann wurde ihr bewusst, dass es sich um eine Nachbildung handelte. Die boshaften rubinfarbenen Augen waren tatsächlich Rubine, und die glänzende Schlangenhaut bestand aus Jade und Onyx.

Zitternd richtete sie sich auf und wich zurück, und dabei wäre sie fast mit Jay Stone zusammengestoßen.

»Oh, es tut mir leid, ich …«, begann Gemma, aber dann sah er, dass er die Richtung ihrer Blicke bemerkt hatte.

»Das ist auch eines von Leos bizarren Objekten«, sagte er und beugte sich hinunter, um besser sehen zu können. »Fast lebensecht, nicht wahr? Kein Wunder, dass Sie sich erschreckt haben. Er wird doch keine echten Schlangen halten? Ich hasse Schlangen.«

»Ich hoffe nicht«, sagte Gemma schaudernd. »Ich mag sie auch nicht.«

»Aber diese ist eine Schönheit«, fuhr er fort. »Eine wunderbare Arbeit. Sehen Sie nur diese Augen.«

Gemma betrachtete ihn, während er die juwelenbesetzte Schlange in Augenschein nahm. Sie war dankbar für seine Lüge, dass er Schlangen hasste, so kam sie sich weniger albern vor. »Sie hat mich nur im ersten Augenblick düpiert«, erklärte sie. »Ich spürte plötzlich, dass ich beobachtet wurde.«

»Ihr Gefühl hat Sie nicht getrogen«, sagte Jay Stone lächelnd. »Ich war es, der Sie beobachtet hat.«

Sie war ein wenig verlegen und wusste nicht, was sie antworten sollte. Das Schweigen dehnte sich.

Schließlich bot er ihr seinen Arm an. »Sollen wir zu den anderen gehen?«

»Oh, ich dachte …«

»Hierher«, sagte Jay und führte sie über einen schmalen Pfad, der von breiten Farnwedeln fast verdeckt wurde. Das gedämpfte Plätschern von Wasser klang immer näher, und als sie einen tunnelartig überwachsenen Pfad entlang gingen, sah Gemma einen kleinen Wasserfall, der sich in einem von Felsen umsäumten Teich ergoss.

Gabrielle saß am Teichrand. Sie trug einen roten Sarong, der den größten Teil ihres Körpers unbedeckt ließ. Ihre Füße baumelten im klaren blauen Wasser. Sie lachte gerade über eine Bemerkung Leos. Er stand neben ihr, hatte die Hose bis zu den Knien aufgerollt und spielte im Wasser mit Gabrielles Füßen. Zwischen ihnen stand ein silberner Eiskübel, und in ihren Händen hielten sie ein Weinglas. Hinter ihnen lag Racine auf einem Felsblock, ebenfalls ein Glas in der Hand.

Ihr Eintreten hatte zwei Riesenaras gestört, die kreischend flohen und ihr buntes Gefieder spreizten, als sie hoch über den Wasserfall flogen.

»Es ist so unwirklich«, murmelte Gemma, als sie die Unterwasserscheinwerfer sah, die den Wasserfall illuminierten. Faszinierend auch das flackernde Spiel von Licht und Schatten auf dem schillernden Grün und den exotischen, farbenprächtigen Blüten.

Auf einem langen Tisch, geschmückt mit Hibiskus, Kamelien und Orchideen, bedeckt mit einem weißen Damasttuch, war ein lukullisches Büfett ausgebreitet. Rosige Hummer auf Algennestern. Langusten, Garnelen und Austern wurden zischen Zitronenscheiben angeboten. Wunderschöne Arrangements von Pfirsichen, Aprikosen, Weintrauben und Ananas.

Es war ein exotisches Paradies, ein dionysischer Garten Eden, köstlich und sinnlich und einladend. Es war, als wären sie von einer Minute zur nächsten in Tahiti gelandet, als hätten sie die Kargheit des Winters in Carnac mit dem tropischen Südseeparadies vertauscht.

»Kommt zu uns, Gemma und Jay«, rief Gabrielle und hob ihr Glas. »Auf euch!«

Sie sagte etwas zu Leo, reichte ihm ihr Glas und glitt ins Wasser. Gemma und Jay schauten zu, als Gabrielle ihnen entgegen schwamm und sich auf die Stufen zog, die in den Felsen eingeschlagen worden waren.

Klatschnass klebte die dünne Seide des Sarongs an ihrem Körper und betonte die hohen spitzen Brüste und die dunklere Farbe der Aureolen. Das nasse schwarze Haar lag auf ihren Schultern und dem Rücken.

»Ist das nicht wunderbar?«, rief sie mit glänzenden Augen. »Ein Picknick! Das Wasser ist warm. Ich habe Leo überreden wollen, aber er steckt nur einen Fuß ins Wasser.«

»Es sieht wirklich einladend aus«, sagte Jay. Er bemühte sich erfolglos, den Blick von Gabrielles Brüsten zu wenden. »Vielleicht später.«

»Aber natürlich. Nehmt euch einen Drink. Heute Abend soll es formlos zugehen.« In der fast tropischen Hitze des Wintergartens würde ihr Kleid rasch trocken sein.

Eine Batterie von Flaschen lag auf gestoßenem Eis. Gemma entschied sich für Champagner. Jay goss Stolichnaya ein paar Finger hoch in sein Glas, bevor er zu Racine auf den Felsblock ging.

»Aufs Paradies«, sagte er und prostete Alexei zu.

»Aber was ist ein Paradies ohne Schlange?«, fragte Alexei, hob ebenfalls sein Glas und nahm einen tiefen Schluck.

»Ich glaube, ich habe sie auf dem Weg hierhin gesehen«, sagte Jay. »Hast du sie gesehen? Ich wusste gar nicht, dass Fabergé so große Stücke herstellt. Sie windet sich ein paarmal um den Baumstamm.«

»Art Deco«, sagte Alexei gleichgültig. »Leos Sinn für Symbolik ist mir allzu oberflächlich. Ich war schon erleichtert, als ich feststellen konnte, dass es kein Apfelbaum ist. Aber was hältst du von unseren beiden Evas?«

Jay blickte hinüber zu Gemma und Gabrielle, die jetzt beide im glitzernden Wasser wateten. Sie lachten und hielten jeweils ein Glas in der Hand. Gabrielle mit ihrem dunklen Teint und dem scharlachroten Sarong gehörte zu Gauguin; Gemma, die wunderbaren silberblonden Haare offen und im weißen Seidenkleid, hätte Botticelli Modell stehen können.

Während die beiden Männer hinschauten, rutschte Gemma aus und fiel ins Wasser. Sekunden später tauchte sie prustend und lachend wieder auf. Die Champagnerflöte war unversehrt, das weiße Kleid klebte nass an ihrem Körper.

»Ein wenig wie Aphrodite«, murmelte Alexei. »Aber ihre Brüste sind besser.«

»Wie geht der Film voran?«, fragte Jay, um das Thema zu wechseln.

Es dauerte eine Weile, ehe Racine antwortete. Dann sagte er: »Brillant. Du wirst dich freuen, dass ich dir ein paar Anteile belassen habe. Ich sage einen verblüffenden Erfolg voraus ... Hast du gesehen, wie sie sich jetzt bewegt? Schau sie an, wie sie mit Leo und Gabrielle umgeht, so natürlich, so geschmeidig. Du wirst Gefallen an ihr finden, da bin ich mir sicher. Heute Abend noch, glaube ich.«

Jay verschluckte sich fast an seinem Wodka. »Weißt du, Alexei, ich habe nie verstanden ...«

»Das ist mir schmerzhaft bewusst.«

»Schau sie dir an«, kicherte Gabrielle und schenkte Champagner in Gemmas Glas ein. »So ernst, so angespannt. Sie reden bestimmt wieder über Geschäfte. Wie kann man nur so langweilig sein? Heute Abend wird doch gefeiert.«

»Und was feiern wir?«, fragte Gemma. Sie saßen nebeneinander am Teichrand, die Füße im Wasser, und sahen, wie Leo hinauf zu Alexei und Jay kletterte.

»Oh, alles! Deine Vampire vielleicht. Oder meinen Sieg.«

»Deinen Sieg?«

»Ah, ja, ich habe gewonnen, glaube ich«, sagte Gabrielle, und ihre Augen sprühten. »Leo ist ein Opfer seiner eigenen Taktik geworden. Die Überraschung ist das Wesen des Angriffs, verstehst du? Das hat einer eurer genialen Generäle gesagt, und er hat Recht.«

»Und du hast immer noch ... eh ... Überraschungen für ihn parat?«, fragte Gemma neugierig.

»Ich denke mir immer was aus«, sagte Gabrielle lächelnd. »Sieh ihn an, er beobachtet uns und grübelt. Und ich bin sicher, dass ihm auch Erinnerungen in den Sinn kommen.«

Gemma errötete.

»Ja«, fuhr Gabrielle fort, ihre Stimme leise und

zwingend. »Er möchte gern wissen, welches Komplott wir jetzt schmieden und wie die Nacht enden wird.« Unter Wasser tändelten ihre Füße mit Gemmas. Sinnlich fuhr sie mit einem Fuß über Gemmas Spann. »Jay beobachtet uns auch. Und Alexei. Oh, Gemma, kannst du es dir vorstellen?« Ihre Stimme klang erregt.

»Du sprichst nicht von einer Feier, Gabrielle, sondern von einer Orgie«, gab Gemma lachend zurück. Aber da das Wort nun einmal ausgesprochen war, war es unmöglich, sich nicht zu fragen, wie es wohl sein würde. Wie es sich anfühlte.

»Und vergiss nicht deinen Dream Lover«, raunte Gabrielle. »Wir wissen jetzt, dass es nicht Leo war.«

»Stimmt … aber woher weißt du …?«

»Du wärst in jener Nacht nicht einfach gegangen, wenn er es gewesen wäre.«

»Oh. Ja, kann sein. Ich weiß nicht.« Gabrielles Fuß streichelte immer noch über ihren, und sie spürte, wie es sie ein wenig erregte.

»Gemma, habe ich dich schockiert? Es ist eine Idee, mehr nicht. Komm, essen wir, und wenn du willst, reden wir nicht mehr über dieses Thema.« Sie stand auf und schlenderte hinüber zum Büfett. Sie rief den Männern zu, ihnen Gesellschaft zu leisten.

Gemma blieb noch eine Weile sitzen und leerte ihr Glas. Dabei schaute sie zu, wie Jay und Leo die Felsstufen nahmen. Beide Männer bewegten sich mit lässiger Sicherheit, sie verfügten über eine natürliche Anmut. Jay war eine Idee kleiner als Leo und ein wenig robuster gebaut. Er hatte sein Hemd fast bis zum Nabel geöffnet und die Ärmel aufgerollt. Man konnte seine dicken, muskulösen Unterarme und eine tief gebräunte Brust sehen. Körperlich war Leo eleganter, aber Jay besaß eine vitalere Härte, die auf Gemma wirkte.

Es war erstaunlich leicht, sich die beiden nackt vorzustellen, wie sie sich um sie bemühten, sie umringten, Jay vor ihr, Leo hinter ihr, wie die beiden sie streichelten und ihren Körper mit festen Griffen erforschten.

Eine Sekunde später lachte sie über ihre Phantasie. Sie schaute auf und sah, dass Racine sie beobachtete. Der Blick kam ihr spöttisch und verächtlich vor, auch ein wenig boshaft, ganz bestimmt aber herausfordernd. Es war, als hätte er sie mit Blicken gepeitscht. Bei diesem Blick kristallisierte etwas in ihr und setzte sich mit tiefer Gewissheit fest.

Sie hielt seinem starren Blick stand und lächelte zurück, es war ein breites Lächeln. Dann stand sie auf und ging zu Gabrielle.

Absichtlich wandte sie ihm den Rücken zu, aber sie wusste trotzdem mit absoluter Sicherheit, dass er gegangen war. Die Atmosphäre im Wintergarten wurde leichter, heller.

»Eine von Alexeis Launen«, sagte Leo. »Nein, Gabrielle, lass ihn gehen.«

Wie die Römer ließen sie sich am niedrigen Tisch nieder und ruhten sich auf großen Kissen in prächtigen Farben aus. Bei Wein, Lachen und Gesprächen brachen sie das saftige Fleisch aus den Schalen und vernichteten nach und nach das so kunstvoll arrangierte Büfett.

Aber unter dem Lachen versteckte sich ein sinnliches Bewusstsein, das allen klar war. Gemma spürte es ohne Verlegenheit und Heuchelei. Es war ein natürliches, nicht aufgezwungenes und nicht bedrohliches Empfinden. Sie hatte ihre Entscheidung gefällt, als sich ihr Blick mit Racines gekreuzt hatte.

Heute Abend würde sie Jay Stone haben, würde ihren zweiten möglichen Dream Lover testen. Sie glaubte nicht, eine lange Verführungsarbeit leisten zu müssen; sie hatte seine Blicke aufgefangen und in ihnen Wärme und sexuelle Bereitschaft gelesen, besonders, wenn er auf ihre Brüste und auf das Delta ihrer Schenkel geschaut hatte.

Sie lag entspannt auf den Kissen, biss auf eine Garnele und ließ ihre Fantasie wandern. Sie stellte sich wilde, unanständige Begegnungen in dieser paradiesischen Landschaft vor, heftiges, ungestümes Paaren, und obwohl es ihr nicht ganz ernst gemeint war, spürte sie doch eine wachsende Erregung.

»Bah«, rief Gabrielle und tauchte ihre Finger in die kleine Wasserschale. »Ich bin viel zu klebrig für diese kleine Schale. Ich werde mich richtig abwaschen. Im Teich. Kommst du mit mir, Gemma?«

Sie zögerte nur kurz. »Ja, natürlich.«

Sie konnte Jays und Leos Augen auf ihnen spüren, als sie zum Teich gingen. Gabrielle zog ihr Kleid aus, und Gemma war nur einen Moment überrascht. Selbstbewusst glitt Gabrielle ins Wasser und winkte ihr.

»Komm, Gemma, es ist wunderbar!«

Sie ließ das weiße Kleid vom Körper gleiten und zu ihren Füßen liegen. Sie wusste, dass die vier Männeraugen jetzt auf sie konzentriert waren, auf Rücken, Po und Beinen. Sie streifte das winzige Höschen ab und stieg ins Wasser.

Es war wirklich ein wunderbares Gefühl. Wie eine warme, flüssige Umarmung. Der Teich war nicht sehr tief, eineinhalb Meter etwa an der tiefsten Stelle. Wenn sie stand, leckte das wirbelnde Wasser an ihren Brüsten. Gabrielle lag auf dem Rücken und ließ sich treiben, die spitzen Nippel und der dunkle Busch ihres Geschlechts waren deutlich sichtbar.

»Du wirst es sehen, sie werden zu uns kommen«, sagte Gabrielle leise. Ihre Stimme kam kaum gegen das Plätschern des Wasserfalls an.

»Ja, ja, ich weiß«, antwortete Gemma.

»Und willst du?«

»Ich bin mir nicht sicher«, sagte Gemma zögernd, obwohl ihr Körper vor Erwartung schon zuckte. Es kam ihr so vor, als hätte jede erotische Begegnung seit jener Nacht in der Gruft sie zu diesem bevorstehenden Erlebnis geführt. Dabei war es der Blick von Alexei Racine gewesen, der sie zu dem Entschluss gebracht hatte.

»Nimm es nicht so wichtig, Gemma. Es ist ein Spiel, mehr nicht. Du kannst die Regeln noch während des Spiels festlegen … das ist das ganze Geheimnis.«

Gemma nickte.

Allein in seinem privaten Vorführraum sah sich Alexei Racine die Tagesproduktion an und hielt den Film an, als der dämonische Liebhaber den Kopf zum weißen Hals der Frau beugte. Ja, es war vollkommen, befand Racine. Schauerlich und erregend, dunkel erotisch.

Mit einem Mal überkam ihn eine große Ruhe und eine tiefe Freude, nicht unähnlich dem Moment nach dem Orgasmus, leer und doch frohlockend. Aber seine Hochstimmung rührte nicht allein vom groß-artigen Filmausschnitt, den er gerade betrachtet hatte.

Er musste grinsen, als er an Gemmas Lächeln dachte, dieses breite, trotzige Lächeln. Er hatte gespürt, dass sie Gewissheit hatte, und er wusste, dass dieses Wissen in ein begreifendes Verstehen übergehen würde, in ein wahres Verständnis. Das würde der Höhepunkt seiner Strategie sein, und dann würde die Enthüllung folgen, das komplizierte Entwirren des sinnlichen Netzes.

Doch ganz zufrieden war er noch nicht. Er brauchte noch irgendeine überraschende Wende …

Gemma trieb auf dem Rücken, die Augen geschlossen, und hörte Gelächter, als Jay und Leo in den Teich sprangen. Sie schrie auf, als sie eine Hand um die Fußfessel spürte, die sie unter Wasser zog. Die Männer waren ungestüm und lärmend; sie versuchten, ihre Erregung hinter dem kindlichen Spiel zu verstecken.

Die Aras kreischten und flohen mit einem schwirrenden Schwingen der Flügel, als das ausgelassene Lachen der Menschen das Plätschern des Wasserfalls noch übertönte. Gemma wurde atemlos an den Rand des Teichs gedrückt, keuchend und halb blind, weil die langen Haare ihre Sicht behinderten. Hinter sich spürte sie das Pressen eines männlichen Körpers.

»Das macht Spaß, was?« Jays Mund war dicht an ihrem Ohr. Auch er war außer Atem. Sie spürte das Auf und Ab seines Brustkorbs auf ihrem Rücken.

Sie entspannte sich und rieb ihren Rücken gegen den nackten Körper. Sie spürte, wie sich der Penis regte und gegen ihre Backen presste. Verlegen wich Jay ein wenig zurück, seiner Sache offenbar noch nicht ganz sicher. Gemma ließ die Hüften kreisen und rieb das Gesäß gegen seine zuckende Erektion.

Vielleicht lag es daran, dass er hinter ihr war, anonym, gesichtslos. Vielleicht war es das, was sie so frei und hemmungslos sein ließ. Sie befand sich im Paradies, frei von Sünde und Schuld. Zufrieden schloss sie die Augen.

Das Wasser schwappte gegen ihre Brüste, als sie sich an ihn schmiegte, die Beine spreizte und seinen Penis dazwischen einfing. Sie hörte ihn stöhnen.

»Ja, es macht Spaß«, sagte Gemma.

Er war lang und hart und drückte seine Erektion in die Kerbe ihrer Backen. Sie krümmte sich noch ein wenig mehr und spürte den Schaft, der jetzt gegen ihre Labien rieb. Die Eichel stieß gegen die Klitoris. Sie brauchte sich nur ein wenig zu bewegen, um die Reibung zu intensivieren.

Sie stand gebückt da und genoss das harte Versprechen seines Schafts zwischen den Schenkeln. Ihre Labien und die Brüste schwollen an, als er mit kleinen ruckartigen Bewegungen begann und sie verstärkte.

Sie krümmte den Rücken noch ein wenig mehr, legte den Kopf auf seine Schulter und war erleichtert über seine sanfte, rücksichtsvolle Art; er wollte warten, bis sie den Rhythmus gefunden hatte. Seine Hände lagen auf ihren Hüften und stützten sie, dann griff sie nach seinen Händen und legte sie schamlos auf ihre Brüste.

Gemeinsam umfassten sie ihre geschwollenen Hügel, ihre Hände auf seinen. Sie hielten die steifen Nippel über Wasser, und seine Daumen glitten rhythmisch über die geschwollenen Warzen. Sein Körper erschauerte.

»Himmel, Gemma«, stieß er hervor.

»Nein«, murmelte sie.

Sie hatte keinen Bedarf für Worte, sie wollte Schweigen. Er zwickte ihre Warzen zwischen Daumen und Zeigefinger, und Gemma spürte ein heftiges Ziehen im Bauch. Sie wurde noch feuchter, und das spürte er auch, denn er stieß mit der Eichel zwischen ihre Labien.

Sie öffnete die Augen und sah, wie sich Gabrielle und Leo unterm Wasserfall umarmten. Ihre Hände waren zwischen seinen Beinen, und während Gemma zuschaute, ließ sich Gabrielle auf die Knie nieder und nahm ihn in den Mund. Seltsam, stellte Gemma fest, aber dieses Bild erhöhte ihre Lust noch.

Aufstöhnend zwang sie ihren Blick weg. Sie schaute auf ihre eigenen Brüste und sah, wie Jays Hände sie immer noch drückten und kneteten. Mit dem Daumennagel schabte er über die zuckende Warze.

Plötzlich erinnerte sie sich mit völliger Klarheit, wie ihr Dream Lover sie in der Gruft zum Höhepunkt gebracht hatte – allein schon dadurch, dass er ihre Brüste mit Mund und Händen gequält hatte.

Instinktiv erhöhte sie den Druck seiner Hände, indem sie ihre Nippel zwischen seine Finger schob, und dann spürte sie auch schon Daumen und

Zeigefinger, die zupften und drückten, immer härter, bis aus der Lust Schmerz wurde, und aus dem Schmerz erwuchs ein rosiges Glühen, das ihren ganzen Körper erfasste.

Ihr Orgasmus glomm, dann glitzerte er, er überschwemmte ihren Körper. Sie konnte ihn tief in ihrer Grotte fühlen. Ihre inneren Wände zogen sich zusammen und begannen zu zittern. Plötzlich wurde sie ganz still, ehe es aus ihr herausbrach. Wellen der Lust liefen wie köstliche Schauer über sie hinweg.

Jay musste ihr Zittern und Schütteln gespürt haben, er musste bemerkt haben, dass sie diese Erlösung allein erleben wollte. Sein Atem ging schwer, aber er verhielt sich reglos und hielt seinen Schaft gegen ihr zitterndes Fleisch gedrückt.

Gemma empfand einen wilden Triumph, der sich mit dem Nachglühen des überraschenden Orgasmus vermischte. Ihr Körper entspannte sich allmählich.

Impulsiv ruckte sie die Hüften vor und zurück. Seine Erektion stieß gegen ihre Labien und dann in sie hinein. Er war groß, sehr groß sogar, und füllte sie ganz aus. Einen Moment lang bewegte sie sich nicht, als wollte sie Länge und Umfang auskosten.

Sie brauchte einige Zeit, bis ihr Gehirn begriff, was ihr Körper ihr sagte: Er war es nicht.

Er trieb jetzt in sie hinein, zwang sie, mehr und mehr in sich aufzunehmen. Sie keuchte und stöhnte und fühlte sich aufgespießt. Sie wartete auf seine Stöße und stemmte sich dagegen, und er antwortete mit immer kräftigerem Stampfen. Sie spürte, wie sie sich seinem Rhythmus anpasste, wie sie schneller atmete, wie er sich fast ganz aus ihr zurückzog, um dann wieder tief einzudringen.

Sie wartete seine nächste Bewegung ab, bis nur noch die Eichel zwischen den Labien steckte. Als er gerade wieder einfahren wollte, warf sie sich herum und tauchte unter Wasser.

Ein paar Schritte neben ihm tauchte sie lachend auf und schüttelte sich das Wasser aus den Haaren. Er stieß sich ab und schwamm auf sie zu, tauchte unter und griff wieder nach ihrem Fußgelenk. Fast grob drückte er sie an sich, bis sich ihre Nasenspitzen berührten.

Der Ausdruck ihres Gesichts, neckend, große Augen und gespielte Unschuld, entwaffnete ihn. Er brach in lautes Gelächter aus.

»Was willst du mir damit sagen?«, fragte er und küsste sie auf den Mund. »Noch nicht oder so nicht?«

Ihre Brüste wurden gegen seinen Brustkorb gequetscht, sein Penis stieß hart gegen ihren Bauch.

»Wir werden sehen«, sagte sie, aber um ihm Hoffnung zu signalisieren, griff sie seinen Penis und drückte ihn. Jay erschauerte, als ihre Hand an dem harten Schaft auf und ab glitt. Gemma liebte das Gefühl des harten Schafts und des weichen Gewebes. Es gab nichts Vergleichbares. Sie spürte, wie sich der Fleischstab noch mehr verhärtete.

Das Nachglühen ihres Orgasmus war noch nicht abgeklungen, hatte sich durch seine gekonnten Stöße gehalten. »Ich lasse mich gern überraschen«, murmelte sie, drückte sich noch einmal an ihn und stieß sich dann wieder weg von ihm.

Er folgte ihr, als sie hinüber zu dem gewaltigen Felsbrocken schwamm, auf dem Leo und Gabrielle lagen, die Füße und Beine im Wasser. Gemma legte sich an Gabrielles Seite.

»Nun, Gemma? Ist es ein Spiel, das dir gefällt?«, murmelte sie leise.

»Es gefällt mir sehr gut«, antwortete Gemma und spürte, wie Jay sich hinter sie legte.

»Ich kann es dir nicht oft genug sagen«, fuhr Gabrielle flüsternd fort. »Alles dreht sich um das Element der Überraschung.«

NEUNTES KAPITEL

Es war erst später, viel später, dass ihr das ganze Ausmaß des sexuellen Wahns, in den sie in jener Nacht gefallen war, so richtig bewusst wurde. Jay hatte beendet, was sie vorher im Wasser unterbrochen hatte, während sie in Gabrielles Armen lag. Ihr Kosen und Leos Streicheln führten zu einem unglaublichen Orgasmus, dessen Nachbeben sie noch spät in der Nacht zu spüren glaubte.

Irgendwann war ihre Gier gestillt, und erschöpft und glücklich, total gesättigt, löste sie sich aus dem Knäuel der Leiber und Gliedmaßen und erhob sich.

Jay spürte, dass sie sich bewegte, sah zu ihr hoch und erhob sich ebenfalls. »Ich bringe dich ins Bett«, raunte er, fasste unter ihre Kniekehlen, hielt sie im Rücken fest und nahm sie schwungvoll auf seine Arme.

Leo nickte ihnen erschöpft zu. »Ja, tu das. Ich kümmere mich um Gabrielle.«

Gemma schlang die Arme um Jays Hals, nestelte den Kopf in die Beuge seiner Schulter und schlief sofort ein. Sie wurde erst wach, als Jay sie behutsam auf ihr Bett legte.

»Soll ich bleiben?«, fragte er und deckte sie liebevoll zu.

Sie schaute ihm in die Augen. Sie waren dunkelbraun mit hellbraun schillernden Flecken. Er wollte bleiben, das sah sie an seinem Blick.

»Nein«, sagte sie leise. »Aber danke.«

Er beugte sich über sie und küsste sie auf den Mund. Es war ein sanfter, leichter Kuss, warm und zärtlich. »Gemma, ich…«

Sie unterbrach ihn, indem sie einen Finger quer über seine Lippen legte. »Gute Nacht, Jay.«

»Gute Nacht, Gemma.«

Sie kuschelte sich ins Bett und versuchte, die matte Wärme und sanfte Glückseligkeit einzufangen, die sie bis eben empfunden hatte. Aber sie waren verflogen, vielleicht vertrieben von Jays Kuss und dem Blick in seinen Augen.

Sie warf sich auf die Seite, aber schon bald danach legte sie sich flach auf den Rücken. Die Kissen waren zu hart. Oder zu weich. Sie klopfte und formte die Kissen neu und legte sich wieder hin. Das Zubett war zu schwer. Sie schob es mit den Füßen ans Bettende, aber das war zu kalt. Sie schüttelte sich und zog es wieder nach oben. Ihr rechter Knöchel begann zu jucken, und ihre Augen fühlten sich sandig an.

Sie legte sich wieder auf die Seite und zwang sich, die Augen zu schließen. Sie atmete tief durch. Fragmente von Bildern und Szenen schossen wie Blitze durch ihren Kopf. Sie sah Jays dicken, geschwollenen Penis, die fleischigen Lippen von Gabrielles Geschlecht, die harten, glatten Kurven von Leos attraktivem Körper. Die glitzernden blinden Augen der juwelenbesetzten Schlange. Der sarkastische Blick von Alexei Racines kalten grauen Augen.

Sie hatte diesen Blick schon einmal gesehen, sie hatte ihn wiedererkannt … Ja, plötzlich erinnerte sie sich. Ihr Traum, vor gar nicht langer Zeit in London. Er hatte den Kopf gehoben und sie angeschaut, und seine Lippen waren voller Blut gewesen … ihr Blut. Seine Augen hatten triumphierend geleuchtet, als ein alptraumhafter Orgasmus sie geschüttelt hatte.

Sie zog eine Grimasse, setzte sich im Bett auf, klopfte die Kissen wieder weich und versuchte, sich abzulenken. Sie könnte sich heiße Milch bestellen. Oder sich einen Cognac einschenken. Die Karaffe stand auf dem Nachttisch. Oder ein Bad nehmen und die Spuren der Nacht abwaschen.

Seufzend langte sie nach dem Schalter ihrer

Nachttischlampe, aber ihre Hand verharrte mitten in der Bewegung, denn sie erinnerte sich an eine andere Nacht, in der sie nach dem Lichtschalter getastet hatte – und an seine ungestüme Reaktion, als er sie zurück aufs Bett gedrückt und ihr einen rasenden Höhepunkt verschafft hatte.

Damals hatte es ein kurzes Nachspiel gegeben, als er ihren Impuls gespürt hatte, ihn zu beißen, ihn zu brandmarken. Er hatte sie Psyche genannt.

Gab es wohl eine tiefere Bedeutung dieses Mythos?

Sie schaltete entschlossen das Licht an und schaute auf die Uhr. Vier. Dies war nicht die Zeit, Entscheidungen zu treffen. Auf dem Nachttisch lag ein Zigarettenetui, in das eine idyllische Landschaft eingraviert war. Sie nahm eine Zigarette heraus und zündete sie an.

Vielleicht war es das einzige, was man in den frühen Stunden des Tages tun konnte, in diesem ereignislosen Vakuum zwischen Nacht und Tag, wenn der Schlaf nicht kommen wollte. Rauchen, auf und ab gehen und grübeln.

Einen Moment lang bereute sie es, Jay nicht eingeladen zu haben, bei ihr zu bleiben. Warum hatte sie das abgelehnt? Plötzlich wusste sie. Es war die Wärme seines Kusses. Für diesen Augenblick war er zum Menschen geworden, nicht mehr nur ein fast anonymer Körper.

Sie saß da und rauchte und sah sich das erste Mal mit der fundamentalen Wahrheit konfrontiert, die Frauen immer schon gewusst und Männer nie gelernt haben. Es gibt nicht den lässigen, unkomplizierten Sex.

Alle ihre Liebhaber hatten sie geformt und verändert. Die tollpatschigen Jungen ihrer Jugend, die sie unbefriedigt zurückgelassen hatten, waren vielleicht die Wegbereiter dafür gewesen, dass sie sich in dieser Gruft einem Fremden hingegeben hatte.

Sie erinnerte sich an das unbeschwerte Spiel des Nicholas Frere, der sie gleichzeitig zum Lachen und Kommen gebracht hatte. Er hatte ihr gezeigt, Sex so wichtig zu nehmen wie die tägliche Nahrung. Dann die neuen Erfahrungen mit Gabrielle und Leo …

Im Zentrum dieses sinnlichen Netzes, einer boshaften Spinne nicht ungleich, befand sich Racine, der den erotischen Faden sponn, der sie alle miteinander verband.

Gemma drückte ihre Zigarette aus. Dann, getrieben von einem perversen, völlig unerklärlichen Impuls, erhob sie sich, warf sich den Bademantel über, ging ins angrenzende Zimmer und legte sich in den offenen Sarg, wo sie sofort einschlief, tief und traumlos.

Ein paar Stunden später wachte sie auf. Zunächst wusste sie nicht, wo sie war; sie hob sich auf einen Ellenbogen und blickte sich neugierig um. Dann lächelte sie, als sie die Umgebung allmählich in sich aufnahm. Sie hob sich aus dem Sarg und fragte sich, was für ein Impuls das wohl war, der sie in diesen Sarg getrieben hatte. Sie hoffte, dass sie nicht dabei war, einen Sinn für Perverse zu entwickeln.

Nach der Dusche zog sie rehbraune Jeans und ein weißes T-Shirt an, dann ging sie zum Frühstück in den Wintergarten. Sie hatte kurz darüber nachgedacht, sich das Frühstücks aufs Zimmer bringen zu lassen, aber nach der Schlaflosigkeit der vergangenen Nacht und nach ihrer ungewöhnlichen Lagerstatt spürte sie ein klein wenig Platzangst.

Zu ihrer Überraschung war Gabrielle schon da. Sie nippte am Kaffee und spielte mit einem Croissant. Sie trug ein maßgeschneidertes Kostüm in Elfenbeinfarbe, die einen auffälligen Kontrast zu ihren Augen bildete. Sie lächelte Gemma an, es war ein warmes, freundliches Lächeln ohne jede Verlegenheit.

»Gemma, geht es dir gut?«, fragte sie. In diesem Moment kam Marie herein und schenkte Kaffee ein.

»Ja, sehr gut. Oh, Marie … Ich möchte heute Morgen was anderes haben. Waffeln, Sirup, Würstchen und Schinken. Gabrielle, kannst du ihr das übersetzen?«

Die Freundin lachte. »Du hast aber einen anständigen Hunger mitgebracht«, sagte sie. »Keine schlechten Nachwirkungen von gestern Abend?«

Gemma nippte am Kaffee und überlegte sich die Antwort. Sie spürte einen süßen Schmerz zwischen den Schenkeln, Erinnerung an die Exzesse der Nacht. Aber eigentlich fühlte sie sich gut. »Nein«, sagte sie schließlich. »Und du?«

»Mir geht es sehr gut. Aber der Abend hat schon eine Wirkung hinterlassen, wenn auch keine schlechte. Nein, überhaupt nicht.«

»Und was ist das für eine Wirkung?«, wollte Gemma wissen. Marie brachte gerade ihre Waffeln.

»Ich gehe zurück nach Paris. Zu meinem Mann.«

»Was?«, rief Gemma aus, völlig verdutzt.

»Ja. Ich glaube, es ist ein strategischer Rückzug. Auf der anderen Seite – kann man bei einem Sieg von Rückzug sprechen? Nun, wie auch immer, ich kehre heute Morgen noch nach Paris zurück.«

»Aber warum? Und weiß Leo Bescheid?«

»Nun, die vergangene Nacht war fantastisch, findest du nicht auch? Ein Triumph. Unvergesslich.«

»Ja, ganz sicher unvergesslich«, murmelte Gemma.

»Nun, ich habe Leo neu gewinnen können. Er wird sich immer daran erinnern. Jetzt ist es so, dass er zu mir kommen wird, wenn ich ihn noch einmal genießen will. Das ist ziemlich listig von mir, siehst du das nicht auch so?«

»Sehr listig«, bestätigte Gemma, immer noch überrascht. »Aber weiß Leo davon?«

»Ach, weißt du, wir haben nur eine Beziehung der

Körper, das habe ich dir doch gleich gesagt.« Gabrielle
tat sehr überlegen. »Ich habe ihm einen Zettel hinterlassen.«

»Gibt es das eigentlich? Nur eine Beziehung der
Körper?«

Gemma träufelte Sirup auf eine Waffel und steckte
sich ein Stück in den Mund.

»Für mich ja«, behauptete Gabrielle. »Aber ich bin
Französin und deshalb praktisch veranlagt. Vielleicht
ist es für dich nicht genau so.«

Gemma schwieg.

»Und deine Beziehung ist auch eine ganz andere«,
fügte Gabrielle hinzu.

»Meine?« Gemma spießte ein Würstchen auf.

»Ja. Du und Alexei.«

Gemmas Herz tat einen Sprung. »Vielleicht ist er es
ja gar nicht«, sagte sie, selbst nicht davon überzeugt.

Gabrielle hob eine Augenbraue. »Natürlich ist er es!
Ich finde das sehr spannend. Natürlich ist es nicht nur
eine Beziehung der Körper, denn er spielt auch mit
deinen Sinnen.«

In seinen privaten Gemächern im Ostflügel des
Chateaus nahm Leo Marais sein Frühstück ein. Vor
ihm stand eine Bloody Mary, mit der er seinen Kater
zu bändigen hoffte, und eine Platte mit Austern, mit
der er seiner Libido wieder auf die Sprünge helfen
wollte. Neben ihm attackierte Jay Stone Eier und
Schinken mit einem fast schon unanständigen Heiß-
hunger, fand Leo.

Alexei Racine hatte es sich in einem Sessel gemütlich gemacht, direkt neben einer Skulptur von Rodin.
Sie zeigte ein eng verschlungenes Paar. Alexei strich
gedankenverloren über die weißen Marmorlocken der
Frau.

»Der Sold der Sünde, meine Freunde«, mokierte er

sich über Leo und Jay, denen man die Nachwirkungen der Nacht gut ansehen konnte.

Leo gab keine Antwort.

»Ich dachte, du glaubst nicht an die Sünde«, wandte Jay Stone ein und schüttete Ketchup auf seine Eier.

»Wie absurd! Natürlich glaube ich an die Sünde«, antwortete Racine. »Das Leben wäre absolut langweilig ohne Sünde, und Sex wäre noch langweiliger.«

»Sex und Sünde haben nichts miteinander zu tun«, behauptete Jay und fing den Dotter mit einem Stück Toast auf.

Leo nahm einen Schluck seines Bloody Mary.

»Typisch amerikanisch«, warf Racine ein. »Natürlich gibt es einen direkten Zusammenhang zwischen Sex und Sünde.« Dann war er des Themas offenbar müde geworden. Er verließ seinen Platz neben dem Rodin, streichelte der Frau noch einmal über die Brüste und setzte sich zu den Freunden an den Tisch. »Es ist schade, dass dich eine dringende geschäftliche Angelegenheit nach Paris ruft.«

»Was?« Jay war verblüfft. »Ich habe meine Geschäfte in Paris beendet.«

»Ich bin zu Tode betrübt, dass ich dir widersprechen muss, mein Freund, aber du musst dringend zu irgendwelchen Geschäften«, sagte Racine unbeeindruckt.

»Irgendwelche Geschäfte«, murmelte Jay Stone und sah Racine mit verengten Augen an.

»Es sollte nur ein kurzer Auftritt von dir sein, mehr nicht«, erinnerte Alexei ihn mit sanfter Stimme.

Jay starrte ihn ausdruckslos an. Es war ein Blick, den seine Geschäftspartner kannten und fürchteten. Er schob seinen Teller beiseite. »Weißt du, Alexei, als du das erste Mal über diese verrückte Idee gesprochen hast …«

»Du hast ohne Zögern zugesagt. Es wäre kleinlich von mir, dich daran zu erinnern, dass du dich in meiner Schuld befindest, nicht wahr?« Racine sah ihn mit kalten Augen an.

Jay wich seinem Blick aus.

»Deshalb werde ich es auch nicht tun«, sagte Racine.

»Es ist nur so, dass ich sie mag«, bemerkte Jay und starrte in seine Kaffeetasse.

»Schön.«

Leo schaltete sich in die Unterhaltung ein und wandte sich an Alexei Racine. »Wegen letzter Nacht? Du drängst meinen Gast zu gehen? Willst du mir jetzt auch nahelegen, dass ich dringende Geschäfte in Paris wahrnehmen muss?« Seine Stimme troff vor Ironie.

»Weißt du, Leo«, sagte Racine mit einem gespenstischen Lächeln, »das würde mich überhaupt nicht erstaunen.«

Da es Sonntag war, hatte das Filmteam frei. Gemma, die Gabrielle wegen ihrer Flucht nach Paris ein wenig beneidete, fand den allgegenwärtigen Henri und fragte ihn verlegen nach dem Fahrplan der Busse nach Carnac. Henri wollte vom öffentlichen Omnibus nichts wissen. Wenn Gemma nicht die chauffierte Limousine in Anspruch nehmen wollte, konnte sie von siebzehn Automobilen eins aussuchen. Sie entschied sich für einen Jaguar.

Die Überfülle an Luxus im Chateau bedrückte sie an diesem Morgen. Sie hätte nichts dagegen gehabt, Leo oder Jay zu begegnen, aber der Gedanke, auf Racine zu stoßen, entsetzte sie. Da war die Aussicht eines Spaziergangs durch Carnac, bei dem sie die mystische Atmosphäre der alten Stadt einatmen konnte, erheblich beglückender. Die andere Möglichkeit wäre gewesen, sich in ihrer Suite einzusperren und zu arbeiten – auch keine überzeugende Alternative.

Gabrielle war schon weg. Sie hatten sich zum Abschied geküsst, und die Freundin hatte Gemma das weiße Seidenkleid als Erinnerung geschenkt. Gemma lächelte wehmütig, aber dann wurde sie in die Gegenwart zurückgeholt, denn einer der Dienstboten fuhr den silbergrauen Jaguar vor.

Ihre Sammlung erotischer Erinnerungsstücke wuchs. Sie hatte mit dem schwarzen Lederkostüm begonnen, das Pascaline ihr für die Silvesterparty gegeben hatte, und wurde von dem weißen Kleid fortgesetzt, das sie in der Nacht mit Gabrielle und Leo und jetzt in der Nacht mit Jay getragen hatte.

Sie konnte zu ihrem Haus fahren, dachte sie, aber diesen Gedanken verwarf sie sofort wieder. Diesen Teil von sich wollte sie geheimhalten. Das Bauernhaus war ein Zufluchtsort und passte nicht zu ihrer gegenwärtigen Stimmung.

»Mademoiselle?«

Der junge Mann hatte die Fahrertür des Jaguars geöffnet und wartete.

»Oh, ja, danke«, sagte Gemma rasch. »Merci.«

Es war ein Vergnügen, das Auto zu fahren. Sanft wie auf Seide schnurrte der Wagen über die Kiesabfahrt. Sie widerstand der Versuchung, den Motor bis an die Grenze der Belastbarkeit zu testen, und fuhr zügig, aber mit Vorsicht. Außerdem konnte man sich in dem Labyrinth der Straßen auf dem Land des Chateaus leicht verirren. Es gab keine Hinweisschilder.

Der Morgen war still und kühl; eine blasse Sonne gab zwar Licht, aber keine Wärme. Nach einigen falschen Abbiegungen fand Gemma schließlich die Straße, die zu den Menec Linien führte, einer Reihe von dicht zusammenstehenden Menhiren, insgesamt über tausend. Aufrecht stehende Steinsäulen in schier endlosen Reihen. Gemma stellte den Jaguar ab.

Das letzte Mal war sie im Sommer hier gewesen, es war ein heißer Tag gewesen, und dichte Touristengruppen hatten sich um die Steinsäulen drapiert, damit ein Erinnerungsfoto geschossen werden konnte; kleine Kinder waren kreischend herumgelaufen und hatten um Eis gequengelt, das von der Ladefläche eines altersschwachen Lastwagens angeboten wurde, dazu auch kleine bemalte Steine als Souvenirs aus Menec.

Jetzt lag die Landschaft verlassen da. Ein Hauch stiller, eingefrorener Heiterkeit schien von den hohen, schlanken Steinen auszugehen. Die Form der Steine war eindeutig phallisch. Gemma wusste, dass aufrecht stehende Steine allgemein so gedeutet wurden. Sie erinnerten sie an den eingeritzten Jäger aus der Gruft, vor allem mit seinem übergroßen Speer oder Penis, der vom Leib aus in die Höhe schnellte.

Aber sie wusste auch, dass die wirkliche Bedeutung der Steine und der Grund, warum sie vor mehr als sechstausend Jahren errichtet worden waren, immer noch ein Geheimnis blieben. Ebenso blieb es ein Geheimnis für sie, warum Alexei Racine sie in jener Nacht in der Gruft genommen hatte.

Sie stieg aus dem Auto, überquerte die Straße, passierte das hässliche, blau angestrichene und absolut wirkungslose Drehkreuz und wanderte tief in Gedanken an den Menhiren vorbei. Sie konnte sich natürlich eine komplizierte Theorie ausdenken, was viele Archäologen auch mit diesen Steinen angestellt hatten, aber von sich aus würde sie das Geheimnis um Alexei Racine nie lösen können.

Die einzige unumstößliche Tatsache, zu vergleichen mit der Tatsache, dass die Steine hier standen, bestand darin, dass Racine sich ihrem Körper eingebrannt hatte. Er hatte ihr mit Händen, Zähnen, Lippen und dem harten Schaft einen Höhepunkt nach dem anderen verschafft.

Und sie hatte darin geschwelgt.

Hatte gejubelt.

Hatte danach gelechzt.

Und lechzte immer danach.

Fröstelnd kehrte sie zum Auto zurück und fuhr weiter.

Alexei Racine richtete sich in dem offenen Sarg ein und inhalierte den schwachen Duft Gemmas, der dem weißen Satinkissen anhaftete. Während er mit einer Hand über die polierte schwarze Oberfläche streichelte, wurde ihm bewusst, dass er sich an das Ding gewöhnt hatte. Vielleicht würde Leo es ihm verkaufen, oder er würde sich selbst einen Sarg zimmern lassen.

Er hatte den süßen Ruch der Perversion, eine nicht krankhafte Dekadenz, eine verschrobene Lüsternheit, die ihm behagte. Außerdem war das Stück erstaunlich bequem.

Er stellte sich Gemma vor, wie sie hier ausgestreckt gelegen hatte, das silberblonde Haar auf dem weißen Seidenkissen, auf dem jetzt sein Kopf lag. Er spürte das erste leise Ziehen einer Erregung. Er wusste – vielleicht besser als sie –, was sie gestern Abend hierhin getrieben hatte. Er grinste und kostete die Vorstellung an ihren schlanken Körper aus, gesättigt und erschöpft von Leidenschaft.

Er wurde hart, als er an ihre Brüste dachte. Wie vollkommen sie in seiner Hand lagen. Wie wunderbar sie sich unter dem weißen Seidenkleid abzeichnet hatten, nachdem sie in den Teich gesprungen war. Einen Moment lang glaubte er zu spüren, wie sich ihre Nippel unter seiner Zunge verhärteten. Er stellte sich vor, wie er an ihnen saugte, wie er ihre Brüste zwischen die Zähne nahm.

In jener ersten Nacht hatte er sie mit Absicht mit den Zähnen gezeichnet. Er wollte, dass sie den Abdruck seiner Zähne auf ihrer Haut sah, sie sollte sich an die verzehrende Hitze erinnern, die sie in der Gruft erlebt hatte. Später fragte er sich, welches Gesicht sie wohl gemacht hatte, als sie den roten Halbmond auf dem Hügel ihrer Brust bemerkt hatte. Was war ihr in den Sinn gekommen? Welchen Ausdruck hatten ihre Augen? Er bedauerte, dass er das nicht hatte sehen können.

Ungläubigkeit, stellte er sich vor. Vielleicht auch Entsetzen. Aber er wusste, dass sie keine Schuldgefühle haben würde. Dafür war sie zu kontrolliert, zu intelligent, um ihre Lust von Schuld trüben zu lassen. Wenn sie inzwischen gelernt hatte, ihre Lust zu leben, dann wusste sie auch, dass sie nur dann wirkte, wenn man sie pur genießen konnte und nicht herabsetzte.

Er war stets auf der Suche nach Symbolen, nach Bildern für das Abstrakte. Für ihn war die Lust gelb, das pure, brillante Gelb der Sonne. Heiß und lebensspendend. Gemma war wie ihr Name, kalt und hart, eisig kontrolliert. Gemma, das Juwel, das gleißendes Licht bricht.

Vor einiger Zeit hatte er ihren Namen in einem Wörterbuch nachgeschlagen. Gemme war nicht nur ein Juwel, sie war auch eine kleine Knospe, die sich von der Mutterpflanze trennt, um Samen auszustreuen.

Auch ein schönes Bild.

Nachdem Gemma Carnac hinter sich gelassen hatte, fuhr sie stundenlang durch die Gegend. Einmal hielt sie an, um zu tanken, und ein zweites Mal, um sich am Meer die Beine zu vertreten. Der winterliche Atlantik schien so kalt und grau und leer zu sein wie Alexei Racines Augen, deshalb fuhr sie landeinwärts und folgte den Schildern nach Vannes. Sie hatte nicht die Absicht, in diese Stadt zu fahren, ihr genügte es, einfach unterwegs zu sein.

Zum ersten Mal wurde ihr bewusst, dass ihre Liebe

zum Autofahren verwandt war mit dem körperlichen Empfinden beim Sex. Da gab es einmal die offensichtlichen Parallelen, der dicke Schaltknopf, den sie auf dem Handteller fühlte, so phallisch wie die aufgerichteten Steinsäulen, dann das schwache Vibrieren des Motors, das ihren Körper leicht stimulierte.

Aber es waren nicht nur diese äußerlichen Dinge. Sie empfand ein Gefühl von Macht und Freiheit, wenn sie im Auto saß. Der Rausch der Geschwindigkeit erfasste den ganzen Körper und schärfte alle Sinne.

Es war fast so wie Sex mit einem Fremden, dachte sie, und schon waren ihre Gedanken wieder bei Alexei Racine. War der Sex deshalb so gut mit ihm gewesen? Weil er ein gesichtsloser, anonymer Fremder gewesen war? Und weil sie im Schutz der Dunkelheit für ihre Gefühle nicht verantwortlich sein musste?

Nein. Das stimmte nicht. Sie hatte ihre Gefühle tief empfunden. Mächtige Gefühle. Sie hatte sie nicht unterdrücken, hatte ihnen nicht ausweichen können. Unbeschreibliche Gefühle.

Sie hielt schließlich an einem etwas ungewöhnlichen Schnellimbiss an. Eine seltsame Mischung aus der vorgepackten Plastikwelt von McDonalds und dem klassischen französischen Bistro. Die Tische waren klein, die Oberflächen eingeritzt und wacklig, und es standen kleine metallene, zerbeulte Aschenbecher darauf und winzige Papierservietten. Die großen angestrahlten Poster über dem Bartresen aus gescheuertem Zink zeigten grell vergrößerte Hamburger, Hotdogs und Fischplatten.

Ein wenig verunsichert bestellte sie eine halbe Flasche Muscadet und *moules frites*. Sie fand einen Tisch in der Ecke. Der Muscadet, der sofort kam, war kalt und belebend. Muscheln und Fritten wurden ein wenig später serviert. Die Muscheln waren dick und saftig und schwammen in einer leichten Soße aus Pfeffer, Zitronen und knusprigen Kartoffelscheiben.

Gemma aß hungrig, bis ihr Teller leer war, mal abgesehen von den schwarzen Schalen.

Sie lehnte sich zurück und zündete sich eine Zigarette an, während sie ein zweites Glas Wein trank und die Teenager betrachtete, die eine Musicbox umlagerten. Ein Junge, größer als die anderen, fiel ihr auf. Er stand hinter einem Mädchen, das viel kleiner war als er, und streichelte dessen straffes Gesäß. Ihre Aufmerksamkeit war auf das Gerät gerichtet, und mögliche Beobachter schienen ihnen gleichgültig zu sein. Er streichelte sie und folgte der Kerbe, die ihren Hintern teilte. Das Mädchen scheuerte mit kaum wahrnehmbaren Bewegungen gegen die streichelnde Hand des Jungen.

Gemma wandte den Blick ab. Sie spürte ein leichtes Ziehen im Schoß. Neben ihr saß ein älteres bretonisches Ehepaar, das schweigend seine Mahlzeit verzehrte, jenes gewisse Schweigen von Mann und Frau, die so lange verheiratet waren, dass sie sich nichts mehr zu sagen hatten.

Ihre Bewegungen verliefen synchron und zeigten jene Vertrautheit, die keine Worte erforderte. Ohne Aufforderung reichte sie ihm den Salzstreuer, und er schenkte ihr Wein ein, wenn er bemerkte, dass sie ihr Glas geleert hatte.

Gemma befand sich in einer Stimmung, in der sie in jeder noch so trivialen Bewegung oder Geste eine sexuelle Komponente suchte, angefangen von der Kellnerin, die sich über den Tisch beugte, um das Tablett mitzunehmen und dabei die schweren Brüste schwingen ließ, bis zu der zierlichen jungen Frau an der Kasse, die sie sinnlich anlächelte.

Gemma drückte die Zigarette aus und verließ das Lokal, ohne den Wein ausgetrunken zu haben.

»Sie ist weg«, sagte Leo ohne Vorrede, als er den Vorführraum betrat, in dem Alexei sich immer wieder dieselbe Szene anschaute. »Sie ist weg.« Seine Stimme klang so, als könnte er es immer noch nicht glauben. »Zurück nach Paris.«

Alexei gähnte, hielt den Projektor an und nahm den Zettel in die Hand, den Leo ihm reichte. »Wer?«

»Gabrielle natürlich.«

»Sie hat dir einen Zettel geschrieben?«, fragte Alexei voller Zynismus. »Das ist typisch für Frauen.«

»Du hast es gewusst«, klagte Leo ihn an. »Du hast es heute Morgen schon gesagt.«

»Ich habe es heute Morgen nur vermutet«, stellte Alexei richtig. »Beruhige dich, mein Freund, schließlich ist sie nur eine Frau.«

»Sie war meine Frau«, sagte Leo. »Und ich war noch nicht fertig mit ihr.«

»Nun, mein Freund, wenn sie dir einen Zettel hinterlassen hat, kann man daraus nur schließen, dass sie mit dir auch noch nicht fertig ist«, meinte Alexei. »Aber das sieht dir gar nicht ähnlich, Leo.«

»Ich bin ... ich bin verärgert«, ließ Leo ihn wissen, ganz der Comte, als er Brauen und Kinn hob. »Schließlich gehört es sich nicht, dass eine Mätresse ohne Tränen und wüste Beschuldigungen geht und nur einen Zettel zurücklässt. Und dann auch noch zu ihrem Ehemann zurückgeht.«

Leo hätte am liebsten ausgespuckt, aber das passte nicht zu seinem Stil.

»Vielleicht«, sagte Alexei und führte Leo aus dem Zimmer, »vielleicht solltest du dir eine Mätresse ohne Ehemann zulegen. Manchmal können Ehemänner ziemlich nervig sein.«

»Es passt mir überhaupt nicht«, klagte Leo. Sie betraten den goldenen Salon, in dem Aperitifs auf sie warteten.

Alexei sah Leo voller Ironie an, aber seine Stimme

klang sanft, als er fragte: »Wieso denn? Es gibt andere Frauen, die nur darauf warten, dass …«

»Natürlich«, unterbrach Leo ihn und hob die Schultern. »Aber darum geht es nicht. Ich hatte mich gerade an Gabrielle gewöhnt …«

Alexei lächelte und schenkte zwei Gläser mit Scotch ein. Er gab Eis in Leos Glas, schließlich wollte er seinen Kater bekämpfen.

»Es ist eine klassische Szene, mein Freund«, sagte Alexei und reichte Leo ein Glas. »Die Zuschauer wollen immer mehr sehen. Das traf schon auf die griechische Tragödie zu. Tod im Augenblick der größten Lust. Kleobis und Biton.«

Ja, es war ein klassisches Konzept, dachte Alexei. Er bedauerte nur, dass Leo so sehr darunter zu leiden schien. Trotzdem, es war notwendig, dass Gabrielle das Chateau verließ, bevor der letzte Akt beginnen konnte.

»Unverständlich«, murmelte Leo.

»Das würde ich nicht sagen«, kommentierte Alexei.

In dem luxuriös in Weiß und Gold eingerichteten Schlafzimmer in ihrem Pariser Stadthaus im sechzehnten Arrondissement sah Gabrielle zu, wie sich ihr Mann aufs Schlafen vorbereitete. Sie sah ihm liebevoll zu, obwohl sie sich nicht dagegen wehren konnte, Pierres schwerfällige Bewegungen mit der muskulösen Eleganz Leos zu vergleichen.

Pierre war entzückt über ihre Rückkehr und erleichtert darüber gewesen, dass es Tante Marthe wieder besser ging. Gabrielle fühlte sich ein wenig schuldbewusst ob der kleinen Lüge – aber nur ein wenig. Die liebe Tante Marthe mit ihrer angegriffenen Gesundheit lebte in einem kleinen Dorf bei Nantes und weigerte sich beharrlich, einen Telefonanschluss installieren zu lassen. Wie nützlich.

Seit Gabrielles Rückkehr war Pierre liebenswürdig und zuvorkommend, und weil seine Frau erschöpft aussah, verlangte er, dass eine Krankenschwester engagiert würde, falls Tante Marthe einen Rückfall erleiden sollte.

Gabrielle war gerührt. Schade nur, dass die starrköpfige Tante Marthe den Gedanken nicht ertragen konnte, Fremde im Haus zu haben.

Sie speisten in einem Bistro ganz in der Nähe. Dort hatte man sich auf ländliche Kost spezialisiert, die Pierre so schätzte. Wie sie erwartete, bestellte er sich eine hausgemachte Pastete mit *cornichons*, ein *cassoulet* und zum Dessert ein Stück Apfelkuchen. Als Geste ehelicher Harmonie bestellte Gabrielle dasselbe und war überrascht, wie gut ihr das deftige Essen schmeckte. Sie tranken einen robusten *vin ordinaire* und danach Kaffee, mit Cognac gewürzt. Danach fühlte sich Gabrielle heiter und entspannt.

Pierre stand in Shorts, Socken und Hemd da und legte die Hose über einen Hänger. Gabrielle schloss die Augen und wartete. In den nächsten Augenblicken würde sie das Aufziehen der Schublade hören, wenn er seine Manschettenknöpfe ablegte – ja, da war schon das Knarren des Holzes. Jetzt knöpfte er sein Hemd auf, zuerst den rechten Ärmel, dann den linken, dann vom Hals bis ganz nach unten. Jetzt würde er das Hemd in den Wäschekorb legen, ehe er die Shorts auszog, die ebenfalls in den Korb fielen. Schließlich, nur noch mit den Socken bekleidet, würde er ins Badezimmer nebenan gehen, um sich die Zähne zu putzen.

Sie hatte einmal gesagt, dass es keinen alberneren Anblick gäbe als einen nackten Mann in Socken. Er hatte ruhig geantwortet, dass die Fliesen im Badezimmer zu kalt wären. Er wollte seine Füße warm halten.

Seine Liebestechnik, die er bald einsetzen würde – da war das Klicken, als er den Deckel des Wäschekorbs schloss –, war so vorhersehbar wie jede seiner anderen Routinen. Er war ein rücksichtsvoller Liebhaber, mehr gewissenhaft als erfinderisch, eher fleißig als gewagt, aber eben auch rücksichtsvoll.

Als ob er einer inneren Uhr folgte, würde er sie etwa zwei Minuten lang auf den Mund küssen, dann bewegte er sich zu ihren Brüsten, die er drei Minuten lang saugte. Eine Hand glitt dann hinunter und drückte ihre Klitoris. Er rutschte an ihr entlang und leckte den Kitzler, bis es ihr nach drei oder vier Minuten kam. Dann erst drang er in sie ein. Er würde stoßen, bis es ihm kam, gewöhnlich dauerte das fünf Minuten. Oder etwas länger, wenn sich seine Gedanken mit einem Problem beschäftigten, einem Regierungsskandal oder einer politischen Krise. Langsam zog er sich aus ihr zurück, er würde sie sanft auf den Mund küssen, sich von ihr rollen und einschlafen.

Er wich nie von dieser Routine ab. Und nie war er gescheitert, ihr einen Orgasmus zu besorgen. *Seltsam*, dachte sie.

Der Wasserhahn im Badezimmer wurde zugedreht. Sie hörte das Klicken des Wäschekorbdeckels, ein Zeichen, dass er seine Socken entsorgt hatte. Dann schaltete er das Licht aus.

Sein Atem war frisch und minzig, als er sie küsste. Seine Zunge bewegte sich mit der vertrauten Lockerheit des langjährigen Liebhabers, der es als selbstverständlich voraussetzte, dass er willkommen war.

Er war willkommen, dachte Gabrielle, als sie das bekannte Lecken und Züngeln spürte. Mit seinen Küssen gab er sich nicht sonderliche Mühe, er stieß sie nicht wie ein Penis in ihren Mund, er fuhr nicht mit der Spitze ganz leicht über ihre Lippen. Sie spürte nur das vertraute Eindringen seiner Zunge, die kurzen Berührungen mit ihrer eigenen und gleich wieder das regelmäßige Stoßen. Ihre Nippel waren schon hart geworden, als er sich über sie beugte, erst die rechte Brust in den Mund saugte und dann die linke.

Ihre Klitoris zuckte, als wollte sie sich melden, um seine Lippen und Zunge anzufordern, und Gabrielle spürte, wie sie feucht wurde. Sie fuhr mit einer Hand über seinen Rücken und streichelte sanft die Stellen, von denen sie wusste, dass er dort am empfindlichsten war. Ihr Körper begann sich zu wiegen, als sie wusste, dass ihr erster Orgasmus nicht mehr weit war.

Es war ein wenig so, als schaute sie einem ihrer Lieblingsfilme zu, dessen Dialoge und Szenenfolge sie längst auswendig kannte, aber immer noch genoss sie jeden Satz, jedes Bild. Und natürlich wusste sie auch, wie es ausging.

Nein, eine richtige Spannung gab es nicht, keine unvorhergesehene Wendung, keinen Thrill, bei dem einem das Herz stillzustehen drohte. Es gab nur die Gewissheit eines glücklichen Endes.

Ihre Brüste waren geschwollen, als er sie verließ und den Weg entlang ihres Körpers einschlug. Er teilte ihre Schamhaare und legte mit der Geschicktheit, die ständige Übung mit sich bringt, die Klitoris bloß. Sofort saugte er sie in seinen Mund.

Vielleicht lag es daran, dass jede Berührung so vertraut und so vorausschaubar war, wie er ihre erogenen Zonen so intensiv mit dem Mund verwöhnte, wie er so beharrlich ihre Nippel leckte und die Klitoris bearbeitete – jedenfalls war der Höhepunkt, der sie durchwühlte, gewaltiger und intensiver als alle, die sie mit Leo gehabt hatte.

Verdutzt über diese Erkenntnis legte sie sich entspannt zurück, während Pierre sich aufrichtete und in sie eindrang.

ZEHNTES KAPITEL

Am nächsten Tag wurden im Chateau Marais jede unterschwellige Spannung, jede mögliche Verlegenheit, jeder Hang zur Konfrontation weggefegt von der tobenden, zerstörerischen, schrecklichen Kraft eines Alexei Racine in höchster Rage.

Gemma, die die halbe Nacht wachgelegen und sich von einer Seite auf die andere gewälzt hatte, weil sie nachdenken und Pläne schmieden wollte, verschlief sich und rannte jetzt über den Friedhof zum alten Verlies, als sie seine Stimme aus dem höhlenartigen Innern des Turms hörte. Sie klang so eiskalt und so boshaft, dass Gemma neben einem Grabstein stehenblieb und lauschte.

»Trauen Sie sich doch!«

Es war die vertraute harsche und doch so schöne Stimme, jetzt verzerrt von einer wütenden, giftigen Kraft, die sogar bis zu Gemma wirkte. Klopfenden Herzens wollte sie weiter gehen, aber sie blieb reglos auf der Stelle stehen, ganz benommen vom metallischen Echo seiner Stimme. Es war die Stimme des Liebhabers aus der Gruft, aber nun klang sie wahnsinnig und mörderisch.

Dann hörte sie einen tiefen Laut, der wohl gedacht war, den Zorn zu mäßigen, *ein Laut der Vernunft*, dachte Gemma, aber dann wurde er von der glühenden Lava geschmolzen, die Racine verströmte.

Bewegt euch endlich, forderte Gemma ihre Beine auf, als sie das Echo der neuen Tirade hörte. Nur wenige Schritte von ihr entfernt geschah etwas Schreckliches, und doch konnte sie keinen Fuß vom Boden heben.

Schließlich zwang sie sich dazu, das Verlies zu betreten. Die Szene, auf die sie starrte, bestätigte ihre schlimmsten Befürchtungen.

Racine hielt den Darsteller, der den Dracula spielte, gegen die Steinmauer gedrückt. Seine Hände krallten sich in die Kehle des unglücklichen Mannes. Das Team und der Rest der Besetzung standen still, gelähmt vor Schock.

Seine Wut schien sich über das ganze Verlies zu legen, sie war eine durchdringende, mächtige Kraft, von der auch Gemma eingehüllt wurde. Mitten in ihrer Panik überlegte sie verzweifelt, was sie tun konnte. Sie filmten die letzte größere Szene, in der Dracula von Jonathan Harker mit einem Kreuz und einer Holzstange konfrontiert wurde.

Dracula sollte die ungestüme Lebenskraft eines Unsterblichen mimen, der dem Tod gegenüber stand, er sollte die Rage eines Wahnsinnigen darstellen.

Diese Rage schien nun Racine erfasst zu haben.

Der Schauspieler des Dracula war so bleich wie eines seiner mystischen Opfer. Er kauerte hilflos an der Mauer. In diesem Moment schien es, dass Racine den legendären Mantel des vampirischen Liebhabers trug und mit dem Kleidungsstück die gewaltige Kraft und die unerschöpfliche Energie übernommen hatte.

Gemma hüstelte, ein leises Geräusch, das nur den Zweck hatte, auf sich aufmerksam zu machen.

Ihre Blicke trafen sich.

Seine Augen blitzten. Einen Moment lang sah Gemma mit fast fotografischer Genauigkeit den Rücken des Buches vor sich, das Racine auf der Reise von Paris zum Chateau gelesen hatte. Dicke schwarze Schrift auf weißem Hintergrund. Bram Stokers Roman über Dracula. Gemma erinnerte sich, wie Stoker seinen Titelhelden beschrieben hatte.

Niemals habe ich mir eine solche Wut, einen solchen Zorn vorstellen können, nicht einmal bei den Dämonen im Schlund der Hölle. Seine Augen versprühten Blitze. Das rote Licht in ihnen war gespenstisch fahl, als ob hinter ihnen die Flammen des Höllenfeuers loderten. Sein Gesicht war totenbleich, und die dunklen Linien in diesem Gesicht wirkten wie Drähte. Die dichten Augenbrauen trafen sich jetzt in der Mitte über der Nasenwurzel, sie sahen aus wie ein wogendes Stück glühendheißen Metalls.

Es war eine Beschreibung des Gesichts von Alexei Racine.

Einen Moment starrten sie sich gegenseitig an. Sie hatte seine Augen stets als kalt empfunden, aber jetzt brannten sie wie Trockeneis.

Mit einer heftigen Drehung ließ Racine den Mann los, der hilflos auf die Knie fiel.

»Kümmern Sie sich um alles«, fauchte Racine Gemma an und stakste hinaus.

Die unfreiwilligen Zuschauer verharrten wie festgefroren. Sie waren so sehr erschüttert, dass sie nicht einmal einen erleichterten Seufzer ausstoßen konnten. Es herrschte ein geisterhaftes Schweigen, das Gemma endlich brach.

»Was ist geschehen?«, fragte sie und ließ sich auf den Steinboden nieder.

Jane, die Produktionsassistentin, löste sich aus dem Zirkel von Racines schwarz gekleideten Lederjünglingen, trat vor und kicherte nervös.

»Ehm … kennst du George?«, fragte sie mit dünner, hoher Stimme.

»George?«

»Ja, George. Eh … Vlad. Graf Dracula«, erklärte sie und wies nervös auf den Schauspieler, der noch kniend vor der Mauer kauerte. Mit einer Hand strich er sich tastend über seine Kehle.

Gemma nickte.

»Nun ja«, fuhr Jane fort, »weißt du, George ist Kommunist.« Jane lachte zittrig.

»Ach? Und?« Man hörte Gemma an, dass sie irritiert war.

Jane zwang sich zur Ruhe. »Nun, er brachte eine neue Interpretation der Rolle mit … eine marxistische Interpretation. Wenn er zum Beispiel das Kreuz sieht, reagiert er gegen die organisierte Religion … Opium fürs Volk und so …«

»Ja und?«

»Nun ja, dann hat André …«

»André?«, unterbrach Gemma.

»Jonathan Harker«, sagte Jane. »Der Mann, der den Grafen umbringt, okay?«

»Okay.«

»Ja, und George – ich meine Dracula – hatte den Eindruck, dass André – nein, ich meine Jonathan – in Wirklichkeit ein Symbol kapitalistischer Unterdrückung ist, verstehst du?«

»Kapitalistische Unterdrückung?«

»Ja. Gestern Abend ist George diese völlig neue Art der Interpretation eingefallen. Statt wütend zu sein, wollte er mit André diskutieren, also der Graf mit Jonathan Harker. Er wollte mit ihm verhandeln, statt sich umbringen zu lassen, verstehst du? Er wollte den alten Mythos vertreiben …«

»Und du hast vorher von diesem Plan gewusst?«, fragte Gemma ruhig.

»Eh … ja …« Jane senkte den Kopf. »George hatte am Abend zuvor diesen wirklich guten Mescal dabei. Wir haben ihn alle probiert, und wir glaubten, es wäre eine gute Idee.«

Gemma nickte. Ihr Verstand arbeitete mit kristallklarer Präzision. Es war illusorisch, heute noch etwas klären zu wollen. Racine war zu sehr erzürnt, um die Szene neu zu drehen, es würde nicht einmal Sinn machen, ihn besänftigen zu wollen. Und Dracula alias George war zu sehr eingeschüchtert. An diesem Tag war er bestenfalls für die Rolle eines Opfers gut.

Alle Schauspieler – und auch die meisten Techniker, die in der kalten Atmosphäre des ehemaligen Verlieses eng zusammengerückt waren – wirkten bleich und verdattert.

»Also gut«, sagte Gemma laut und zuckte beim unnatürlichen Echo ihrer Stimme leicht. »Das wars für heute. Wir legen einen unplanmäßigen freien Tag ein, aber dann will ich auch keine Klagen hören, wenn wir später ein paar Überstunden fahren müssen. Einverstanden?«

Sie hörte ein gedämpftes Murmeln, das nach Zustimmung klang. Das zaghafte Verhalten der Menschen zeigte Gemma deutlich, welche zerstörerische Wirkung Racines Zorn gehabt hatte; gerade die Techniker hätten unter normalen Umständen aufgeheult; feste Arbeitszeiten sind unumstößliches Gesetz der Gewerkschaftsmitglieder. Sie schlitzen sich eher die Pulsadern auf, als nicht genehmigten Überstunden zuzustimmen.

Es gab keinen Widerspruch. Das Team baute ab und packte die Geräte ein, offenbar erleichtert über die neue Entwicklung. Gemma beobachtete sie und zögerte. Dann wandte sie sich an ihre Assistentin.

»Jane«, sagte sie scharf, »ihr habt gestern alle dieses Zeug genommen und wart auch noch stolz auf Georges verrückte Idee.«

»Ja, ehm … ja, irgendwie schon«, stammelte Jane. Sie schien in ihrer schwarzen Lederkluft zu schrumpfen.

»Und es war starkes Zeug?«, fragte Gemma.

Jane nickte.

»Habt ihr noch etwas übriggelassen?«

Sie folgte ihnen im silbergrauen Jaguar nach Carnac. Gemma fühlte sich wie betäubt, als ob Racines Zorn auch sie gelähmt hätte. Sie fuhr gedankenlos hinter dem Studio-Van her und konnte zum ersten Mal die Lust des Fahrens mit einem Luxuswagen nicht auskosten.

Es war eine stille Gruppe, die sich später in Janes Zimmer versammelte, Bier trank und sprunghaft von einem Thema zum nächsten fand. Zwischen ihnen entstand ein Band wie zwischen Menschen, die gemeinsam eine Naturgewalt überlebt hatten.

Jemand stellte das Radio an, und die melancholische Ballade, französisch gesungen, füllte den relativ kleinen Raum. Ein Fenster wurde geöffnet, damit der Rauch von ungezählten Zigaretten abziehen konnte.

Gemma saß mit überkreuzten Beinen da, drückte sich mit dem Rücken gegen die Wand und nippte Bier aus einer Dose. Sie schaute sich im Zimmer um und fühlte sich ein wenig schuldbewusst – diese karge Enge im Vergleich zu ihrer geräumigen Suite.

In dem Zimmer gab es ein Doppelbett mit einem altmodischen Plumeau, zwei Plüschsessel und einen zerkratzten Tisch. Über dem Bett hing ein Druck der Pont du Gard. Der Kontrast zum Luxus ihrer Bleibe im Chateau Marais hätte kaum größer sein können, und trotzdem fand sie hier eine Gemütlichkeit, die ihrer Suite abging.

Jane hatte sich in einem Sessel zusammengerollt, die Beine bis unters Kinn gezogen, und einer von Racines Zwittertypen im schwarzen Leder hatte sich um sie gerankt. Vier der Kameramänner hatten das Bett beschlagnahmt, ein weiterer Racine-Typ flegelte sich in dem zweiten Sessel herum, und der Rest hockte – wie Gemma auch – auf dem Boden. Von den Schauspielern war niemand da, offenbar hatten sie es vorgezogen, ihre Wunden im Stillen zu lecken.

Allmählich legte sich eine dunstige Ruhe, eine rauchige Stille über den Raum. Weitere Bierdosen wurden geöffnet. Im Zimmer wurde es immer heißer. Gemma beobachtete, wie der Jüngling neben Jane aufstand und sein Hemd auszog. Der Oberkörper war tatsächlich männlich, stellte Gemma erleichtert fest; der Brustkorb blass und unbehaart und zum Fürchten hager. Die Rippen zeichneten sich unnatürlich deutlich unter der bleichen Haut ab. Seine Dünnheit hatte etwas Zwingendes, Anziehendes, bemerkte Gemma und war überrascht.

Ihr Blick wanderte hinunter zu seinen Hüften, zu den eckigen Knochen unter der schwarzen Lederhose. Sie stellte sich vor, wie er nackt aussah, wie er mit einer Frau im Bett war und seine knochigen Hüften in ihr weiches Fleisch stieß.

Jemand traf mit mehr Bier und chinesischen Snacks ein. Gemma aß heißhungrig eine Frühlingsrolle und einige Rippchen. Sie wischte die fettigen Finger an dünnen Papierservietten ab. Während des Essens wurde nur wenig gesprochen.

Die Ledergestalt im zweiten Sessel erhob sich und ging. Gemma nahm seinen Platz ein und kuschelte sich in den Blümchenplüsch und spürte noch die Wärme vom Körper des Mannes. Sie fühlte sich selig erschöpft, lethargisch und zu müde, um sich zu rühren. Ihre Lider waren schwer, und allmählich fiel sie in der verrauchten Wärme des Zimmers in einen Schlummer.

Sie wurde vom rhythmischen Klatschen zweier Körper wach. Sie öffnete die verschlafenen Augen und starrte auf die Szene, die sich direkt vor ihr abspielte. Die skelettartige Gestalt eines Mannes, jetzt völlig nackt, verdeckte den Körper einer Frau unter seinem eigenen. Er bewegte sich langsam, und Gemma sah das Spiel seiner Muskeln im mageren Rücken und das Anspannen seiner Backen, wenn er zustieß.

Sie empfand eine deutliche Reaktion ihres Körpers, ein instinktives, natürliches Reagieren auf den Akt, der vor ihren Augen ablief.

Sie spürte, wie sie mit ihm schwebte, spürte jeden

Stoß und den warmen roten Puls, während er sich immer wieder in den Körper unter seinem versenkte.

Es war fast so, als stieße der Penis in sie hinein, als triebe die blinde Gewalt seiner harten Fleischsäule in ihr geschmeidiges sanftes Nest. Sie war längst feucht geworden, ihre Labien schwollen an und zuckten. Der Mann steigerte das Tempo und stieß härter zu.

Sie sah, dass sein Körper zu zittern begann und dann von Zuckungen geschüttelt wurde, und immer noch trieb er heftig in sie hinein. Gemma spürte, wie die Nässe sich in ihr zusammenzog, und sie wusste, dass auch ihr Orgasmus unmittelbar bevorstand.

Leise erhob sie sich aus dem Sessel. Sie wusste, es wäre falsch, jetzt noch länger zu bleiben.

Sie fuhr zum Chateau zurück. Ihr war bewusst, in welch eigenartiger Stimmung sie sich befand, verträumt, erregt, beunruhigt. Die Unruhe hatte etwas mit dem Wissen um ihre Erregung zu tun, die ihre Haut prickeln ließ.

Sie ließ die Schlüssel im Jaguar stecken und schritt die breite Treppe zum Chateau Marais hoch. Die Tür wurde nicht von Henri geöffnet, sondern von Leo selbst.

»Oh, Gemma, du bist es«, sagte er, scheinbar ein wenig enttäuscht.

»Ja, ich bin mit dem Team nach Carnac gefahren und....«

»Ich dachte, es wäre Alexei«, unterbrach er sie. »Es ist schon Stunden her, dass er hinausgestürmt ist ... Ich habe ihn noch nie in einer solchen Verfassung gesehen. Was ist passiert?« Er führte sie durch die Halle in den goldenen Salon.

»Er hatte ein Interpretationsproblem mit einem der Schauspieler«, sagte Gemma und berichtete kurz von der Auseinandersetzung im Verlies, nachdem Leo ihr einen Platz auf dem mit einem dunklen Brokatstoff bezogenen Sofa angeboten hatte.

»All das wegen eines marxistischen Vampirs?«, fragte Leo ungläubig und beugte sich über den Servierwagen mit den Getränken. »Was möchtest du trinken?«

»Nichts, danke ... oder vielleicht ein Wasser.« Nach dem chinesischen Essen war sie durstig.

»Also Champagner«, meinte Leo und nahm eine Flasche Cristal aus dem Eiskübel. »Der löscht den Durst am besten. Ein marxistischer Vampir«, murmelte er und schüttelte den Kopf. »Ich habe ihn noch nie in einer solchen Rage gesehen.«

Der Champagner war köstlich; ein erfrischender, eiskalter Kuss im Gaumen. »Nun, er ist berüchtigt für seine Wutausbrüche«, sagte sie, als Leo sich zu ihr setzte.

»Sein Ruf ist eine Sache«, meinte Leo achselzuckend. »Aber eine andere ist, dass er den Maserati genommen hat. Man konnte fast die Funken stieben sehen.«

Sie schwiegen eine Weile und schlürften Champagner.

»Es kommt mir wie eine kleine Völkerwanderung vor«, sagte Leo etwas später. »Alexei rast davon ... Jay ist heute Morgen nach Paris abgereist ... Gabrielle ebenso.« Seine Stimme hörte sich verloren an, als er ihren Namen erwähnte.

»Oh«, sagte Gemma. Jay war also gegangen. Sie fühlte sich zugleich erleichtert und ein wenig traurig. »Ich bin sicher, dass Alexei bald wieder zurückkommt«, fügte sie hinzu.

Sie war sicher, dass sie damit Recht hatte. Er würde bald kommen, die Wut noch nicht verflogen, und würde seinen Frust an ihr auslassen, an ihrem Körper. Er würde sie in der Dunkelheit nehmen. Schweigend. In ungebrochenem Zorn. Sie wusste es mit jeder Faser ihres Körpers.

Bei dem Gedanken wölbten sich ihre Lippen ein

wenig. »Keine Sorge, Leo«, sagte sie. »Ich bin sicher, dass alles gut ausgehen wird.«

»Oh, ich mache mir keine Sorgen«, sagte er, Hochmut in der Stimme. »Solche Dinge sind eher eine Unbequemlichkeit.« Er bemerkte ihren fragenden Blick und fügte lachend hinzu: »Noch ist nicht alles verloren. Morgen liefern sie mir den neuen Degas.« Jetzt strahlte er wieder. »Magst du Degas?«, fragte er, und sein Blick richtete sich auf ihre Oberschenkel.

»Ja, sehr«, antwortete Gemma und erhob sich, denn seine Blicke waren ihr unangenehm.

»Wir könnten beim Abendessen darüber reden«, sagte er und erhob sich ebenfalls.

Ausweichend sagte sie: »Ich bin ziemlich müde. Kannst du mir was aufs Zimmer bringen lassen?«

»Natürlich.« Seine Blicke hafteten auf ihren Hüften, als sie den Salon verließ.

In ihrer Suite zog sich Gemma nachdenklich aus. Sie warf ihre Kleider in den Korb und drehte die goldenen Delfinhähne über der Wanne auf. Der penetrante Geruch von Rauch haftete ihrer Wäsche an, lag auf der Haut und hatte sich in ihren Haaren verfangen. Sie konnte ihn nicht schnell genug durch das frische Parfum der Badeöle ersetzen, die auf dem Sims neben der Wanne standen.

Sie schnüffelte an den einzelnen Fläschchen. Der frische Zitrusduft, der subtile Hauch von Sandelholz, das zu Kopf steigende Parfum von Rosen, der herrlich exotische Duft von weißem Moschus ... nichts schien ihre Stimmung genau zu treffen. Aber dann fand sie eins, zart wie ein Frühlingsregen auf frischem Gras. Sie schüttete den ganzen Inhalt ins Badewasser.

Sie legte sich entspannt ins heiße, duftende Wasser. Die gespannte Erwartung hielt ihre Nerven in Bewegung. Sie labte sich an der Gewissheit, dass er bald zu ihr kommen würde. Sie hinterfragte ihr Wissen nicht, sie ging einfach davon aus, dass es so war.

Sie rasierte sich die Beine und genoss die frische Empfindsamkeit der Haut unter dem Rasierer. Sie sprühte den Schaum ab und rubbelte sich trocken.

Das raue Frottee rieb angenehm gegen ihre kribbelnde Haut. Sie fand eine Tube mit Körperlotion und massierte sie ein. Während sie die Creme zwischen die Zehen rieb, stellte sie sich vor, wie er nachher das Vorspiel beginnen würde. Ihre Fantasie wurde noch stärker beflügelt, als sie die Lotion in die Innenseiten ihrer Schenkel rieb.

Sie stellte sich seinen heißen Mund vor, seinen pochenden harten Schaft und wünschte ihn sich dort, wo jetzt ihre Fingerspitzen waren.

Die Nippel verhärteten sich unter dem seidigen Streicheln der Creme. Im Spiegel sah sie, wie sie sich rosig färbten. Sie stellte die Tube ab und griff nach dem Bademantel, der an der Tür hing. Kein Make-up, entschied sie, strich sich durch die Haare und ließ sie in langen Strähnen über den Rücken fallen.

Er würde sie finden, wie er sie bisher immer gefunden hatte. Langsam betrat sie das Schlafzimmer.

Während sie gebadet hatte, war ein Tisch vor das rote Samtsofa gestellt worden, komplett mit weißem Leinen, silbernem Besteck und goldenen Tellern. Sie hatte mit einer kleinen Sandwichplatte gerechnet, aber solche banalen Dinge gab es nicht im Chateau Marais.

Sie schüttelte lächelnd den Kopf. Um die Vorfreude zu verlängern, nahm sie die Weinflasche aus dem Eiskübel und schenkte eines der drei Kristallgläser ein. Nach dem ersten Schluck des vorzüglichen Weißweins trat sie näher an die Silberplatten heran. Da schwammen Artischockenherzen in Zitronenbutter, es gab Kalbsmedaillons in einer sahnigen Muschelsoße und ein Arrangement frischer Gemüse, und schließlich sah sie noch eine weiße Schokoladen-mousse, garniert mit dunklen Schokoladenkringeln.

Der Wein war trocken und kieselig und passte zum Buttergeschmack der Artischocken. Gemma aß langsam und genoss jeden Biss.

Ihr Verstand stand fast still. Ihre Gedanken schienen in einer großen Blase gefangen, sie schwebten und konnten sich auf nichts konzentrieren. Aber alle ihre Sinne waren geschärft.

Es war fast elf Uhr, als sie alle Gänge genossen hatte und bat, den Tisch abzuräumen. Die Diener kamen und gingen, und sie schenkte sich einen kleinen Cognac ein, streifte den Bademantel ab, kuschelte sich ins Bett und schaltete die Lichter aus.

Sie lag still da und hörte das Pochen ihres Herzens, das hart gegen die Brust schlug. Sie spürte das Reiben des feinen Baumwollstoffs gegen ihre Nippel.

Mitternacht war vorbei, als er endlich kam. Sie lag wach da, lauschend, die Ohren zur Tür gerichtet. Sie hörte, wie er durchs Zimmer schritt. Es raschelte, als etwas zu Boden fiel. Im nächsten Moment lag er neben ihr.

Er ruckte ihren Körper herum und drang sofort in sie ein – in einem einzigen lähmenden Zug, und es schien ihm egal zu sein, ob sie wach war oder nicht.

Sie spürte keinen Schmerz. Ihr Körper, längst geölt vor lauter Erwartung, streckte sich, um ihn aufzunehmen und lebte auf durch die plötzliche Penetration.

Er bewegte sich wild und wütend in ihr, genau, wie sie erwartet hatte. Er trieb jedes Mal seine gesamte Länge in sie hinein, versenkte den Schaft tief in ihr, berührte fast den Muttermund und zog sich dann weit zurück, um erneut hemmungslos einzufahren. Er hatte seine Hände unter ihre Gesäßbacken geschoben und sie weit geöffnet. Seine Rage, so mächtig und unversöhnlich, feuerte sie an.

Sie wollte sich mit ihm bewegen, ihre Hüften gegen

seine stemmen, die Wildheit mit ihm teilen, die ihn antrieb, aber er hielt ihren Unterleib fest, erdrückte sie fast mit seinem Gewicht, während er unermüdlich hackte und rackerte. Der Mund ihrer Vagina wurde wund von seinen zürnenden Stößen, und aus dem Wundsein erwuchs allmählich ein brennender, glühender Schmerz.

Es schien, als wollte er nie aufhören, als wollte es ihm nie kommen. Er fuhr unerbittlich mit seinen endlosen Stößen fort, die sie zu ihrem Orgasmus wirbelten, ihren Atem aus dem Körper pressten und ihre Sinne versengten. Sie verlor jedes Zeitgefühl. Die Welt verengte sich in die treibende Wucht seines Körpers gegen ihren.

Ihr Schoß wurde schwer, als staute sich ihr ganzes Blut dort. Die Labien waren glitschig, heiß und geschwollen. Sie spürte das erste Flattern tief im Bauch, die schwachen Zuckungen ihrer inneren Muskeln, als sie sich auf den Höhepunkt vorbereiteten. Genau in diesem Augenblick hörte er auf, den Schaft tief in ihr versenkt.

Sie konnte seinen heißen, keuchenden Atem auf ihrer Wange fühlen, die seidige Rauheit seines Oberkörpers gegen ihren Brüsten.

Eine seltsame Zärtlichkeit nahm von ihr Besitz, und unbewusst berührte sie mit einer Hand sein Gesicht.

Mit erschreckender Heftigkeit riss er sich von ihr zurück, er zwang sie mit dem Gesicht aufs Bett, nahm ihre beiden Handgelenke in eine Hand und drückte sie über ihren Kopf. Sie spürte, wie sein Penis von hinten in sie eindrang, dann zog er sich erneut aus ihr zurück und setzte die Spitze an ihren Anus an.

Er wechselte von einem Eingang zum anderen, schnell und wild. Er drückte ihr die Länge seines Körpers auf, und sie spürte ihren Rücken brennen. Ihre Vagina pochte, und ihre inneren Muskeln verkrampften sich.

Sie stöhnte laut auf, als seine Schaftspitze gegen ihren Anus stieß. Eine Spirale der Erregung wirbelte durch sie hindurch. Er war heiß und hart, glitschig von ihrem Moschus, und als er sich in den engen Kanal des Rektums zwängte, verharrte sie still im Schwebezustand zwischen Schmerz und Lust.

Er bewegte sich nicht, als er die Spitze eingeführt hatte. Halb benommen begriff sie, dass er auf sie wartete; er wollte, dass sie eine Entscheidung traf. Sie wusste, er würde ihr weh tun, er war zu dick für sie, viel zu dick für die Enge des verbotenen Eingangs. Aber sie spürte auch, wie sie von einem glühenden Verlangen erfasst wurde, und instinktiv stieß sie ihren Hintern gegen seinen Schoß, um ihn zum Weitermachen aufzufordern.

Wilde Sensationen flossen durch sie, als er zustieß. Ein zuckender Lustschmerz, der sie wie eine Woge überschwemmte. Jetzt bewegte er sich langsam und glitt kontrolliert ein und aus, so ganz anders als der anfängliche Wahn, in dem er sie genommen hatte.

So langsam er sich bewegte, so schwer ruckte sein Körper gegen ihren Po. Ihr Unterleib wurde gegen das kühle weiße Laken gedrückt. Ihre Klitoris rieb gegen die weiche Baumwolle; es war ein sanftes, schmirgelndes Reiben, das die Gefühle seiner Stöße noch steigerte. Sie spürte, wie sie von der Erregung erfasst wurde und wie das zitternde Delirium des bevorstehenden Höhepunkts einsetzte.

Wieder zog er sich aus ihr zurück. Der plötzliche Verlust ließ sie aufschreien. Die schmerzende Leere war nur schwer erträglich.

Im nächsten Moment spürte sie, wie sein Mund über ihr Rückgrat glitt. Sein Atem war heiß und feucht. Die Zunge leckte über ihre gespannte Haut, leckte immer tiefer hinab, hinein in die Kerbe zwischen den Backen. Er folgte dem Pfad, den vorher sein Penis gezogen hatte.

Er hielt ihren Körper am Köcheln, hörte nie mit der Stimulierung auf, versagte ihr aber den Sprung über die Klippe, der ihr die Erlösung gebracht hätte. Wann immer er spürte, dass ihr Zittern einsetzte, wechselte er den Rhythmus, oder er stoppte sein Küssen und Lecken, wenn er bemerkte, dass ihre Hüften zu rucken begannen.

Er alternierte Wildheit und Sanftheit, setzte jede brutale Folter ein, die sein Beben und ihre gemeinsamen Qualen in die Länge zogen.

Ihr Körper floss im Einklang mit seinem, er schwoll an, hob und senkte sich. Sie konnte die Wut spüren, die ihn immer noch gepackt hatte. Er arrangierte ihren Körper nach Belieben, auf die Seite, auf den Rücken, auf den Bauch, und immer noch trieb ihn die Rage, die ihnen beiden die reinigende Wirkung des Orgasmus versagte.

Er war unersättlich und heißhungrig. Er drehte sie auf den Rücken und kauerte über ihr. Er rutschte an ihr hoch und führte seinen Penis zu ihrem Mund.

Sie wollte ihn tief und hart einsaugen, wollte das harte, seidige Gewebe seines Organs in ihrem Mund spüren, wollte ihn mit Zunge, Zähnen und Lippen erforschen, aber er war zu ungeduldig, zog den Schaft wieder zurück und strich mit der Spitze über ihre Lippen.

Er benutzte den heißen pulsierenden Kopf seines Schafts wie einen zweiten Mund, küsste sie mit der Eichel, berührte Augenbrauen und Wangenknochen.

Die perlenden Tropfen auf der Spitze legten sich wie Tau auf ihre Lippen und wie ein Band um ihren Hals. Es war, als wollte er ihr Gesicht mit seinem Schaft erkunden. Er ölte ihre Nippel mit der Schaftspitze ein, glitt über die Rippen, stieß gegen ihren Nabel, als wollte er dort in sie eindringen, strich durch die krausen Haare zwischen den Schenkeln und teilte die geschwollenen Falten ihres Geschlechts.

Er wiegte sich gegen sie, bedachte sie mit forschen Strichen gegen die Klitoris und tunkte die Eichel in die Feuchte ihres Körpers. Sie fühlte sich aufgebläht und wartete voller Leidenschaft auf den finalen Stoß.

Er drang tief in sie ein, tiefer denn je, als ob er nicht nur ihre Vagina füllen wollte, sondern ihren ganzen Körper. Als er sich mit Bedacht bewegte, konnte er sie in ihrem Bauch spüren und auch in ihren Brüsten.

Instinktiv versuchte sie, von ihm geritten zu werden, sie wollte den Rhythmus bestimmen, indem sie von unten gegen ihn stieß, aber er war zu stark, der Druck seiner Hüften zu groß. Er war es, der sie bewegte, dazu setzte er die ganze Kraft seiner Hüften und seiner Hände ein. Bei jedem neuen Stoß in ihren Körper fuhr er genüsslich über ihre Klitoris.

Jeder Stoß trieb den Atem aus ihrem Körper. Die Luft im Zimmer war dick und stickig, schwer wie Velvet. Ihre Körper, glitschig vom Schweiß, schlugen aufeinander. Es war eine wahnsinnige Verrücktheit, unersättlich, keuchend, stöhnend, ohne Ende.

Als die ersten schwachen Kontraktionen ihres Orgasmus begannen, das winzige Ziehen in ihren inneren Muskeln einsetzte, die sich darauf vorbereiteten, ihm die lebensspendende Flüssigkeit aus dem Körper zu saugen, bewegte er sich geschmeidig, und im nächsten Moment sah sie seinen beeindruckenden Schaft dicht vor ihrem Mund.

Sie schluckte hart, als sie den kräftigen männlichen Geruch einatmete, und dann hielt sie die Luft an, als sie seine Zunge spürte, die in sie eindrang. Sie wollte ihm durch die Haare wuscheln, wollte ihn greifen; begreifen, wollte ihn lecken und schmecken, die zarte Haut der Testikel ertasten. Sie wollte sich ihm aufdrücken, wie er sich ihr aufgedrückt hatte, aber das stete Treiben seiner Zunge, die sich stoßend und leckend und zupfend mit der Klitoris beschäftigte, intensivierte ihr Empfinden, steigerte die inneren Zuckungen und führte sie dem Orgasmus entgegen.

Sie schloss die Lippen um seine Eichel und badete sie mit ihrem Speichel. Seine Zunge schabte über die Klitoris, die Signale aussandte, als wäre sie elektrisiert.

In diesem Moment hörte sie auf zu sein. Sie sah wie durch einen roten Nebel, ihr Herz pochte in ihrem ganzen Körper, und dann explodierte der reinigende Sturm ihres Orgasmus. Sie wurde herumgeworfen, angehoben und geschüttelt. Ihr Körper bäumte sich gegen die unsichtbare Macht auf, die sie gepackt hatte.

Sie hatte das Gefühl zu schweben und stöhnte gegen seinen Penis, sie warf sich herum und starb, als sein Mund sie tief einsaugte.

Sie wusste nicht, wie lange diese wilden Zuckungen andauerten, erst mit der Zeit ebbten die Wellen des Höhepunkts ab, und aus dem heißen roten Nebel bildete sich ein warmes Glühen.

Benommen, fast verrückt vor Lust, lag sie keuchend da, ohne zu bemerken, dass ihre Körper nicht mehr miteinander verbunden waren.

Der Mondschein fiel schräg in ihr Zimmer. Sie hörte das Rascheln von Seide.

Sie schlug die Augen auf, und für einen Moment sah sie ihn im dünnen Lichtschein, der durchs Fenster fiel. Der kalte Mond spielte mit seiner blassen Haut und seinen dunklen Haaren. Er sah so männlich aus, so animalisch wie ein hagerer, hungriger Wolf.

Er schlang den schwarzen Seidenmantel enger um sich.

»War das eine gute oder eine schlechte Begegnung im Mondschein, Alexei?«, fragte sie und fühlte, wie er sich versteifte. Die Worte kamen aus dem Nichts, und Gemma hätte sie nicht zurückhalten können.

Er blieb still, unnatürlich still. Ihr wurde bewusst, dass sie das erste Mal seinen Vornamen in seiner

Gegenwart ausgesprochen hatte. Vielleicht hatte sie ihn damit schockiert.

»Und warum immer nur im Dunkel und ohne Worte?«

Sie hätte die Fragen nicht gestellt, wenn er sie nicht zum absoluten Höhepunkt geführt hätte. Aber wenn man den Hafen der ultimativen Glückseligkeit erreicht hatte, durfte man auch solche Fragen stellen.

»Vielleicht war es der Film«, sagte sie laut. »Du wurdest zum Dream Lover, damit du ihn besser verstehen kannst. Ja?«

Als er sich vom Bett erhoben hatte, war er überzeugt gewesen, dass sie eingeschlafen war. Der Klang ihrer Stimme hatte ihn schockiert, vor allem, als er seinen Namen aus ihrem Mund gehört hatte.

»Sehr Stanislawsky«, mokierte sie sich, als er immer noch schwieg. Ihre Stimme klang wie aus einer Tiefe ihres Körpers, die sie bisher nicht gekannt hatte.

Er bückte sich nach dem Seidenmantel, der ihm aus den Händen gerutscht war. Als er sprach, klang seine Stimme harsch und metallisch. Es war eine Stimme, die sie in den vergangenen Monaten zu hassen gelernt hatte.

»Ich habe dir etwas gegeben, von dem du nie gewusst hast, dass du es haben wolltest, Gemma.«

Er wandte sich um und zog den Mantel wieder enger um seinen Körper. Das Mondlicht beschien ihn einen kurzen Moment und hob den leicht zuckenden Penis aus der Dunkelheit heraus.

»Betrachte es als das Geschenk, das es ist«, murmelte er.

Ihre Gesichter lagen im Dunkeln, und vielleicht erkannten sie sich beide nicht. Wenn Gemma ihre Augen hätte sehen können, kalt und kälter, ein blankes Starren aus glänzendem Lapislazuli, hätte sie sich kaum selbst erkannt. Und wenn sie Racines Augen gesehen hätte, blass und grau und leblos, die Farbe von harten Steinen unter fließendem Wasser, jetzt mit dem silbrigen Schimmer einer undeutbaren Emotion verhangen, hätte sie ihn auch nicht erkannt.

»Aber warum?«, fragte sie.

Er schwieg so lange, dass sie fürchtete, er würde nicht antworten. Aber dann redete er.

»Ich habe dir einmal eine Reise ins Herz des Vampirs versprochen«, sagte er langsam. »Ich habe dir damals gesagt, dass du keine Wahl hättest. Das hat nichts oder sehr wenig mit dem Film zu tun. Wenn das Leben die Kunst imitiert, ist das Ergebnis unausweichlich, voraussehbar und enttäuschend. Aber das Ende ist auch immer ein Anfang.«

Er redete mit einem Hauch kalter Verachtung. *Die Rage hat ihn immer noch nicht verlassen*, dachte sie.

Gemma, immer noch in einem Kokon rosigen Nachglühens umfangen, erhob sich vom Bett und ging auf ihn zu. Dann tat sie etwas, was sie nie für möglich gehalten hatte.

Sie schlang die Arme um seinen Hals und küsste ihn auf den Mund.

Er gab einen unterdrückten Laut von sich, der vielleicht wie ein Stöhnen klang, vielleicht auch wie ein Fluch. Er schob seinen Mantel zur Seite und glitt zwischen ihre Schenkel. Sie stand reglos da, während er in sie eindrang und sein heftiges Pochen spürte.

Und dann, wie sie es erwartet hatte, ging er.

ELFTES KAPITEL

Zwei Wochen später waren die Außenaufnahmen im Chateau Marais fast beendet. Der Schauspieler, der Vlad, Graf Dracula, spielte, hatte seine marxistischen Prinzipien über Bord geworfen; Renfield weigerte sich immer noch, lebende Spinnen zu verzehren, aber man hatte einen Kompromiss erzielt, und Minas Hautausschlag hatte sich zurückentwickelt.

Der alte Turm mit seiner Schlagseite war in seiner besten unheimlichen Art im kalten grauen Winterlicht eingefangen worden, das allmählich der warmen Luft eines frühen Frühlings wich. Eine paar naseweise blassgrüne Knospen lugten an den Ästen der Bäume hervor, die sich über die alten Grabsteine beugten, und piepsende Vögel begrüßten das Team beim Aufwachen. Die Erde wurde neu belebt; ein Wechsel, den Alexei Racine mit kaltem Widerwillen betrachtete.

Er gab sich sehr reserviert, hatte sich mit einer eiskalten, undurchdringlichen Hülle umgeben, und diese Haltung war noch fürchterlicher als seine Rage. Er war höflich zu den Technikern, was diese alarmierte, hatte Verständnis für die Schauspieler, was diese in Schrecken versetzte, und er behandelte Gemma mit einer kalten Verbindlichkeit, das sie unter anderen Umständen völlig verwirrt hätte.

Er hielt sich zurück, aber er war nie allein. Seine androgynen Jünger umgaben ihn wie ein schwarzer Lederschutzschild.

Gemma wurde allmählich klar, dass seine Leibwächter ihn absichtlich isolierten.

Tatsache war, dass Racine sich in seiner Wut vergrub, eine allumfassende Wut, die keine Grenze kannte. Er war wütend auf sich selbst.

Er und nur er allein hatte die so peinlich genau

geplante Verführung ruiniert; er allein hatte sich zuzuschreiben, dass er am Ende der Überraschte war.

Sie hatte seinen Namen ausgesprochen.

Sie hatte ihn auf den Mund geküsst.

Sie hatte ihn gezwungen, in sie einzudringen, bevor er dazu bereit gewesen war.

Er war nicht darauf vorbereitet gewesen, seinen Namen aus ihrem Mund zu hören, war nicht vorbereitet auf die warme Berührung ihrer Lippen auf seinem Mund gewesen, nicht vorbereitet auf den Schock des unerwarteten explodierenden Orgasmus in ihr.

Es war erstaunlich.

Ungeplant.

So nicht vorgesehen.

Es zerschlug das sorgsam geknüpfte Netz der Verführung, an dem er so geduldig gesponnen hatte, seit er sie das erste Mal gesehen hatte. Damals, als sie über den Grund des Chateau Marais spaziert war.

Es widersetzte sich der verworrenen Vielschichtigkeit, mit der er seinen Verführungsplan hatte umsetzen wollen.

Sehr Stanislawsky, hatte sie sich über ihn mokiert, und das mit einer Stimme, die seine eigene hätte sein können.

Eine Stimme, die sehr kühl war, ironisch, die keine Emotion verriet.

Sie hatte zu schnell zu gut gelernt.

Er war sich nicht sicher, aber es wäre ihm lieber gewesen, wenn er sie deswegen hassen könnte.

Gemma war sich der Unterströmungen bewusst und setzte ihre Arbeit mit der automatischen Präzision eines Roboters fort, der speziell für diese Aufgabe entwickelt worden war, prüfen und überprüfen, die Schauspieler anspornen, die Techniker hetzen. Sie lobte und tadelte, trieb an und stellte sicher, dass jede notwendige Einstellung abgedreht war, bevor sie mit den Vorbereitungen der Rückreise begann.

Und während der ganzen Zeit, jede bewusste Sekunde ihres Wachseins, verbrachte sie damit, das geheimnisvolle Netz zu entwirren, in das sich Racines Motive und ihre Gefühle verstrickt hatten.

›Ich habe dir etwas gegeben, von dem du nie gewusst hast, dass du es haben willst.‹

Dieser Satz, ausgesprochen mit dieser harschen, wunderschönen Stimme, die sie verabscheute, war in ihr eingebrannt. Er hatte sie zu dieser seltsamen erotischen Odyssee getrieben – nein, berichtigte sie sich mit einem Lächeln, er hatte sie nicht getrieben, sondern geführt. Er hatte sie auf diese Reise in die Sinne und in die Sinnlichkeit geleitet, die sie aus eigenen Stücken nie angetreten hätte.

Jetzt fühlte sie sich frei. Sie konnte frei entscheiden, frei urteilen. Ihre Gedanken wanderten zu Gabrielle und Leo, zu Jay Stone und Nicholas Frere, weiter zurück zu Pascaline und Jean Paul, aber unvermeidlich kehrten sie immer wieder zurück zu Racine.

Er war es, der ihr eine Seite von sich gezeigt hatte, die sie sonst nicht gekannt hätte. Es war nicht so, dass sie sich geändert hatte. Sie hatte nur eine andere Gemma kennen gelernt, eine sinnliche, hemmungslose, sexuell verwegene Gemma, die sich in den unzähligen Lüsten des Fleisches verlieren konnte, ohne die notwendige, anerzogene Selbstkontrolle zu verlieren, die sie besonders bei der Arbeit brauchte.

Sie versuchte, ihr Problem leidenschaftslos zu analysieren.

Es war unwahrscheinlich, dass sie je erfahren würde, was Racine dazu veranlasst hatte, jenes bizarre und eigentlich unmögliche Szenario umzusetzen.

Vielleicht wusste er es selbst nicht.

Und doch war es nicht nur eine Affäre des Fleisches, darauf hatte Gabrielle sie schon hingewiesen; es war keine Affäre, wie Gabrielle und Leo sie unterhielten.

Sie versuchte, sich in Gabrielle hineinzuversetzen, körperlich fesselnd aber intellektuell distanziert, eine emotionale Isolation, die ihr gestattete, ihre eigene Besessenheit und Leos verzwickte Sinnlichkeit zu manipulieren und zu einem befriedigenden Schluss zu bringen.

Oh, ja, dachte Gemma, das war ein verlockender Gedanke, es Gabrielle nachzutun.

Ohne Alexei Racines Herausforderung hätte sie nie eine Affäre mit Nicholas Frere begonnen, hätte sie nie diese leichte, unbekümmerte Erotik kennen gelernt, die verspielte Art seiner Liebeskunst. Sie versuchte sich vorzustellen, wie sie und Nicholas mit einer anderen Frau oder einem anderen Mann zusammen wären, aber das gelang ihr nicht.

Jay?

Ja, mit Jay vielleicht, aber Jay hatte etwas fundamental Solides an sich, etwas anderes noch – war Respektabilität das richtige Wort? Oder sollte sie einfach sagen, er wäre zu amerikanisch?

Man könnte ihn in eine solche Situation hineinziehen, und er würde dabei sein, wenn alles für ihn vorbereitet war, aber er würde nie ein solches Experiment von sich aus eingehen. Jay Stone ging nicht bewusst in ein Spiel der Körper, von dem er nicht wusste, ob er sich verbrennen würde.

Aber nichts war vergleichbar mit der dunklen, unbeschreiblichen Verlockung eines Alexei Racine. Er hatte ihr tatsächlich etwas gegeben, von dem sie nicht gewusst hatte, dass sie es wollte.

Mit einem plötzlichen Schauder der Überraschung fiel ihr wieder ein, wie sie sich am Morgen nach jener Nacht in der Gruft gefühlt hatte, als sie davon ausgegangen war, dass alles nur ein Traum gewesen war.

Und als sie diese Möglichkeit nicht länger hatte

aufrecht halten konnte, hatte sie gekichert – es war der ultimative Fick gewesen, der zu nichts verpflichtete.

Die ultimative weibliche Fantasie; keine Worte, keine Schuldgefühle, kein Klammern, keine Emotionen.

Einfach nur fabelhafter Sex.

Wenn das so war, warum hatte sie ihn dann so hässlich herausgefordert, ihn mit Stanislawsky gereizt, mit Shakespeare geneckt? Warum hatte sie ans Tageslicht ziehen wollen, was in das Schweigen der Nacht gehörte?

Wie die törichte Psyche war sie im letzten Moment nicht fähig gewesen, der Versuchung zu widerstehen und die Kerze anzuzünden, um den schlafenden Gott sehen zu können.

Sie hatte es mit einem Wort getan.

Mit einem Kuss.

Immer noch sachlich und leidenschaftslos dachte sie über die Zukunft nach. Da Racine jetzt die Mehrheit von Horror Inc. besaß, konnte eine Verbindung mit ihm ihrer Karriere nur förderlich sein.

Sie war immer zu stolz, sich ihres eigenen Könnens zu bewusst gewesen, um der Versuchung zu erliegen, sich nach oben zu schlafen; aber sie war auch zu ehrlich zu sich selbst, um leugnen zu wollen, dass die Affäre mit Racine – wenn man es überhaupt eine Affäre nennen konnte – einige verlockende Möglichkeiten bot.

Und der Mann selbst faszinierte sie. Arrogant, geheimnisvoll, ein Mann, an dem man sich reiben musste. Man brauchte sich nur die Rohfassungen anzusehen, um das dunkle Genie des Alexei Racine zu erkennen, die Brillanz, die einen Dracula geschaffen hatte, der so zwingend war wie Hamlet oder Lear.

Die Nacht vor der Abreise aus der Bretagne ging Gemma zur Gruft.

Sie wartete bis Mitternacht. Es war kalt, viel zu kalt, um in einem dünnen weißen Seidenkleid so lange im Freien zu sein, aber sie spürte die frische Luft kaum, die eine Gänsehaut bei ihr bewirkte.

Er war schon vor ihr da – genau, wie sie es erwartet, nein, gewusst hatte.

Ein Streichholz flammte auf.

Racine hatte auf sie gewartet. Die Rage, die ihn ob seiner eigenen Schwachheit vereinnahmt hatte, hatte sich in ihm verfestigt, hatte eine zusätzliche Schicht um den eisigen Panzer gelegt.

Sie wollte ihn reden hören, also würde er reden. Er würde Dinge sagen, die er nie hatte sagen wollen, Dinge, die er auch nicht gesagt hätte, wäre sie nicht um Mitternacht in die Gruft gekommen.

Sie sah die glühende Spitze seiner Zigarette.

Er hielt das Streichholz noch zwischen den Fingern, damit das gelbe, schweflige Licht sein Gesicht erhellte.

Sie sah ihm in die tief liegenden, dunklen Augen, betrachtete die scharfen Wangenknochen, die Adlernase, den Schwung seines Mundes, die vollen, sinnlichen Lippen.

Sie beugte sich vor und blies das Streichholz aus.

ENDE

Ein erotischer Roman, der Ihre Leselust zu neuen Horizonten führt!

Savannah Smythe
DIE KÜNSTLERIN
Erotischer Roman
272 Seiten
ISBN 978-3-404-15653-5

Carla Vicenzi kellnert und denkt keine Sekunde daran, dass sie mit ihrem Hobby, der Malerei, jemals Geld verdienen kann. Doch dann wird Alex Crewe auf sie aufmerksam, Verführer im Hauptberuf, skrupelloser Geschäftsmann nebenbei. Er steht für alles, was Carla verabscheut, aber schließlich werden sie durch Kräfte zusammengeschweißt, denen beide nicht widerstehen können. Doch was geschieht mit Ruth, Alex' Freundin und Assistentin, und mit Lee, der darauf gehofft hatte, Carla bald zu heiraten? Nun, die beiden wissen sich zu trösten. Und nicht zu knapp.

Bastei Lübbe Taschenbuch

Neue erotische Geschichten der erfolgreichen Autorin von »Lippenspiele«

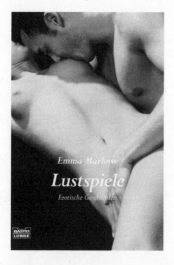

Emma Marlowe
LUSTSPIELE
Erotische Geschichten
304 Seiten
ISBN 978-3-404-15637-5

Phantasievoll und mit perfektem Gespür für spannungsgelade-
nen Sex: Emma Marlowes provokanter Mix erotischer Erlebnisse
in den unterschiedlichsten Liebes- und Lebenslagen:

Ein Ballettsaal dient als Kulisse für eine Tangostunde der beson-
deren Art. Eine junge Frau trifft einen Kunstliebhaber und wird
durch ihn mit ihrer Vergangenheit konfrontiert. Ein Inserat in der
Tageszeitung wird für eine verheiratete Professorin zur verhäng-
nisvollen Affäre. Ein verlassener Mann lässt die Vergangenheit
seiner großen Liebe Revue passieren. Ein Clochard wird für eine
Businessfrau zu geheimnisvollen Begleitung …

Bastei Lübbe Taschenbuch

Einer der erfolgreichsten erotischen Romane Englands

Tabitha Flyte
DER JUNGE GELIEBTE
Erotischer Roman
240 Seiten
ISBN 978-3-404-15622-1

Wie das Leben so spielt: Sally hat Ärger im Job, weil sie nicht das machen darf, was sie für richtig hält, und gleichzeitig schickt ihr langjähriger Freund sie in die Wüste. Ihre Depression endet schlagartig, als sie den jungen Marcus kennen lernt, der ihr Leben auf den Kopf stellt. Lange kann sie diese neue Liebe nicht genießen, weil ihr lüsterner alter Boss ihr nachstellt. Aber Sally findet mit einer verblüffend einfachen Lösung aus ihrem Dilemma heraus.

Bastei Lübbe Taschenbuch